D1432453

La Mystique De Moscou

La Mystique De Moscou

●

ВАДИМ ПАНОВ

ТАГАНСКИЙ ПЕРЕКРЕСТОК

МОСКВА • ЭКСМО • 2006

УДК 82-312.9
ББК 84(2Рос-Рус)6-4
    П 16

Оформление серии художника *С. Киселевой*

Серия основана в 2003 году

Художник *И. Варавин*

       Панов В. Ю.
П 16   Таганский перекресток: Фантастические рассказы. —
       М.: Изд-во Эксмо, 2006. — 384 с. — (Тайный Город).

       ISBN 5-699-14889-2

Они живут рядом с нами, они совсем близко. Мы можем в них
не верить, можем считать их героями давно забытых сказок, но
они реальны, и от них не спрятаться за бетонными стенами московских многоэтажек. Правда, обосновавшийся в столице все-
сильный джинн оказывается совсем не похож ни на могучего тя-
желовеса из лампы Аладдина, ни на бородатого старика Хоттабы-
ча, а ведьмы, черти и лешие охотно вступают в товарно-денежные
отношения с предприимчивыми студентами, но от этого не становятся менее таинственными и опасными. И Дикая Стая по-прежнему жаждет человеческой крови...

Много тайн и загадок скрывает пронизанная древней магией
Москва, и есть среди них место для простого человеческого счастья — ведь в волшебном августе с неба падают звезды, которые
дарят надежду на чудо.

                                    УДК 82-312.9
                                    ББК 84(2Рос-Рус)6-4

ПРАВИЛЬНОЕ РЕШЕНИЕ

Странное настроение дарит морозное весеннее утро. Не мартовское — заснеженное, еще зимнее, разрывающее легкие холодным ветром, а апрельское, почти майское. Веселое. Светлое. И морозное. Ты идешь по просыпающейся улице, прищуриваешься на яркое солнце, улыбаешься, глядя на голубое-голубое, безо всяких облаков небо... и кутаешься в теплую куртку. На руках перчатки, на голове шапка или капюшон толстовки. И идешь ты быстро, потому что зимние ботинки давно спрятаны в шкаф, а кроссовки не предназначены для минус трех.

Тебе не жарко этой весной.

В голых, едва зазеленевших кустах гомонят птицы — им пора создавать семьи, а ломкие ветви покрыты инеем. Птицы надеялись принести с собой весну, но зима оказалась хитрее.

Под ногами хрустит лед. Не тонкая корочка, дымкой затянувшая лужицу, а настоящий лед, на котором проскальзывают переобувшиеся в летнюю резину автомобили. И крепость ночного мороза не оставляет сомнений в том, что зима не ушла, не отступила на север, собираться с силами в ожидании декабря, а затаилась среди городских улиц, спряталась и теперь насмехается над попытками природы вернуться к нормальному течению жизни.

Конец апреля.

Морозно.

Кто-то сошел с ума.

* * *

Димка Орешкин вышел из теплого вестибюля метро, поморщился, отворачивая лицо от торопливого поцелуя холодного ветра, закурил и медленно побрел вниз по улице, внимательно читая названия убегающих направо переулков. Круглая вязаная шапочка, из-под которой торчат длинные волосы, куртка с яркими вставками, молодежный рюкзак — издалека Димку принимали за студента, порой — за подростка. Но издалека. Вблизи становились заметны и мешки под глазами; и морщинки, и пробивающаяся в волосах седина. Какой студент? Какой подросток? За тридцать мужику.

Тридцать четыре, если быть точным. Один раз был женат. Неудачно. Один раз закончил институт. С тройками. Один раз, напившись, высказал начальнику все, что о нем думал. С тех пор — безработный. Должность системного администратора — как звучит! — в небольшой компании, занимающейся установкой металлических дверей, позволила Димке стать специалистом широкого профиля. Помимо непосредственных обязанностей: следить за тем, чтобы компьютеры работали и не заражались всякой дрянью, а генеральному ничего не мешало шляться по Интернету, Орешкину приходилось и факсы чинить, и с телефонией сражаться, и картриджи в ксероксах менять. И даже курьерские поручения исполнять, когда генеральному приходило в голову: «Чего это он здесь без дела сидит, если у него все работает?» Платили, правда, неплохо, на жизнь и на снять квартиру хватало, а о большем Димка не задумывался.

И кто, спрашивается, за язык тянул?

Синяк, что поставил чересчур разговорившемуся Орешкину взбешённый генеральный, сошел за неделю. Еще через две, несмотря на чрезвычайную экономию, начали заканчиваться деньги. А устроиться на работу не получалось. И Нина сказала, чтобы не звонил, пока не поумнеет, читай: пока не найдет приличное место. Впрочем, Нина работала диспетчером в дверной фирме, присутствовала на приснопамятной вечеринке, так что еще вопрос, захочет ли она продолжать отношения. Генеральный — мужик незлопамятный, но публичное оскорбление не простит никогда, и стоит ему узнать, что Нина встречается с наглым программистом, как девушку мгновенно отправят на улицу следом за возлюбленным.

А Орешкин не тот человек, ради которого можно рискнуть будущим. Или настоящим. Рискнуть хотя бы должностью диспетчера.

Офис компании, менеджер по персоналу которой согласился принять Орешкина, располагался на первом этаже жилого дома. Двузначный номер корпуса обрек Димку на пятнадцатиминутные поиски нужного здания, оказавшегося в итоге «тем самым, о котором он подумал с самого начала» и, более того, расположенного настолько удобно, что дворами от метро к нему можно было пройти гораздо быстрее, чем по улице и переулку. Орешкин с чувством обругал косноязычного менеджера, неспособного толком объяснить простую дорогу, изучил свое отражение в грязной витрине закрытого на ремонт магазина, снял шапку, пятерней попытался привести в порядок прическу, вздохнул и отправился кланяться.

Чего не сделаешь ради денег.

* * *

Засаду подготовили мастерски.

Выскочивший из переулка оранжевый мусоровоз перекрыл неширокую улицу, заставив кортеж из «Мерседеса» и трех джипов остановиться в крайне неудобном месте: вокруг лишь фасады домов, ни подъездов, ни магазинов, ни дверей, ни витрин. Позади, захлопывая ловушку, встал огромный тягач, и стрелкам, разместившимся за припаркованными у тротуара автомобилями, оставалось лишь нажимать на спусковые крючки, заливая огнем из автоматов машины неудачников.

Засаду подготовили дерзко.

Кто мог подумать, что в наше относительно спокойное время перестрелку учинят едва ли не в центре города? Утром буднего дня, когда вокруг полно прохожих, а милиция примчится на место происшествия всего через несколько минут.

Засаду подготовили жестоко.

Судя по количеству стрелков и плотности огня, которую они обеспечили, разработчики плана ставили перед собой только одну цель — уничтожить всех, кто попал в ловушку. Не одного-единственного, ради которого все затевалось, а всю свиту.

Нападавшие прекрасно понимали, что главная мишень понадеется на крепость брони «Мерседеса» и покинет лимузин только в самом крайнем случае. И организовали такой случай. Мужчина в черном пальто выскочил из автомобиля за мгновение до того, как в лобовое стекло «Мерседеса» влетела кумулятивная граната. Взрывной волной его швырнуло на землю, мужчина замер, но подоспевшие телохранители подняли его на ноги, заставили пригнуться, окружили, четверо закрыли мужчину собой, остальные продолжали стрелять, надеясь продержаться до появления милиции, но...

Засаду действительно спланировали великолепно. Это был тир. Не бой — расстрел. Автоматные очереди летели со всех сторон. Упал один из телохранителей. Второй. Через сколько секунд будет уничтожена вся группа? Через десять? И окруженные флажками волки побежали. Вперед. На тех охотников, что укрылись за мусоровозом. К переулку, из которого вынырнула оранжевая громадина. Там могут быть двери, подъезды, ворота, дворы. Там можно укрыться, спрятаться. Там можно выжить.

Люди, разработавшие план засады, предусматривали вариант прорыва. Это были умные и опытные профессионалы, они знали, что прижатые к стенке волки не станут покорно дожидаться смерти. Организаторы тщательно инструктировали стрелков, объясняли, как правильно перекрыть дорогу, кто и кого должен страховать, кто и куда должен уйти, чтобы не перекрывать напарнику сектор обстрела. Организаторы рисовали планы, четко указывая каждому исполнителю зону ответственности.

Но иногда отчаяние помогает сотворить чудо.

Телохранители не струсили, не запаниковали. Поняли, что им не уйти, и просто сделали то, что должны были сделать. Падая один за другим. Умирая. Они своими телами проложили мужчине в черном пальто путь к спасению.

До мусоровоза добежали пятеро. Их ждали. Ударили в упор. Один погиб мгновенно. Еще двое завязали перестрелку, легли позже, но все равно легли. Последний телохранитель упал, пробежав десять-пятнадцать шагов по переулку. Одна пуля в ногу, две в спину.

Но свое дело ребята сделали: мужчина в черном пальто успел нырнуть во дворы.

* * *

— Ну что же, в целом, если все это... — Менеджер по персоналу постучал пальцем по заполненной анкете и, выдержав паузу, многозначительно посмотрел на Орешкина: — Если все это соответствует действительности, то уровень ваших знаний нас устраивает. У нас солидная компания, и мы берем на работу только людей с опытом.

— Я это уже понял, — кивнул Димка.

Он изо всех сил старался, чтобы голос звучал максимально вежливо. И смотреть на тщедушного юнца старался уверенно. Мол, цену себе знаю. Таких, как я, еще поискать.

А паршивец не спешил. Раскусил он Орешкина, понял, что мужик на мели, и теперь упивался моментом, демонстрируя просителю невиданную свою важность. То галстук поправит, то начнет вертеть в руках авторучку, искоса поглядывая на Димку. Занятой человек на хорошей должности. Есть собственный кабинет — два на три метра — и положение в обществе. Перед начальством молодцеват, с теми, кто от него зависим, — высокомерен. Но в принципе — «хороший парень», в коллективе к нему относятся неплохо, потому что всегда поддерживает компанию. Орешкин же еще не свой, с Орешкиным пока можно не стесняться.

— С телефонными станциями работали?

«Написано ведь в анкете!»

— С «Панасоником», — подтвердил Димка.

— Это хорошо... У нас тоже «Панасоник».

Орешкин едва не выругался.

— В ваши обязанности будет входить ее обслуживание.

— Я справлюсь.

— Надеюсь...

Стервец вел себя так, словно фирма принадлежала ему. И Димка вдруг понял, что если ему повезет и он останется здесь работать, то на ближайшей же вечеринке набьет щенку морду. С такими уродами иначе нельзя.

— Как вы понимаете, — продолжил паршивец, — вы не единственный претендент на место.

Орешкин выдавил из себя улыбку, но промолчал.

— До конца недели мы будем изучать анкеты и в пятницу примем окончательное решение. Не скрою, Дмитрий, вы кажетесь мне наиболее перспективным кандидатом.

— Спасибо.

— Пока не за что. — Юнец откинулся на спинку кресла. — Кстати, не расскажете, за что вас уволили с предыдущего места работы?

Наушники плеера смотрятся естественно в ушах подростка. Для молодого мужчины это украшение уже несколько странно. Для тридцатичетырехлетнего — нонсенс. Но что делать? Димка так и не придумал лучшего способа отключаться от мира. От враждебного и холодного города, наполненного чужими людьми. Они спешат по своим делам, говорят по телефону, ругаются, толкаются, спорят. Они рядом и одновременно — далеко. Им нет никакого дела до «системного администратора широкого профиля», до его проблем, его чувств, его мыслей. У них свои заботы. Вот и пускай они остаются по ту сторону звуковой стены. Если не смотреть в глаза, ты не видишь человека, поэтому Орешкин не часто вглядывался в лица окружающих людей. А врубив плеер погромче, ты и не услышишь человека. И даже в центре города или в переполненном вагоне метро остаешься наедине с самим собой. А когда играет любимая музыка и никто не мешает, действительность кажется не такой убогой, как на самом деле.

> Через сорок тысяч лет скитаний
> Возвращался ветер к старой маме
> На последней дозе воздуха и сна...

Но сегодня не спасал даже пронзительный рок. Не то настроение. Трудно отрешиться от мира, когда в кармане всего сотня баксов, подходит время платить за квартиру, а перспективы самые что ни на есть туманные.

«Возьмут! Конечно, они меня возьмут! Кто еще согласится на такой круг обязанностей и два месяца испытательного срока? К тому же я не студент, во время сессии отпрашиваться не стану и после института не сбегу. Я останусь...»

Возвращаться к метро Орешкин решил дворами. Он не сомневался, что легко найдет правильную дорогу. А даже если и заблудится, то ничего страшного: времени у него много, спешить некуда.

«И фирма вроде солидная, возле офиса одни иномарки стоят. Зацепиться бы! Только зацепиться! И больше никаких фокусов! Хватит с меня, пора за ум браться...»

Поцелуй меня — я умираю,
Только очень осторожно, мама,
Не смотри в глаза, мертвые глаза
Урагана...

Разумеется, на человека в черном пальто Орешкин обратил внимание не сразу. Мало ли кто по дворам шастает? Прошел мимо, поглощенный своими проблемами, однако через несколько шагов резко остановился и обернулся, подсознательно почувствовав: происходит что-то необычное.

Довольно старый мужчина медленно брел к двухэтажному кирпичному домику, стоящему в глубине двора. Длинное черное пальто распахнуто, под ним темный костюм, белая сорочка и галстук — на обычного пенсионера, вышедшего за утренними покупками, мужчина не походил. Походка заплетающаяся, спотыкается на каждом шагу, но то, что старик не пьян, Димка понял практически сразу: увидел падающие на асфальт капли крови.

«Дела...»

Орешкин растерялся. Что делать? Пройти мимо? Даже не пройти — убежать. Кто знает, почему старик в крови? В такие истории влипать не стоит.

Правильные мысли в голове крутились, верные. Спасительные. Вот только ноги почему-то не слушались. Замер Димка как вкопанный на том самом месте, с которого увидел цепочку кровавых пятнышек. Замер. Без движения.

«Хорошо бы стать невидимым...»

Тем временем старик споткнулся в последний раз и упал на колени. Силы его покидали, но упрямство или инстинкт самосохранения заставляли продолжать движение.

Он пополз. Преодолел несколько метров на четвереньках, невнятно бормоча что-то на гортанном языке, а потом скатился по ступеням, ведущим к подвальной двери.

Орешкин сглотнул и огляделся. Во дворе было пусто. И тихо. Ни одного человека. Ни собак, ни кошек, ни птиц. Только голос в наушниках поет о разудалом морячке. Чужой голос, ненастоящий, безжизненный. Внезапно Димке захотелось увидеть кого-нибудь. Все равно кого: человека, собаку, кошку, птицу — неважно. Увидеть кого-то, кто продолжает жить обычной жизнью. Кто хмуро идет по своим делам, ежась на морозном весеннем ветру. Не падает. Не оставляет за собой кровавые следы. Димке захотелось увидеть кого-то, кто смог бы вернуть его в нормальный мир.

Не увидел.

Во дворе по-прежнему было пусто.

Неестественно пусто.

«Надо вызвать милицию».

«А вдруг он просто порезался?»

«Тогда надо вызвать «Скорую».

«А вдруг в него стреляли?»

«Тогда — милицию».

«Пойди посмотри, что с ним случилось, и тогда решишь».

Легко сказать: пойди посмотри.

Но и бросать человека в беде не хотелось. Димка вдруг понял, что не сможет уйти. Не сможет, и все. Не такой уж он и плохой. Нормальный он, не из тех, что мимо проходят.

Орешкин выключил плеер, снял наушники, достал из кармана телефон, крепко сжал пластиковую трубку, так, словно она была оружием, и медленно подошел к лестнице.

— Эй!

Старик полулежал внизу. На грязной и заплеванной площадке, перед ведущей в подвал железной дверью. Резко пахло мочой, и валялся мусор: рваные пакеты из-под чипсов, разбитые бутылки, смятые пивные банки, тряпки какие-то, палки... И мужчина, угрюмо изучающий свой окровавленный живот.

— Вам нужна помощь?

Старик поднял голову. Черные волосы с проседью. Резкие черты лица. Смуглая кожа. Большой нос. Черные глаза.

«Дарагой, бери урюк, хадить будэшь в белый брюк!»

Но сейчас не было гвоздик или мандаринов. Перед Орешкиным лежал раненый человек. Просто человек.

— Позвонить в «Скорую»?

— Сюда подойди.

— Вам нужна помощь.

— Ко мне подойди, пацан, я не трону.

Он не тронет! Можно, конечно, посмеяться, но Димке было не до веселья. Во-первых, ситуация не располагала, во-вторых... голос раненого срывался, чуть дрожал, но в нем все равно чувствовалась властность и сила. Настоящая сила. Орешкин вдруг подумал, что, не будь в животе старика дырки, он бы уделал годящегося ему в сыновья Димку одной левой.

Но дырка была. И была кровь. И настойчивая просьба:

— Ты глухой, что ли, а? Подойди, говорю!

Димка сошел по ступеням вниз, присел возле раненого на корточки. На живот Орешкин смотреть боялся, пришлось, вопреки собственным принципам, встретиться со стариком взглядом.

— Русский?

— Русский, — подтвердил Димка.

Раненый поморщился, пробормотал что-то, похоже, выругался.

— Ладно, пусть будет русский. Все лучше, чем этим шакалам ее дарить...

— Каким шакалам? — «За ним наверняка гонятся! Что я наделал?!» На Орешкина накатил страх. — Давайте я «Скорую» вызову, а вы сами разбирайтесь.

— Поздно, русский, поздно. — Старик усмехнулся. Нет — ощерился. — Мне твоя «Скорая» не поможет, понял? Я умираю. А звонок засекут. И тебя вычислят. Придут и спросят.

— О чем?

— Узнаешь о чем.

— Я ухожу!

— Сиди, не рыпайся.

Твердые пальцы тисками сдавили плечо Орешкина.

«Господи, откуда у него столько сил?»

— Я умираю, русский, понял? Умираю. А тебе повезло. Джекпот тебе достался, русский.

— О чем вы говорите?

— Денег хочешь? Много денег? Будут тебе деньги! Аллахом клянусь — будут. Ты не убегай, русский... Не убежишь?

Димка отрицательно мотнул головой. Старик отпустил его руку и принялся стаскивать с пальца массивный перстень.

— Слушай, русский, найди моего сына...

«Никаких историй!!!»

Упоминание о деньгах — больших деньгах! — на некоторое время заставило Орешкина позабыть об опасности. Но при словах «найди моего сына...» инстинкт самосохранения попытался взять верх над жадностью.

— Я ничего не возьму! И не буду никому ничего передавать.

Димка даже попытался встать, но старик, продемонстрировав отличную сноровку, успел вцепиться Орешкину в руку.

— Не будь дураком, русский!

И добавил несколько слов на своем языке. Ругался? Наверное, ругался. Строптивого Димку ругал и просто так, потому что больно. А когда больно, всегда ругаются.

— Я не возьму!

— Миллион, русский, миллион тебе сын даст, понял? Только не жадничай! Больше не проси! Миллион! Миллион даст, Абдулла у меня умный. Он все поймет. Он шакалов порежет, а тебе — миллион, понял, русский? Миллион! Только перстень Абдулле отдай, русский, отдай! И скажи, чтобы ей не верил.

— Кому?

— Он знает! Скажи: отец велел ей не верить! Ни одному слову не верить! Ей нельзя верить!

Старик замер. Замолк на полуслове, невидяще глядя на Орешкина. Димка наклонился к нему:

— Вы...

Умолк. Понял. Задрожал. С лихорадочной поспешностью разлепил пальцы мертвеца и бросился вверх по ступенькам, сжимая в кулаке окровавленный перстень.

* * *

С самого детства Мустафа Батоев страдал из-за своего невысокого роста. Он был самым маленьким парнем во дворе, самым маленьким учеником в классе, самым низеньким студентом на курсе. А если добавить к этому наличие избыточного веса да косой правый глаз, то картина получится совершенно безрадостная. Друзья над Мустафой посмеивались, девушки в упор не замечали, а красавица Зина, по которой вздыхал едва ли не весь факультет, как-то заметила, что подобный внешний вид можно простить только Наполеону.

Батоев это высказывание запомнил.

Стиснул зубы, побледнел, но промолчал. Ушел с той вечеринки и до утра бродил по московским улицам.

«Наполеон? Хорошо. Раз ты настаиваешь — пожалуйста».

Ребенок, наделенный столь кошмарной внешностью, имеет все шансы вырасти закомплексованным неудачником, прикрывающим неуверенность громкими словами и рисованным поведением. Всю жизнь он будет доказывать самому себе, что чего-то стоит, любоваться мелкими победами и люто ненавидеть более успешных людей. Батоев же оказался слепленным из другого теста. Ему ничего не нужно было доказывать себе — только окружающим. Если мир не хочет смотреть на него как на равного, миру придется встать на колени и жалко взирать на Мустафу снизу вверх. Других вариантов и быть не может. Хитрый, как лиса, жестокий, как волк, и целеустремленный, как самонаводящаяся ракета, Батоев бросил вызов судьбе и победил. Он брался за самые сложные поручения и выполнял их с блеском. Он научился разбираться в людях и никогда не ошибался в поведении: кому-то — льстил, перед кем-то — заискивал, с кем-то — держался на равных. И в результате маленький студент, приехавший в Москву без гроша в кармане, поднялся настолько, что при желании смог бы купить всех бывших сокурсников оптом. Как Зину, которой пришлось дорого заплатить за легкомысленно нанесенное оскорбление.

Мустафа никому ничего не прощал.

Даже себе.

И любую, пусть даже самую мелкую неудачу Батоев переживал так, словно случилась катастрофа вселенских масштабов.

— Где? Куда он его дел?! Куда?!!

Мустафа приказал остановить машину на набережной, выскочил из бронированного «Хаммера» и пнул ногой колесо. Телохранители встали вокруг бушующего хозяина, но и они, и Хасан, ближайший помощник толстяка, старались не привлекать к себе внимания Батоева. Держались подальше и вели себя тихо-тихо, радуясь, что гнев Мустафы направлен не на них.

— Куда ты его дел, старый мерзавец? — Батоев с ненавистью посмотрел на четки, намотанные на руку. — Куда спрятал?

Короткий всхлип, еще один удар по неповинному джипу.

— Ненавижу!

Батоев обернулся. Маленькие глазки медленно обежали помощников, нащупывая жертву. На кого выплеснется бешенство хозяина? В такие моменты молчание становилось опасным, и Хасан решился подать голос:

— Может, сегодня старик не надел перстень?

— Он его не снимал. Никогда не снимал!!

— Но ведь мы его кончили, — буркнул помощник.

И втянул голову в плечи — настолько страшно сверкнул глазами Мустафа.

— Да плевать я хотел на это! Плевать!! Мне нужен перстень! Мне нужен перстень старого хрена! Сейчас! Немедленно!!

Он опоздал совсем ненамного — старик умер перед самым появлением Батоева. Неостывшее еще тело нашли на грязной площадке, среди мусора, в настолько вонючем месте, что даже запах крови там почти не ощущался.

«Собаке — собачья смерть», — пробормотал кто-то из телохранителей.

Мустафа не ответил. Или не услышал. Увидев поверженного врага, он не смог сдержать улыбку, которая, впрочем, почти сразу же исчезла: труп — это еще не все. Батоеву было нужно другое. Он торопливо спустился к старику, осмотрел его руки, выругался и с лихорадочной поспешностью обыскал карманы убитого. А когда закончил, то... что это был за звук, никто не понял, но Хасан мог бы поклясться, что хозяин скрежетал зубами. Так скрежетал, что слышали даже оставшиеся наверху помощники. Потом Мустафа еще раз обыскал мертвеца, приподнял тело и тщательно осмотрел площадку. Рылся в мусоре. Снова ругался. Снова обыскивал. Замер, отрешенно глядя на старика, и позволил увести себя только при звуках сирены патрульных машин.

Потом он молчал, развалившись на заднем сиденье и вертя в руках прихваченные у мертвеца четки, а когда опасный район остался далеко позади, приказал остановиться и дал волю гневу.

— Облажались, твари! Предали!

Ничего не понимающий Хасан сделал несколько шагов назад. Что происходит? Старик мертв, все в порядке. Какой к чертям перстень? Своих мало?

— Все изгадили! Все!

Мустафа растоптал неосмотрительно зазвонивший телефон, разорвал ворот рубахи, словно мучился от удушья, и разбил один из фонарей любимого «Хаммера». Несколько случайных прохожих, шедших по набережной, осмотрительно обогнули участок, заставленный блестящими авто.

— Дети ослицы! Уроды!!

Припадок ярости длился сравнительно недолго, минут семь. То ли Батоев сумел излить весь гнев, то ли опомнился, осознал, что бесится у всех на виду, теряя лицо перед прохожими. Как бы то ни было, Мустафа пришел в себя, замолчал, облокотился на парапет набережной, процедил несколько слов и бросил в реку четки.

Хасан, которого нервировал прихваченный на месте преступления сувенир, перевел дух. И вновь напрягся: Батоев жестом велел ему приблизиться.

— Перед смертью старик с кем-то говорил, — негромко, но безапелляционно произнес Мустафа.

— Может, его ограбили? — робко предположил Хасан. — Мало ли вокруг отребья? Увидели умирающего и сняли с пальца перстень.

— Может, и ограбили, — кивнул Батоев. — Но почему, в таком случае, они оставили бумажник и часы?

— Не успели.

Мустафа помолчал, усмехнулся:

— Тебе придется найти воришку.

Хасан вздохнул:

— Понятно.

— Но я не думаю, что ты прав, — продолжил Батоев. — Я думаю, все гораздо хуже: старик с кем-то говорил перед смертью и сознательно отдал перстень.

— Почему хуже?

Ограбить умирающего мог любой бомж, сорвал с

пальца перстень и был таков, ищи его теперь, прочесывай ломбарды и скупки. И совсем другое дело, если к старику поспешил на помощь приличный человек. Двор глухой, утро раннее — с вероятностью девяносто процентов можно сказать, что это житель одного из окрестных домов. Найти его — день работы.

— Почему второй вариант хуже?

— Потому что старик наверняка попросил доставить перстень сыну, — спокойно ответил Мустафа.

Но Хасан видел, чего стоило хозяину это спокойствие. Чувствовал, какая ярость кипит внутри Батоева.

— И если мое предположение оправдается, Абдулла может уже сегодня получить перстень.

Хасан тихонько вздохнул, мысленно досчитал до пяти и решился:

— Это плохо?

— Очень плохо, — подтвердил Мустафа. — Это значит, что мы напрасно грохнули старого ублюдка. Что мы крепко подставились, но ничего не получили. — Батоев выдержал паузу. — Хасан, я хочу, чтобы ты начал расследование. Я хочу, чтобы ты следил за действиями милиции. Я хочу, чтобы ты нашел урода, который унес мой перстень, до того, как он придет к Абдулле. Это понятно?

— Да.

В глазах Мустафы вспыхнул гнев.

— Я спрашиваю: это понятно?!

— Я сделаю все, чтобы найти перстень, — твердо ответил Хасан.

— Так-то лучше. Но все равно недостаточно. — Батоев закурил сигарету. — Мне не надо, чтобы ты что-то там делал. Мне надо, чтобы ты нашел.

* * *

Улицу перегородили полностью, не пройти, не проехать. Машины, участвовавшие в перестрелке: тягач, мусоровоз, похожие на решето джипы, разбитый всмятку «Мерседес». Помимо них — патрульные «Жигули», микроавтобусы экспертов, кареты «Скорой помощи». Количество сотрудников милиции просто не поддавалось счету — армия! Врачей чуть меньше. И масса журналистов, поспешивших на место шумной разборки. Щелкают затворы фотоаппаратов, толкают друг друга операторы, торопливые вопросы людям, вдруг кто чего видел? Вдруг наткнешься на свидетеля, до которого еще не добрались милиционеры? Вдруг именно твой кровавый репортаж станет лучшим?

Комментарий, который дал вышедший к репортерам офицер, вызвал ажиотаж. Милиционера окружили плотной стеной, требовали говорить громче, перебивая друг друга, задавали вопросы. Когда все закончилось, «говорящие головы» принялись позировать, требовали от операторов вместить в кадр расстрелянные автомобили, трупы. Побольше трупов. С лихорадочной поспешностью проговорили тексты сообщений и бросились к фургончикам перегонять картинки в редакции — приближалось время новостей. Работа кипела. Трупы ждали отправки в морг. Эксперты собирали гильзы.

Димка, не сумевший пробиться к комментировавшему происшествие милиционеру, угостил сигаретой стоявшего рядом мужика:

— Не слышал, кого шлепнули?

— Ибрагима Казибекова, — важно ответил тот.

— Ни фига себе... — пробормотал Орешкин.

Даже Димка, не особо следящий за новостями,

знал это имя — Ибрагим Казибеков. Его давно перестали называть бандитом, но все знали, что огромное состояние преуспевающего бизнесмена создано отнюдь не праведным путем. Впрочем, доказать что-либо можно только в суде, а с этим у Казибекова было все в порядке: свидетелей нет, доказательств нет, значит, чистый и честный. И все, нажитое непосильным трудом, — гостиницы, рестораны, сеть бензоколонок, ночные клубы — твое по праву. Владей, передавай по наследству.

— Большим человеком был, — продолжил мужик. — Миллионами ворочал, и что? Пуля в лоб, и до свидания. Вот и думай теперь, что лучше: миллионы или зарплата честная.

Сказал с таким видом, будто еще до полудня должен сделать нелегкий выбор: отказываться от богатства или нет?

— Менты, я слышал, говорили, что теперь в Москве большая буза начнется. У Ибрагима три сына, они за папашу всех рвать станут. Крови будет — море.

Нет, порой на улице можно встретить настоящих самородков. Не просто свидетелей, а глубоких аналитиков, способных мгновенно обрисовать вам всю подноготную происходящего. Мыслителей.

Следующие слова мужичонка произнес так, словно тщательно изучил оперативную обстановку в городе и пришел к выводу:

— Трудные времена начинаются. Усиление будет.

Димка растоптал сигарету, поежился, бездумно разглядывая искореженные машины. Перстень, лежащий в кармане куртки, заставлял нервничать. Казалось, его видит каждый встречный. И каждый знает, что именно с ним, с Дмитрием Орешкиным, говорил перед смертью могущественный Ибрагим Казибеков.

«А ведь узнают! — Димку прошиб пот. — Там же дома вокруг! Меня в окно могли видеть!»

Ноги ослабли.

— Это, наверное, из-за автосервисов, — продолжил между тем мужичок. — У меня племянник в автосервисе работает. Говорил, что Казибеков к автосервисам подбирался. Под себя хотел подмять. А это же какие деньги, да?

— Да...

— Есть еще сигареты?

— Пожалуйста.

— Вот и подумай. В автосервисах небось своя мафия. Там ведь такие деньги крутые вертятся. А Казибеков наехал. Вот его и грохнули. Точно говорю — все дело в автосервисах. Или в бензоколонках — тот еще бизнес...

— Территорию он не поделил! — подал голос другой знаток.

— Какую еще территорию? — взвился мужичок.

— Знамо какую: московскую. Славяне ее себе вернуть хотели, а Ибрагим на дыбы. Вот его и шлепнули. Чтобы не зарывался, значит.

— А я говорю — автосервисы!

Димка, не сводя глаз с собеседников, сделал два шага назад. Толпа зевак послушно расступилась, выпустила Орешкина на волю и вновь сомкнула ряды.

— Славяне!

— Автосервисы!

Орешкин медленно брел к метро.

Была у Димки мысль выбросить перстень. Была.

Массивное кольцо оттягивало карман, жгло тело, леденило душу. Тяжесть его заставляла ноги подгибаться. А кровь на нем — чужая кровь — вызывала дикий страх. Пальцы дрожали, перед глазами плыло, казалось, выброси перстень — и все пройдет. Как рукой снимет. Потому что в этом случае ты ни при чем.

Но...

«Поздно, русский, поздно...»

Когда они придут, а, бредя к метро, Димка почти не сомневался в том, что его обязательно найдут, то лучше странный подарок отдать, чем рассказывать, в какую помойку его выбросил.

Да и о деньгах старик чего-то говорил...

* * *

Насилие всегда считалось одной из низших форм человеческих взаимоотношений. Если ты силен — дави на соперника, используй свой авторитет, репутацию, в какие-то моменты угрожай, в какие-то — иди на компромисс. Иногда, ради получения грандиозного приза, достаточно поступиться сущей мелочью. Другими словами — разговаривай.

Надо ведь хоть чем-то отличаться от животных.

Тех же, кто сразу пускает в ход кулаки, не любят. Лихая бесшабашность хороша в голливудских боевиках, но вызывает раздражение в реальной жизни. Об отморозках слагают легенды, но стараются их пристрелить при первой же возможности.

Батоева тупым громилой не считали. Напротив, в криминальном мире Москвы Мустафа пользовался заслуженной репутацией человека умного и расчетливого. Конечно, коллеги по нелегкой профессии понимали, что Батоев непредсказуем — они и сами были такими же, — но отморозок? Нет, это не о нем.

И потому, узнав о неожиданном и жестоком ударе по клану Казибековых, к Мустафе направили переговорщика — человека, которому одинаково доверяли и Батоев, и московские лидеры. Человека с незапятнанной репутацией.

— Хороший чай, — похвалил Розгин, поднося к губам пиалу.

— Освежает, — кивнул Мустафа.

— И замечательное послевкусие.

— Ты же знаешь — чаи моя слабость.

— Единственная.

Батоев тонко улыбнулся:

— Не могу позволить себе больше.

— Прекрасно тебя понимаю.

Павел Розгин был адвокатом. Умным, удачливым и весьма известным. Он специализировался на международном праве и консультировал едва ли не всех российских уголовников, собравшихся вести дела за рубежом. Стоили услуги Розгина чрезвычайно дорого, но он никогда не ошибался и помог сэкономить не один десяток честно украденных миллионов. К тому же Павел славился щепетильностью: он не воровал и не болтал. Он был полезен многим весомым людям, что защищало его гораздо лучше любых телохранителей. В общем, Розгин оказался едва ли не идеальным человеком для непростых переговоров внутри сообщества.

— Мустафа, — осторожно произнес адвокат, — ты понимаешь, зачем я приехал: люди удивлены твоим поведением.

— Они напряглись?

— Разумеется, — подтвердил Розгин. — Но пока воздерживаются от решений. Хотят послушать, что ты скажешь.

— Павел, — спокойно ответил Батоев, — пожалуйста, передай людям, что все произошедшее касается только меня и Казибековых. Шли переговоры, которые Ибрагим не афишировал. Сегодняшние события стали следствием возникшего между нами недопонимания.

— Ты ведь приходишься родственником Казибековым?

— Ибрагим мой двоюродный дядя.

— Он помог тебе подняться.

Мустафа помолчал.

— К чему этот разговор?

— Людей удивило то, что произошло, — объяснил адвокат. — Если бы известные события приключились два года назад, все бы восприняли их как само собой разумеющееся. Но сейчас все изменилось. Ибрагим отдал тебе очень хороший кусок, а сам ушел в легальный бизнес. Ваши интересы не пересекались. Тем не менее случилось то, что случилось. Пойми, Мустафа, ты можешь приобрести очень плохую репутацию. И поэтому в твоих интересах объяснить свои мотивы.

Никому не хочется жить на вулкане. Сегодня — Ибрагим Казибеков, завтра — кто-нибудь другой. Или у Батоева был веский повод для действий, или его переведут в разряд отморозков и постараются обезвредить.

Второй вопрос: начнется ли масштабная война? У Ибрагима осталось три сына, старший из которых — Абдулла — не забыл славное семейное прошлое и способен выставить солдат против подлого родственника.

Батоев медленно долил чай в свою пиалу.

«Проклятье! От скольких проблем я бы избавился, завладев перстнем!!»

Не повезло. Теперь приходится вести переговоры, юлить, оправдываться.

— Кстати, это правда, что почти одновременно с известными событиями кто-то наведался в принадлежащий Ибрагиму пентхаус на «Соколе»?

Мустафа не ответил. Медленно пил чай, не сводя глаз с качающихся за окном веток.

Правда? Конечно, правда. Он давно ждал удобного случая и разыграл партию как по нотам. Ранним утром купленный человек из окружения Казибекова сообщил, что ночь Зарема и старик провели в пентхаусе, после чего Ибрагим в одиночестве отправился в офис — он не любил показываться с девушкой на публике. Вечером они должны были вылететь в Париж. Более подходящий момент и представить трудно. За пять минут до того, как кортеж старика попал в засаду, восемь отборных солдат проникли в пентхаус и увели Зарему. Узнав об этом, Мустафа едва не взвыл от радости, но очень скоро последовал холодный душ: перстень раздобыть не удалось.

Но надежда на успех еще сохранялась.

— Павел, — твердо сказал Батоев, — передай людям, что я готов встретиться с ними завтра вечером. Лицом к лицу. Я приеду, куда они скажут, и без утайки расскажу о причинах, которые заставили меня так поступить с Ибрагимом. Я позволю им самим сделать вывод о том, достаточно ли вескими были эти причины. Мне нечего скрывать.

— Завтра вечером? — прищурился адвокат.

— Да, завтра вечером.

Почти через сорок часов. Вполне достаточно для того, чтобы решить проблемы и предстать перед людьми победителем.

— Я думаю, они согласятся, — улыбнулся Розгин.

— Я тоже так думаю, — кивнул Мустафа.

Несколько мгновений мужчины молча смотрели в глаза друг друга.

— Но если за эти сорок часов случится большая война, — негромко произнес адвокат, — тебе ее не простят. Постарайся уладить свои дела без лишнего шума. Хотя... — Розгин покачал головой, — учитывая, что мы говорим об Абдулле, сделать это будет очень сложно.

— Абдулла не станет лезть на рожон, — с уверенностью, которой у него не было, бросил Батоев.

— Почему ты так думаешь?

— Есть основания.

— Ну что ж, надеюсь, ты прав. — Адвокат поднялся. — Спасибо за чай.

Мустафа отлично понимал, как ему повезло. Получить от лидеров московских кланов целых сорок часов на решение проблем — огромная удача. Батоев со страхом ждал, что «разбор полетов» назначат на этот вечер, но Розгин согласился на завтра, значит, у него были такие полномочия.

«Зря Ибрагим покинул сообщество. Будь он в прежней силе, они бы засуетились...»

А так решили повременить.

В действительности же переживания Мустафы были вызваны исключительно потерей перстня. Завладей он кольцом, встречаться можно было хоть прямо сейчас — его позиции оказались бы неуязвимы. Батоев строил свои планы исходя из того, что получит и Зарему, и перстень, он и в мыслях не допускал провала и теперь был вынужден лихорадочно искать выход.

— Хасан!

Помощник, ожидавший в соседней комнате, быстро вошел в гостиную.

— Да?

— Что с перстнем?

Хасан развел руками:

— Менты опросили всех жителей двора, в котором нашли Ибрагима. К сожалению, никто ничего не видел. Остается надежда на тех, кто вернется вечером с работы. Может, они дадут какой-нибудь след.

— Бомжи?

— Наши ребята трясут всех бродяг округа. Пока безрезультатно.

— Где Абдулла?

— В загородном доме. — И сразу же, не дожидаясь вопроса: — Наш человек сообщает, что никто подозрительный к нему не приезжал. И сам Абдулла не выказывает желания покидать крепость.

Если старик и попросил кого-нибудь передать перстень сыну, этот кто-нибудь пока не дал о себе знать.

— У нас есть время до завтрашнего вечера, — медленно сообщил Батоев.

— Немного.

— Ты должен успеть.

Хасан кивнул.

* * *

«Миллион! Он сказал: миллион!!»

И забавно так сказал: не жадничай, не проси больше, миллион сын даст.

«Миллион!!»

Жадничать? Как вы это себе представляете? Просить больше миллиона? Нет, лучше синица в руках.

Жирная, толстая синица, у которой целый миллион зеленых перьев! Девятьсот девяносто девять тысяч девятьсот девяносто девять долларов! И еще один.

Или попросить миллион евро?

Или миллион фунтов? Они вроде дороже?

Точно — миллион английских фунтов! Старик же не уточнял, в какой валюте должен заплатить его сын за возвращение перстня. Правильно, надо так и сказать: ваш отец сказал, что вы должны заплатить миллион фунтов стерлингов.

«Миллион!!»

Орешкин оглядел комнату. Семнадцать метров, окно на стену соседнего дома, краска на подоконнике потрескалась, осыпается. В дальнем углу отклеиваются обои. Старый диван с протершейся на подлокотниках обивкой. Пыльный сервант, в котором стоят хозяйские чашки. Трехдверный шкаф, скрипящий при открывании. Телевизор с видеомагнитофоном и аудиоцентр — это собственность Димки. Все остальное — чужое.

— А хватит ли мне миллиона? Кто знает, сколько стоит двухкомнатная квартира? Или трехкомнатная? Нет, у человека с миллионом фунтов не может быть трех комнат. Четыре! Не меньше! Я ведь серьезный мужчина!

И обязательно новая иномарка. Квартиру можно купить и в старом доме, в «сталинском», к примеру, а вот машина должна быть блестящей, только что с конвейера. И чтобы кожаный салон, кондиционер, стереосистема... Что еще может быть в крутой тачке, Орешкин не знал, но был уверен, что менеджеры в салоне подскажут.

«Джип куплю! Или «Ягуар»? Или «Феррари»? Нет,

слишком крутую не надо, я ведь скромный парень. Ха-ха-ха!»

Жизнь, еще несколько часов назад такая серая и неуклюжая, стала окрашиваться яркими красками.

«Миллион!!»

«Главное — не спустить его, по глупости не растратить! Часть денег в банк, пусть проценты тикают, остальные вложить в дело. В какое?»

— Фирму открою! Буду дверями железными торговать!

И рассмеялся собственной шутке. Представил вытянувшуюся физиономию генерального. Рассмеялся снова. Вспомнил Нину.

«Нет, такая курица мне теперь не пара».

Восторженные мысли не помешали Димке продумать дальнейшие действия: «Звонить надо только с уличного автомата и ни в коем случае не из моего района. Постараться выведать номер его секретаря. Или службы безопасности. Сказать, что есть информация о смерти отца, но тут же предупредить, что говорить буду только с Абдуллой, дать им время собраться с мыслями и перезвонить через полчаса. За это время они успеют доложить хозяину...»

Хороший план. При удачном стечении обстоятельств во второй раз он уже будет говорить с сыном старика.

«Миллион!!»

— Но за что? — Димка взял в руки отмытый от крови перстень. — Неужели он столько стоит?

Орешкин плохо разбирался в ювелирных изделиях, но ему казалось, что обычное кольцо не может стоить столь дикую сумму — целый миллион! Нет, подождите! Если хозяин готов заплатить за возвращение перстня миллион, значит, стоить колечко должно дороже, гораздо дороже. Раза в три. А то и в десять!

«Десять миллионов?!»

Он покрутил перстень в руке. Массивный, золотой, покрыт тонкой арабской вязью, весомый рубин и... Только сейчас Орешкин разглядел, что внутри камня проглядывает какой-то знак. Димка включил настольную лампу и склонился над перстнем, осторожно повернул его одним боком, другим...

— Есть!

При определенном угле падения света внутри рубина отчетливо виднелась шестиугольная «печать Соломона».

— Ух ты! — Орешкин положил тяжелое кольцо на стол и почесал в затылке. — Круто!

«Не трать время на ерунду! — посоветовал прагматичный внутренний голос. — Действуй, как решил: ищи Абдуллу и возвращай ему перстень. Миллион — это очень хорошие деньги».

«Но колечко-то с секретом!»

«Забудь! Наверняка это просто древняя семейная реликвия, передаваемая от отца к сыну. Что-то вроде символа власти. Поэтому старик так трясся».

«А если оно стоит гораздо больше, чем миллион?»

«И кому ты его продашь?»

«Но ведь я не дурак!»

«Гм... — противный внутренний голос промычал нечто неразборчивое. Кажется, выражал сомнения в последнем высказывании Орешкина. — Не забывай, что тебя могли видеть. А значит...»

Через некоторое время в дверь маленькой однокомнатной квартиры постучат не склонные шутить ребята.

Димка потер лоб.

«Не будь идиотом! Звони!!»

— Это старинный перстень, — громко произнес Орешкин, пытаясь почерпнуть уверенности в собственном голосе. — Антикварный перстень. Или о нем, или о таких, как он, наверняка известно историкам.

«Ты кретин!!»

— Я просто узнаю, что это за колечко, и все. В конце концов, мне интересно.

И Орешкин торопливо, пока не исчез запал, включил компьютер.

* * *

Сопение за спиной становилось все громче и громче. Горячее дыхание навалившегося мужчины обжигало шею и плечи, а его твердое естество внутри ее, казалось, долбило прямо в сердце. Движения мужчины ускорялись, они были неприятны, постыдны, себе самой она казалась грязной... но Зарема стонала. Против воли, против желания получая удовольствие от грубой ласки Мустафы. Он прижал девушку лицом к простыням, вошел сзади и пыхтел. Она чувствовала его рыхлый живот и кусала губы, стараясь не стонать, не показать, что вот-вот испытает оргазм.

Она не хотела, не желала.

Но не смогла сдержаться.

Их голоса слились. Последовало еще несколько толчков, после чего удовлетворенный Батоев отодвинулся и позволил Зареме откатиться в сторону.

— Понравилось?

Девушка старалась не смотреть на Мустафу. Легла на бок, поджав ноги к груди, и потянула на себя тонкую простыню.

Батоев погладил большой живот:

— Знаю, что понравилось, слышал. Не печалься, Зарема, тебе будет хорошо со мной.

Она вспомнила, как он вошел в комнату. Как остановился, с недоброй усмешкой оглядывая ее, как раздулись его ноздри... Зарема знала, что возбуждает Мустафу, они виделись всего несколько раз, но на каждой встрече девушка ловила его жадный взгляд. Впрочем, ей было не привыкать: большинство мужчин с восторгом изучали ее фигурку, миниатюрную, но очень соразмерную. Высокая грудь, стройные ноги, узкие плечи, тонкая шея, огромные глаза на узком лице и длинные черные волосы. И родинка на левой щеке. Маленькая и изящная, как сама девушка. Зарема привыкла к жадным взглядам, не обращала на них внимания, уверенно чувствуя себя за спиной Ибрагима. И плюгавого Мустафу она никак не выделяла из толпы — он был всего лишь одним из подданных старого Казибекова.

Но вот все поменялось.

В очередной раз.

Сегодня Батоев смотрел на нее по-хозяйски. А Зарема стояла, опустив голову. Беззащитная, покорная. Она ничего не могла сделать, она оказалась в западне. Потом Мустафа велел ей снять блузку, лифчик, долго мял грудь, залез в трусы. Затем уселся на диван, распахнул халат и посадил девушку на колени. Лицом к лицу. Велел целовать себя в слюнявый рот. Показал, кто хозяин.

А потом началось самое неприятное.

Зареме стало горько. И даже еще горше от мысли, что горячему телу понравился молодой мужчина. Она проклинала себя за то, что ей было хорошо.

— Что мог дать тебе старик? — весьма мягко проговорил Батоев, наполняя вином два бокала. — Ничего. Он доживал свой век и ничего не хотел. Со мной же тебе будет гораздо лучше.

Мустафа прилег на кровать рядом с девушкой, подпер голову рукой.

— Ты хандрила, скучала по настоящей жизни.

— Мне было хорошо у Ибрагима, — ровно ответила Зарема. — Я ни на что не жаловалась.

— И теперь не будешь, — пообещал Батоев. — Будь хорошей девочкой, и я стану обращаться с тобой не хуже, чем старик.

«Не хуже? — Зарема едва сдержала горький смех. — Не хуже! Глупый, глупый Мустафа, неужели ты не понимаешь, что Ибрагим начинал точно так же: набрасывался, подавлял, наслаждался властью». Первые несколько месяцев в доме Казибекова стали для девушки непрекращающимся кошмаром. После Ибрагим остыл, утолил голод, а когда обрел могущество и начал играть с судьбами других, изменил отношение к Зареме. В последние годы и вовсе называл девушку «дочкой».

Но память о первой встрече остается навсегда.

— Ты ведь знаешь, что я могу превратить твою жизнь в ад, — улыбнулся Мустафа. — А могу — в рай. Все зависит от меня.

— Пока я этого не знаю, — спокойно ответила Зарема.

Батоев осекся.

«Я угадала!!»

— Ты трахаешь меня, но берешь силой. Не приказываешь. — Девушка выдержала паузу. — Почему?

Мустафа помрачнел:

— Не забывайся.

— У тебя нет перстня!

— Я его найду! — хрипло бросил Батоев.

— Старик тебя обманул! Ты его убил, но не получил перстень!

Зарема звонко рассмеялась. Получила удар по губам, но продолжала смеяться, в упор глядя на злящегося Мустафу. Да и удар оказался не сильным, Батоев отчего-то не хотел делать девушке больно. Ударил, чтобы замолчала.

— Прекрати! — В маленьких глазках Мустафы сверкнуло бешенство. — Заткнись!!

Девушка поняла, что пора остановиться. Пусть Батоев и не имеет над ней полной власти, но сейчас она в его руках, и у Мустафы есть тысяча способов сделать ее существование невыносимым. Зарема перестала смеяться, но продолжила разговор издевательским тоном:

— Что ты теперь собираешься делать, убийца своего дяди?

— Трахать тебя я могу и без перстня, — угрюмо ответил Батоев.

— Но разве ты этого добивался? Тебе нужна вся власть, так?

Мустафа медленно допил вино, поставил бокал на тумбочку, чему-то улыбнулся, глядя на закрывающую окно тяжелую штору, почесал живот и тихо, но ОЧЕНЬ уверенно произнес:

— Все равно, Зарема, все будет так, как я решил. Я добьюсь своего. Меня не остановить.

Улыбка сползла с лица девушки. Если до сих пор она не воспринимала Батоева всерьез, старалась уколоть, ужалить, даже унизить, если получится, то теперь поняла: перед ней Наполеон. Было в негромком голосе Мустафы столько силы, что старый Ибрагим, не убей его племянник, удавился бы от зависти.

А потом Зарема представила, что он может сделать, и ей стало страшно.

— Если ты продолжишь мне дерзить, тебя будут трахать все мои солдаты. И сейчас, и потом. Всегда. Ты станешь их подстилкой. Они будут плевать тебе в лицо и...

— Не надо. Пожалуйста, не надо.

Батоев кивнул:

— Хорошо, что мы начали понимать друг друга. — Снова почесал живот. — Ты меня обидела, Зарема, постарайся загладить свою вину.

Девушка все поняла, тихонько вздохнула и послушно отбросила в сторону простыню.

— Надеюсь, новости действительно стоят моего беспокойства, — пробурчал Мустафа, открывая дверь кабинета. — Что случилось?

Хасан дождался, пока хозяин усядется в глубокое кресло, чиркнул зажигалкой, помогая Батоеву раскурить сигарету, и с тихой радостью поведал:

— Есть след! Менты нашли свидетеля!

Глаза Мустафы сверкнули.

— Говори.

— Отправляясь на работу, один из жителей домов встретил незнакомого мужчину. Обратил внимание, потому что двор глухой и чужие там бывают крайне редко. Нам повезло: свидетель оказался бывшим гэбистом, а сейчас работает в охранном агентстве, так что мужика он описал досконально.

Батоев выхватил из рук помощника лист бумаги, нетерпеливо пробежал взглядом по строчкам: «...тридцать — тридцать пять лет... темные волосы... нос... одет...» Откинулся на спинку кресла, прищурился:

— Это уже кое-что.

Обычный человек опустил бы в такой ситуации руки: как отыскать в десятимиллионной Москве тридцатилетнего мужчину с темными волосами? Опрашивать каждого встречного? Дать объявление в газету? Но Хасан не даром ел свой хлеб.

— Гэбист сказал, что никогда раньше этого мужика не видел, а направлялся тот к метро. Вывод: или ночевал у подружки, или приезжал по делам. Завтра утром два десятка наших пойдут по окрестным домам и офисам. Фоторобот у нас есть. Уверен, к полудню мы найдем урода.

Хотелось приказать действовать прямо сейчас, немедленно: врываться в квартиры и будить людей, но Мустафа понимал, что надо ждать.

— Хорошо, Хасан, я очень тобой доволен.

* * *

Говоря откровенно, вряд ли бы Димка решился искать следы антикварного перстня, не будь у него маленького хобби — история Второй мировой войны. У многих интерес к тому времени проходит. Взрослея, дети забывают рассказы дедов-фронтовиков, старые фильмы начинают восприниматься совсем иначе, нежели раньше, и память о самой большой войне в истории человечества оживает лишь 9 Мая. У Орешкина же детская увлеченность не пропала. Не стала, как это иногда бывает, профессией, но никуда не делась. Димка внимательнейшим образом читал документальные материалы, посещал пару военно-исторических клубов и, бывало, до остервенения вел дискуссии на профильных интернет-форумах. На которых — Орешкин знал это точно — появлялись не только такие же, как он сам, энтузиасты, но и люди с соответствующим образованием. С одним из них, использующим в Сети ник fOff, Димка виртуально подружился и на его помощь рассчитывал.

«Есть тема. Давай в приват[1]».

«Давай».

Приятеля Орешкин отыскал лишь поздним вечером и теперь торопился поделиться информацией, боясь, что тот предложит перенести разговор на завтра.

«Что случилось?»

«У меня есть интересная штука. Хочу, чтобы ты ее посмотрел».

«Что за штука? Документ?»

«Антиквариат».

«Не занимаюсь».

«Мне нужна консультация историка».

«Наследство привалило?»

«Вроде того».

«Пришли на мыло[2]».

Перстень Димка сфотографировал на камеру телефона. Перекачал файл в компьютер, приготовил письмо, и теперь ему оставалось лишь нажать на кнопку.

«Лови!»

«Поймал, — отозвался приятель через некоторое время. — Жди».

fOff не отзывался двадцать минут. Орешкин не отлипал от монитора, нервно курил, проклинал себя за глупую любознательность...

---

[1] Зона, в которой пользователи Интернета могут вести конфиденциальный разговор *(сленг.)*.
[2] Электронная почта *(сленг.)*.

fOff был как всегда краток:

«Откуда дровишки?»

«Наследство».

«Уверен?»

«Скажи, что разузнал, тогда обсудим».

«Такие вещи надо щупать. Возможно — подделка».

«Ты скажи, подо что подделывают?»

«Надпись-то не на арабском, сечешь?»

«Не секу», — честно признался Орешкин.

«Если все так, как я думаю, то твоей «штучке» на пару тысяч лет больше, чем ты мог бы себе представить».

— Ого! — Димка уважительно посмотрел на перстень. — Когда же тебя сделали?

«Еще какие-нибудь признаки есть?»

«Какие признаки?»

«Метка? Клеймо? Насечки необычные? Файлы у тебя паршивые получились, я чуть глаза не сломал, их просматривая».

Орешкин снова закурил. Говорить или не говорить? С одной стороны, глупо вот так с ходу выкладывать на стол все козыри. С другой — он сам попросил консультацию, так зачем же теперь скрывать факты?

«Есть знак под камнем или в камне — я не разобрался. Его видно, только когда свет падает на перстень под особым углом».

«Что за знак?»

«Шестиугольная звезда».

«Печать Соломона?!»

«Типа того».

«Обалдеть!»

«Что это значит?»

На этот раз fOff не удержался от эффектной паузы.

«Ты читал «Тысяча и одна ночь»?»

«Да».

«Тогда ты должен помнить, чем запечатывали сосуды с джиннами».

* * *

Излагать Казибековым ультиматум Батоева отправился Павел Розгин. В этом заключалась его задача: поговорить с одной стороной, затем со второй, если придется — вернуться к Мустафе и передать ответ Абдуллы. Уважаемые люди не хотели войны. Уважаемые люди хотели помочь Казибекову и Батоеву поговорить между собой, и никто, кроме Розгина, не смог бы организовать челночные переговоры.

— Абдулла, ты понимаешь, что я говорю словами Мустафы? Ничего от себя.

— Павел, я знаю правила, — кивнул Казибеков. — Говори.

Адвокат тяжело вздохнул, всем своим видом показывая, как трудно ему доставлять дурную новость в дружественный дом, и начал:

— Он не хочет больше крови, не хочет войны. Семья должна покинуть Москву в течение трех дней. На ваши вложения за границей он не претендует. Ваш бизнес здесь он покупает. Вот перечень собственности, которую он желает приобрести, цены указаны.

Абдулла даже не взглянул на оказавшуюся на столе тоненькую папку, не сводил глаз с Розгина.

— Если условия будут приняты, Мустафа клянется, что не тронет никого больше. И готов отвечать за эти слова перед всем сообществом.

— А что они? — глухо осведомился Казибеков.

Адвокат помолчал.

— Никто не понимает, что происходит, из-за чего возникли трения. Мустафа говорит, что вы решили изменить условия, по которым передали ему свой старый бизнес, и затребовали большую долю. Уверяет, что защищался. В этом случае к нему нет претензий. Если ты докажешь, что это не так, — и тебе никто слова не скажет.

— Слова против слов.

— Вы оба серьезные люди, вам верят. Ты можешь убедить людей поддержать тебя.

— И Мустафа может.

Розгин потер пальцами переносицу:

— Люди не хотят войны. Никто не хочет.

— Мустафа начал стрелять! — бросил Абдулла.

— Это все помнят. Но надо понять — почему?

Казибеков скривился, резко поднялся, повернулся к адвокату спиной и спросил:

— Сколько у меня времени?

— Советую определиться до утра. А вообще люди хотят, чтобы завтра вечером что-нибудь решилось. Если потребуется, они готовы встречаться и говорить.

— Я понял. Спасибо, Павел. Уходи.

— Это грабеж, — тихо сказал Юсуф, бросая папку на стол. — За такие деньги бизнес не продают. Насмешка! Мы потеряем миллионы!

Абдулла тяжело посмотрел на младшего брата и повернулся к Ахмеду, третьему сыну Ибрагима.

— Что скажешь?

Тот мрачно потер подбородок:

— У Мустафы сила?

Абдулла кивнул.

— Неужели не достанем суку?

— Ляжем, — коротко ответил старший брат.

— Об отце говорим, Абдулла, — напомнил Ахмед. — Мстить надо, иначе Мустафа вернется. Выждет полгода и вернется добивать. Если на кровь не пойдем — он не отстанет.

— У Мустафы Зарема, — буркнул Абдулла.

— Ай! — Ахмед выругался. — Зарема! Забыл!

— Но Мустафа не может ею управлять, — негромко произнес Юсуф.

Абдулла повернулся к брату:

— Почему ты так решил?

— Потому что иначе он бы уже положил всех нас, — просто ответил младший. — Потому что ему было бы плевать на мнение сообщества. Неужели не понятно?

— Перстень, — прошептал догадавшийся Абдулла. — Отец спрятал перстень!

* * *

fOff не лгал Орешкину — он действительно был историком. Причем — превосходным историком.

Семнадцать лет назад Валерий Леонидович Хомяков с отличием окончил Московский историко-архивный институт, поступил в аспирантуру, стал кандидатом, а через несколько лет и доктором. Хомяков специализировался на России Средних веков, однако коллеги и научные руководители отмечали глубокие, если не сказать — энциклопедические знания Валерия Леонидовича во многих других областях и неоднократно подчеркивали, что он не просто занимается историей, а вкладывает в работу душу, что он увлечен и влюблен в свою профессию. Хомяков прекрасно разбирался в истории Западной Европы и Ближнего Востока, неплохо ориентировался в прошлом Средней Азии и Китая. И очень сожалели коллеги, когда Валерий Леонидович принял решение уйти из науки. Хотя и понимали, что молодому и умному мужику трудно жить на нищенскую зарплату, которую выдавали в конце двадцатого века таким вот башковитым, но... несовременным людям.

Хомяков изменил науке, но не истории. Покинув институт, Валерий Леонидович открыл собственный салон и, благодаря энциклопедическим своим знаниям и нечеловеческому упорству, через каких-то три года стал самым известным в Москве антикваром.

Так что обманул fOff Орешкина, крепко обманул. Разбирался виртуальный приятель в старинных сокровищах, блестяще разбирался, профессионально, на уровне ведущих европейских экспертов.

Закончив разговор с Димкой, которого он знал под ником Сержант, Хомяков некоторое время молча сидел в кресле, а затем вновь вызвал на экран присланные фотографии. Перстень, вид сверху. Перстень, вид сбоку. Камень крупно. Надписи.

— Забавно, — вздохнул Валерий Леонидович, — весьма забавно.

Кто бы мог подумать, что невинная страстишка обернется таким вот образом?

Хомяков знал, что тщеславен, любил он слышать восхищенные и завистливые возгласы, обожал демонстрировать свое превосходство в уме и знаниях. Эта черточка характера и привела Валерия Леонидовича на исторический форум. Серьезные оппоненты в Интернете попадаются нечасто, обычно подростки да прочитавшие пару книжек дилетанты, и в их компании Хомяков развернулся вовсю. С ленивым высокомерием громил он недоучек практически в любом историческом вопросе и очень скоро стал признанным авторитетом среди завсегдатаев. Хомякова уважали. Хомяковым восхищались. Хомяков был счастлив.

Но обращение занудного Сержанта выбило Валерия Леонидовича из колеи, заставило насторожиться и задуматься. Глубоко задуматься. И не только потому, что ему понравился показанный виртуальным приятелем перстень. Все было гораздо сложнее: Хомяков знал, кому принадлежит сей раритет. Точнее — принадлежал. Валерий Леонидович помогал Ибрагиму собирать коллекцию и не один раз видел перстень на пальце покойного.

— Что ж, Сержант, жаль, конечно, но, кажется, ты влип.

Хомяков взял телефон и набрал номер резиденции Казибековых.

* * *

— Валерий? Конечно, помню.

Абдулла поморщился и переложил телефонную трубку в другую руку. Ему до чертиков надоели звонки с соболезнованиями. Правильнее всего было бы посылать всякую шушеру на... Ну, понятно куда. И еще пару лет назад молодой Казибеков именно так и поступил бы, однако новые игры, в которые заставил его играть отец, диктовали новые правила: приходилось быть вежливым. Не со всеми, разумеется, но приходилось. Антиквара Абдулла хотел отправить к секретарю, но вспомнил, что Ибрагим отзывался о Хомякове очень хорошо и лично представил его сыну. Человек известный, человек полезный — можно уделить ему пару минут.

— Абдулла, я огорчен и расстроен. Ты знаешь — я очень уважал твоего отца. Прими мои соболезнования.

— Спасибо, Валерий. Спасибо, что не забыл меня в этот час. Я тронут.

Короткая пауза. Как человеку воспитанному, Хомякову следовало попрощаться — тон хозяина предполагал короткий разговор, но антиквар медлил.

— Абдулла, извини, что спрашиваю... возможно, мой вопрос покажется тебе неуместным, но...

«Шакал боится за свой бизнес! — угрюмо подумал Казибеков. — Кажется, отец заказывал у него картину?»

— Валерий, все договоренности, какие были у тебя с моим отцом, остаются в силе. Но давай вернемся к этому вопросу через несколько дней, хорошо?

— Абдулла, извини, ты меня неправильно понял, — торопливо, боясь, что Казибеков бросит трубку, проговорил Хомяков. — Я хотел спросить, не пропало ли что-нибудь у твоего отца?

Абдулла вздрогнул. Секунды через три он закрыл рот, сглотнул и осторожно поинтересовался:

— Что именно?

— Понимаешь, мне показали перстень с крупным красным камнем, очень похожий на тот, что...

— Он у тебя?!!

Казибеков заорал столь громко, что Хомякову даже пришлось оторвать трубку от уха.

— Вези его мне! Нет! Я сам приеду!!

— Абдулла, я же сказал: мне его показали. Прислали фотографию через Интернет.

— Кто прислал?

— Не знаю. Точнее, так: я знаю его только под сетевым псевдонимом.

— Где он сейчас?

— Мы договорились встретиться завтра.

— Поздно! Я хочу найти его как можно быстрее. — Казибеков задумался. — Валера, оставайся дома. Через полчаса к тебе приедут мои люди, расскажешь им что и как. Попробуем найти твоего приятеля.

Хомяков удивленно поднял брови: ничего себе спешка.

«Что же это за перстень?»

И в голове вдруг всплыла шутливая фраза, которую он написал Сержанту: «Ты должен помнить, чем запечатывали сосуды с джиннами...»

Но вслух произнес другое:

— Э-э... Абдулла, мне неудобно говорить, но...

— Если с твоей помощью я верну кольцо, гонорар составит полмиллиона, — веско бросил Казибеков. — Нормально?

— Абдулла, поверь, я приложу все усилия...

— Вот и хорошо.

* * *

Розгин позвонил Батоеву сразу же после встречи с Казибековыми, сказал, что ультиматум передан и Абдулла берет время на размышление. Ответ будет завтра. Мустафа выразил надежду, что Казибеков поведет себя здраво и не встанет перед паровозом. После короткой паузы адвокат осторожно заметил, что наблюдать за столкновением вышеупомянутого паровоза и упрямого Абдуллы никому не интересно. На том и порешили. Батоев продемонстрировал глубокую уверенность в собственных силах и не сомневался, что Розгин обязательно поведает об этом сообществу.

Однако, положив трубку, Мустафа позволил себе весьма длинное ругательство, и тон, которым Батоев посылал проклятия, не был тоном победителя.

Абдулла взял время до утра.

Казибековы заперлись в своем дворце.

На первый взгляд в этом не было ничего необычного — в подобных обстоятельствах любая семья повела бы себя именно так. Но время идет, а сыновья старого Ибрагима до сих пор не отправили своих жен и детей подальше от Москвы. Почему? Они-то, в отличие от Розгина и сообщества, прекрасно понимают истинный смысл ультиматума и знают, что шансов выстоять у них нет. Если Мустафа придет в их дом, лягут все, кто в нем окажется. От Заремы не уберечься.

А Казибековы не прячут семьи.

Чего ждут?

Ответ Батоев знал, и ответ этот ему не нравился: Казибековы ждут перстень.

Перстень!

Абдулла знает, что Мустафа не сумел добраться до кольца, и тянет время. Заполучит сокровище обратно — станет говорить совсем по-другому. И чья возьмет в противостоянии, непонятно: хоть Казибековы и отошли от сообщества, силенки у них остались, есть чем на ультиматум ответить.

На какое-то мгновение Батоеву стало страшно. Безумно страшно. Он даже подумал, что напрасно начал войну, почувствовал, как задрожали пальцы, и жадно потянулся за сигаретой...

«Зачем я так подставился?!»

А потом пришел стыд. Перед самим собой. За

проявленное малодушие. И следующую порцию ругательств Мустафа направил в свой адрес:

— Перетрусил, шакал?! Кишка у тебя тонка против ибрагимовских ублюдков, да? Тебе, сука, хурмой на базаре торговать надо, а не серьезные дела решать, понял?!

Он закрыл глаза, затянулся, глубоко вдыхая табачный дым, чуть расслабился.

«Я поступил правильно! Я ударил вовремя и наверняка. Да, я не взял перстень, но и у Абдуллы его нет. Мы на равных».

Все было именно так. Все, до последнего слова. Шесть лет назад, с того самого мгновения, как Мустафа узнал тайну Заремы, он думал о том, как завладеть девушкой. Некоторое время эта мысль оставалась несбыточной мечтой. Затем, по мере того, как Ибрагим уводил семью от сообщества и передавал теневой бизнес племяннику, идиотский на первый взгляд замысел обретал реальные очертания. У Батоева появились сила и власть, он завел осведомителей среди ближайшего окружения Ибрагима и целых два года терпеливо дожидался подходящего случая. И сумел нанести удар...

— Проклятый старик!!

Мустафа скомкал сигарету в пепельнице, поднялся с дивана и посмотрел на часы: половина третьего ночи.

«Пойти спать?»

Он задумчиво погладил подбородок и улыбнулся.

К чему идти в кровать, если все равно не заснешь? Слишком высоко напряжение, слишком много неприятных мыслей лезет в голову. Не следует мучить самого себя, когда можно заняться гораздо более приятным делом.

Зарема не спала. То ли догадывалась, что Батоев вновь заявится в ее комнату, то ли не могла уснуть.

В эту ночь в Москве не спали много людей.

Девушка сидела в кресле, подобрав под себя ноги, и не пошевелилась даже после того, как Мустафа остановился перед ней.

— Я подумал, что тебе скучно, — произнес Батоев после короткой паузы и принялся расстегивать рубашку. — Да и мне чего-то не спится.

— У тебя неприятности с Абдуллой?

Но на этот раз Мустафа был готов к проявлению дерзости и лишь усмехнулся:

— Не бери в голову, красавица, я все улажу.

Зарема чуть пошевелилась, тонкая ткань ночной сорочки пришла в движение, и Батоев увидел упругую выпуклость груди. Его ноздри раздулись, руки слегка задрожали, и последняя пуговица рубашки не расстегнулась — оторвалась.

«Девка сводит меня с ума!»

Что значит — делает слабым, уязвимым.

Но и не желать Зарему Мустафа не мог. Он мечтал о мгновении близости, жаждал прикоснуться к бархатистой коже, зарыться лицом в длинные черные волосы, вдохнуть ее аромат, почувствовать жадную мягкость губ.

Оставался лишь один выход.

Батоев перестал расстегивать брючный ремень и резко, очень жестко ударил девушку кулаком в голову. Зарема промолчала. Удар бросил ее на спинку кресла, но девушка не издала ни звука. Медленно вернулась в прежнюю позу и замерла. Вот только бретелька сорочки соскользнула с плеча, обнажив правую грудь. Поправлять одежду Зарема не стала. Мустафа издал глухое рычание и следующим ударом бросил девушку на пол.

Что последует дальше, девушка знала — не в первый раз знакомилась с людьми, подобными Батоеву. Они боятся проявить слабость, а потому... Или ее будут долго и жестоко бить, или долго и жестоко насиловать. Ни то, ни другое девушку не устраивало.

— Остановись! — Зарема ловко откатилась в сторону и вскочила на ноги, одновременно успев вернуть на место бретельку. — Стой!

— Что? — Мустафа замер.

Ненадолго. Через несколько мгновений удивление пройдет, и его ярость удесятерится. Нужно спешить!

— Я могу тебе помочь!

— В чем?

— Перстень!

Батоев недоверчиво посмотрел на девушку:

— Говори.

— Я помогу найти его.

— Каким образом?

Зарема грустно улыбнулась:

— Он мне не чужой. Мы чувствуем друг друга.

Пару секунд Мустафа обдумывал слова девушки. Затем в его глазах вспыхнули недобрые огоньки, и Батоев зло процедил:

— Ты могла мне помочь с самого начала!

— Я тебя совсем не знала. И не была уверена, что с тобой мне будет лучше, чем с Абдуллой.

— А теперь уверена?

В его голосе прозвучало мужское самодовольство, но следующие слова Заремы заставили Батоева поморщиться.

— Мы заключим сделку, Мустафа. Ты поклянешься именем Аллаха.

Батоев задумчиво оглядел Зарему, поднял с пола рубашку, накинул ее, уселся в кресло и взялся за сигареты.

— Твои условия?

— Ты не будешь меня бить или приказывать кому-нибудь меня бить.

— Боишься боли?

— Мне неприятен процесс.

— Понимаю. Что еще?

— Ты не будешь со мной спать, если я не захочу этого сама, и не будешь приказывать кому-нибудь со мной спать.

Мустафа молчал две очень глубокие затяжки. Услышав условие Заремы, он едва не задал ей ехидный вопрос, но сумел сдержаться. Опасаясь получить ответ, аналогичный предыдущему.

— То есть я потеряю возможность наказывать тебя.

— Когда ты станешь хозяином перстня, я буду слушаться тебя беспрекословно, — тихо ответила девушка. — А срывать на мне зло не надо.

— Ибрагим тебя избаловал, — буркнул Батоев.

— Не думаю, — улыбнулась Зарема. — Просто случай уж очень удобный.

— Я могу найти перстень сам.

— Не спорю. Но знаешь, что я с тобой сделаю, если перстень окажется у Абдуллы? — Девушка встала перед Мустафой на колени, положила руки ему на бедра, заглянула в глаза. Ночная сорочка вновь не скрывала ее прелестей, но Батоев не испытывал возбуждения. — Сначала я расскажу сыну Ибрагима обо всех пытках, которые знаю, и мы вместе выберем из них самую подходящую. Потом...

— Пока ты в моей власти, — мягко напомнил Мустафа.

— Я готова служить тебе, — невинно отозвалась девушка. — Разве не так?

Батоев угрюмо посмотрел на девушку. Будучи человеком умным, он уже просчитал последствия ее предложения. Никакой близости без ее согласия. А ведь тянет. Тянет, черт побери! Избивая Зарему, Мустафа мечтал о ней. Нанося удары — желал целовать. Красавица свела его с ума в момент их первой встречи. Ее улыбка, ее глаза, ее фигура... Несколько лет Батоев искал подружку, хотя бы частично похожую на Зарему, и в каждой находил изъян. Хрупкая Зарема была совершенна. И отказаться от нее теперь, узнав ее сладость? Мустафа знал, что не сможет не думать о девушке. Знал, что, согласившись на условия, станет рабом Заремы, будет униженно умолять ее о близости, будет валяться у нее в ногах, исполнять любые прихоти ради нескольких часов наслаждения.

Слабость.

Слабость, за которую ему всегда будет стыдно.

Но есть и другая сторона медали.

Власть.

Если он не сумеет заполучить перстень, то лишится всего. Потеряет положение и богатство. Зарема с удовольствием сдерет с него кожу.

И будет служить Абдулле.

И будет спать с Абдуллой.

Что лучше? Какое решение правильное?

Мустафа колебался недолго. Чувства можно убить. Жизнь дается один раз. Проклятая девка нашла верный ход, сумела воспользоваться ситуацией к своей выгоде, и впереди Батоева ожидает масса неприятных мгновений. Зато у него будет это самое «впереди».

— Я согласен с твоими условиями, — медленно произнес Мустафа. — Но чем я буду клясться?

— Если ты нарушишь хоть один пункт договора, я получаю свободу, — просто ответила Зарема.

Мог бы и не спрашивать.

Батоев раздавил окурок о стеклянную столешницу элегантного столика и принял окончательное решение.

— Согласен.

* * *

Готовить завтраки Орешкин не любил и не умел. Когда работаешь, это вроде и не нужно: наскоро оделся, выскочил из дома, одна сигарета до метро, одна сигарета от метро до офиса, и кружка кофе с каким-нибудь печеньем по приходе на работу. К чему тратить время на еду, если можно поспать лишних двадцать минут? За то время, что Димка сидел без работы, привычка сохранилась, но, разумеется, с небольшими изменениями.

Проснувшись и почистив зубы, Орешкин отправился на кухню, где включил чайник и закурил первую сигарету. Кофе в банке оставалось совсем чуть-чуть, но это не смущало — Димка знал, что в самое ближайшее время деньги у него появятся.

«Миллион!»

Или даже больше, если fOff сумеет разузнать чего-нибудь интересное. Ведь не зря же виртуальный приятель выспрашивал о скрытой в камне печати.

Димка налил в кружку кипяток, помешал кофе ложкой, но пить не стал. Вместо этого достал перстень и покрутил его перед окном, стараясь разглядеть печать. Получилось.

— А вдруг в кольце запечатан джинн?

Несколько секунд Орешкин пытался оценить свою реакцию на произнесенную фразу, прислушивался к ощущениям и вдруг понял — верит. Не на сто процентов, конечно, но верит. Уж больно загадочным казался перстень. Слишком тонкую работу надо было проделать древним мастерам, чтобы спрятать печать под камень.

— Чушь! — Голос сорвался, и Димке пришлось откашляться. — Ерунда!

«Тебе предложили миллион!»

— Ну и что?

«Какая побрякушка может стоить такие деньги?»

— Мало ли какая? Газеты надо читать! Богачи друг другу обручальные кольца по десять миллионов заказывают! — И торопливо, пока внутренний голос не успел опровергнуть и это утверждение, добавил: — Если в перстне джинн, почему старик не попросил его о помощи?

Прозвучало весьма логично.

— Вот так-то!

Орешкин был горд собой: едва ли не впервые в жизни каждое его действие казалось логичным и обдуманным.

Сейчас предстоит встреча с fOff, на которой, вполне возможно, прояснится ситуация с перстнем: что он собой представляет и откуда взялся. Эта информация позволит понять, какую именно сумму надо требовать с сына убитого старика — миллион или побольше? Или вообще искать других покупателей. Зачем связываться с бандитами, если вокруг полным-полно законопослушных коллекционеров?

Происходящее казалось Димке сбывшимся сном: он в центре многоходовой интриги! От того, насколько правильное решение он примет, зависят судьбы людей. Он холоден и рассудителен. Он...

И вдруг видение: окровавленный старик.

И предательская дрожь в коленках.

Орешкин поперхнулся кофе и несколько мгновений кусал губы, с силой сжимая ручку кружки.

— Это другая жизнь... — прошептал он себе. — Жизнь богатых и сильных. Привыкай, скоро у тебя будут деньги.

Он не стал вытирать стол. Поставил кружку в лужицу кофе, торопливо оделся, положил бесценный перстень в карман куртки и вышел из квартиры.

* * *

Первый звонок от Абдуллы раздался примерно через час после того, как присланные в квартиру Хомякова специалисты принялись за работу. Затем еще через час. Через пятьдесят минут. Через сорок. Под утро Казибеков принялся тормошить подчиненных каждые полчаса.

«Нашли?»

«Нет».

Короткие гудки.

«Нашли?»

Разговаривал с Абдуллой Исмаил, главный из тех, кто приехал к Валерию Леонидовичу. Отвечал он спокойно, по-военному кратко, но было видно, что его самого бесит отсутствие результатов. Исмаил не боялся гнева шефа, раздражение вызывала невозможность выполнить приказ. Но вида он старался не показывать. Убирал трубку в карман и возвращался к столу — наблюдать за тем, как компьютерные гении пытаются отыскать иголку в стоге сена. Точнее — человека, спрятавшегося в огромной информационной паутине. Надо отдать должное: Исмаил понимал, насколько непростую задачу поставил перед ними Абдулла. Ребятам он не угрожал, не подгонял, слюной не брызгал — просто наблюдал. Иногда курил. Выпил одну чашку чаю. Говорил только с Казибековым.

Ждал.

Хомяков Исмаила побаивался. Понимал, что по его квартире разгуливает тренированный убийца в очень плохом настроении, и дергался. Валерий Леонидович старался вести себя тихо-тихо и на глаза гостям лишний раз не попадаться. Он бы с удовольствием убрался в другую комнату, но компьютерным гениям периодически требовались его комментарии, так что приходилось быть рядом. Конечно, мысль о полумиллионе долларов грела душу, но изредка Хомякова охватывала паника.

«А если проклятый Сержант смоется? Если его не найдут?»

И тогда Валерий Леонидович потел. Вздрагивал от малейшего звука, даже от скрипа стула, и потел. Сильно потел. И с каждым часом его беспокойство нарастало. Стучали зубы. Дрожали ноги.

А когда один из компьютерщиков вдруг обернулся к Исмаилу и отрицательно покачал головой, Хомяков едва не потерял сознание.

— Напрасно.

— Ты плохой специалист? — едва слышно осведомился Исмаил.

— Вы думаете, мы плохо старались?

Помощник Казибекова промолчал. Компьютерщик почесал в затылке.

— Этот Сержант — профессионал. Даю слово: он программист, причем неплохого уровня. Не знаю, сознательно ли он прятался или по привычке, но отыскать его мы пока не можем.

— Сколько это: «пока»?

— Еще бы часов восемь-десять. Возможно, мы бы придумали, как его найти, а так... — Компьютерщик пожал плечами. — Мы не волшебники.

С дивана, на котором разместился Хомяков, послышался всхлип.

Исмаил бесстрастно посмотрел на Валерия Леонидовича, затем на часы, на компьютерщиков и принял решение:

— Продолжаете работать. Ищите хоть всю неделю. — Повернулся к Хомякову: — А мы поедем на встречу.

Валерий Леонидович кивнул, но выражение его лица показало Исмаилу, что доносчика следует подбодрить. Он подошел к Хомякову и по-прежнему бесстрастно произнес:

— Абдулла сказал, что вы нам помогаете. А тех, кто нам помогает, мы не трогаем. Ничего не бойтесь. Даже если Сержант не явится на встречу, обвинять вас ни в чем не будут.

Слова дошли до Валерия Леонидовича не сразу. Но все-таки дошли. Осознав, что напрасно нервничал, Хомяков улыбнулся и подумал, что принял правильное решение.

* * *

— Здесь он умер.

— Да, здесь, — подтвердил Мустафа. — В грязи. Как собака.

— Я не спрашивала, — тихо сказала Зарема.

Она оглядела маленькую площадку перед подвальной дверью. Провела носком туфельки по бетонной ступеньке. Присела на корточки, прикоснулась к пятнам засохшей крови на стене — следы пальцев Ибрагима. Затем положила ладонь на бетон, прикрыла глаза, вслушиваясь во что-то неуловимое, недоступное восприятию людей.

— Здесь был мужчина.

— Та-ак, — напряженно протянул Батоев. — Дальше!

— Молодой мужчина... Страх... неуверенность. Удивление... Он стоял тут!

Зарема поднялась по лестнице, остановилась, развернулась лицом к двери.

— Мужчина лет тридцати — тридцати пяти, — буркнул Мустафа.

— Он не милиционер, — продолжила девушка. — Не воин. Случайный человек. Слабый.

— Трус!

— В нем есть все. Но очень мало уверенности в себе.

«За что такое счастье тупому неудачнику?» Батоев вздохнул.

Тем временем Зарема медленно сошла по лестнице, причем ее движения были странными: не обычными — изящными, а слегка заторможенными, чужими, и замерла на площадке.

«Повторяет его путь», — догадался Мустафа.

Девушка вновь присела на корточки, провела рукой по бетону, поднесла испачканную ладонь к лицу, понюхала, лизнула грязь.

— Не правоверный.

«Новость замечательная, но, к сожалению, абсолютно бесполезная».

— Ты сможешь его найти?

Зарема открыла глаза. Пару мгновений брезгливо рассматривала испачканную руку, после чего поднялась на ноги и, вытащив из сумочки платок, тщательно вытерла ладонь.

— Ты сможешь его найти? — повторил Батоев.

— Мы ведь договаривались, — огрызнулась девушка.

Мустафа не сумел сдержать облегченный вздох:

— Ты знаешь, где он?

— Нет.

— Черт! — Разочарование было слишком велико. Батоев с трудом подавил накатившую ярость. — Хватит меня дразнить!

— Я не собиралась.

Зарема подошла к нему, оглядела окрестные дома. Маленькая и восхитительная. Черные волосы собраны в пучок. Брови стрелами, ресницы пушистые, кожа матовая, и при этом — ни грамма косметики! Меховая курточка до талии — соболя. Черные брюки, черные туфли. Скажи Мустафе еще несколько лет назад, что он будет сходить с ума от женщины, — рассмеялся бы в лицо. Или воспринял бы как оскорбление.

А ведь сходит.

И до сих пор не уверен, что правильно поступил, заключив договор.

— Ты сможешь найти ублюдка?

— След очень слабый, — ответила Зарема, выдержав короткую паузу. — Я не могу указать, где в настоящее время находится человек с перстнем.

— В таком случае, чем ты поможешь?

Девушка вновь помолчала.

— Я знаю, где следует искать в ближайшее время. Мы поедем в это место, и я его найду.

— Я сам поеду, — прищурился Мустафа. — Ты вернешься в дом.

— Все может измениться в любой момент, — улыбнулась Зарема. — Я ведь предсказываю, а не слежу. Хочешь рискнуть?

Батоев пару мгновений буравил девушку взглядом, затем проворчал невнятное ругательство и кивнул в сторону своего «Хаммера»:

— Поехали.

* * *

Очередной приступ паники случился у Орешкина в метро. Они договорились встретиться с fOff на Пушкинской площади, и на последнем перед «Тверской» перегоне Димка, стоящий в середине вагона, вдруг покрылся потом.

«Что я делаю? Зачем?!»

Страх поглотил душу. Подозрительным стало все.

«Я ничего не знаю об этом fOff! Кто он? Почему так легко согласился на встречу?»

Лежащий в кармане перстень мертвеца вдруг потяжелел, потянул вниз, сгорбил плечи. Накатила дурнота.

«Если кольцо действительно дорогое, то...»

Воображение услужливо выдало подходящую картинку: бандиты и милиционеры, мускулистые качки и страшные байкеры в черных косухах. И у каждого в руке оружие. И каждый желает отнять его сокровище. И непонятно, что хуже: быть избитым уголовниками или услышать: «Вы обвиняетесь в убийстве Ибрагима Казибекова».

— Господи, зачем я в это ввязался?

Стоящий рядом с Орешкиным мужик удивленно посмотрел на пролепетавшего последние слова парня.

— Вам плохо?

— Нет!

Димка отступил к дверям.

— Станция «Тверская», переход на...

Стеклянные створки распахнулись, народ высыпал на перрон. И Орешкин тоже. Даже не высыпался — выполз. Прислонился плечом к стене, сжал кулаки.

«Не надо никуда идти! Просто позвони Казибекову! Миллион — это огромные деньги, неприлично огромные. Зачем тебе больше?»

— Да, я сглупил!

Орешкин вытер пот со лба, криво улыбнулся:

— Уезжаю...

И неожиданно увидел себя со стороны. Дрожащий тридцатичетырехлетний мужик в яркой молодежной куртке. Одинокий. Безработный. Без прошлого и будущего.

Никто.

И понял, что если уйдет сейчас, то не сможет пойти на встречу с людьми Казибекова. Не сможет. Духу не хватит. Будет ходить вокруг телефона до конца дней своих, но так и не наберет заветный номер. Не произнесет уверенным тоном заготовленную фразу.

Испугается.

Потому что нельзя быть храбрым по обстоятельствам, потому что или в тебе есть стержень, или нет. А длинные разговоры — для пустобрехов.

И Димка разозлился. На себя. Возможно — впервые в жизни. Он смачно плюнул на мраморный пол и быстрой походкой направился к эскалатору.

— Мустафа, у меня прекрасные новости! — В голосе Хасана звучала неподдельная радость.

Батоев вернул бокал с вином в бар и переложил телефон в правую руку:

— Говори, Хасан, я соскучился по прекрасным новостям.

Зарема, сидящая у противоположного окна, — что в «Хаммере» Мустафы означало почти то же самое, что на другом конце города, — поджала губы и демонстративно отвернулась.

— Я нашел урода!

— Есть!

Батоев покосился на девушку:

— Кажется, наше маленькое соглашение придется расторгнуть. Мы справились сами.

Молчание.

— Орешкин Дмитрий Олегович. Менеджер по кадрам одной фирмы, там, неподалеку, опознал пацана по фотороботу. Приходил вчера утром устраиваться на работу.

— Адрес есть?

— А как же!

— Давай туда. Землю носом рой, но чтобы Орешкин...

— Понял!

Мустафа бросил трубку на сиденье, хихикнул, а потом потянулся и положил ладонь на коленку Заремы.

— Я не стану сердиться на тебя за эту выходку. Ты пыталась соблюсти свой интерес? Хорошо. Но еще лучше то, что у тебя ничего не получилось. Теперь мы вернемся к нашим прежним взаимоотношениям.

Пару мгновений Зарема изучала руку мужчины

на своей коленке, затем перевела взгляд на Батоева и холодно осведомилась:

— Твои люди поехали к Орешкину?

— Конечно.

— И что ты надеешься там найти?

Мустафа насторожился:

— Не понял.

Девушка улыбнулась:

— Ты ведь умный, Батоев, кто-то даже говорил, что ты умнее Ибрагима. Почему же ты не понимаешь столь простых вещей?

— Каких вещей?

— Какова вероятность того, что Орешкин, увидев окровавленного старика, бросился к нему с целью поживиться? Какова вероятность, что он сорвал перстень с целью продажи? Я уверена, что Ибрагим сам подозвал этого русского и сам отдал ему сокровище.

— Что это меняет? — хрипло спросил Мустафа.

Зарема вздохнула:

— Для чего Ибрагим отдал перстень?

— Для чего?

— Чтобы русский передал его Абдулле. Я готова спорить с тобой на ночь любви, что сейчас Орешкина нет дома, а когда он вернется, в его карманах окажется много-много зеленых бумажек. Но ни одного ювелирного изделия.

Батоев сглотнул и быстро убрал руку с колена девушки. Откинулся на спинку дивана. Помолчал.

— Мы катаемся по городу уже два часа...

— Наша договоренность в силе?

Снова пауза.

— Да.

— В таком случае вели остановить машину.

«Хаммер» прижался к тротуару у поворота с Тверской на Бульварное кольцо.

— Орешкин где-то здесь, — просто сказала Зарема. — Я чувствую.

Мустафа оглядел наполненную людьми площадь.

— Просто чувствуешь?

— Я должна подойти ближе, — тихо произнесла девушка. — Я могу ошибаться.

«Ваша задача, Валерий Леонидович, проста — встретиться с Сержантом. Ничего больше. Убедитесь, что перед вами тот самый человек, и поздоровайтесь с ним за руку. Все».

«Что вы будете делать?»

Хомякову очень не хотелось влипать в перестрелку.

«Не стоит пугаться, — мягко ответил Исмаил. — Абдулла приказал решить проблему по возможности тихо и мирно. Я подойду и поговорю с Сержантом. Я предложу ему деньги. — Улыбнулся, заметив, как насторожился Хомяков, и добавил: — За свой гонорар не волнуйтесь, вы получите ту сумму, которую назвал Абдулла. Сержанту я предложу другие деньги».

«А стоит ли? — осмелел Валерий Леонидович. — За что ему?»

«Так сказал Абдулла, — пожал плечами Исмаил. — Ему виднее».

Уверенный тон собеседника окончательно успокоил Хомякова, а рюмка коньяка, опрокинутая перед выходом из дома, добавила сил и задора. Поэтому сейчас, стоя на промозглой площади, Валерий Леонидович пребывал в прекрасном настроении.

«Пятьсот тысяч за то, что потоптался на морозе! Самая выгодная сделка в жизни!»

Люди вокруг казались глупыми и недалекими обывателями. Членами серого стада, неспособными поймать удачу за хвост.

«Учитесь...»

— Вы и есть fOff?

Хомяков вздрогнул и обернулся. Перед ним стоял длинноволосый мужик лет тридцати пяти, одетый в не по возрасту яркую куртку и вязаную шапку. На плече легкомысленный рюкзак. В глазах — настороженность.

— Вы fOff?

— Сержант?

— Да.

Валерий Леонидович шмыгнул носом и протянул руку:

— Рад познакомиться.

— Взаимно.

— Скажу откровенно: вы едва ли не единственный человек на форуме, с которым интересно спорить.

— Спасибо, — смущенно улыбнулся Орешкин.

— Как вас зовут на самом деле?

— Дима.

— Так вот, Дима, вы только не пугайтесь. С вами хочет поговорить один мой знакомый.

Рот Сержанта перекосился, он попытался сделать шаг назад, но поздно. Слишком поздно. Незаметно подошедший Исмаил крепко стиснул его плечо.

— Он здесь! Он на площади!

— Шеф, здесь люди Казибекова, — шепнул телохранитель.

— Где?! — развернулся Батоев.

— Вот твой Орешкин, — улыбнулась Зарема. — И перстень с ним. Я чувствую!

Шагах в тридцати от них, у неработающего фонтана, стояли трое мужчин. Упитанный лысеющий господин. Длинноволосый недотепа в яркой куртке. И черноволосый крепыш в черном пальто.

— Исмаил!

— А ты была права, Зарема, — прошептал Мустафа.

— Я всегда права, — улыбнулась девушка.

И резко ударила Батоева коленом в промежность.

— Ох!

Мустафа согнулся от боли и выпустил руку Заремы. Девушка сразу же отскочила в сторону.

— Стой!

— Батоев! — пронзительно закричала Зарема. — Мустафа Батоев!

Исмаил среагировал мгновенно: развернулся на крик, в руке появился — или показалось? — пистолет. Упитанный присел на корточки.

Телохранители заслонили Мустафу.

— Взять ее! Взять! Русского взять! Перстень взять! — хрипел из-за их спин Батоев.

Но телохранители видели то, чего не заметил шеф. С лавочек поблизости поднимались черноволосые мужчины. Солдаты Казибекова. Четверо. У одного кисть руки тонет в сложенной пополам газете. У второго — в сумке. Двое последних прячут руки под пальто. Правда, от Тверской подтянулись люди Мустафы. Еще трое.

Но не стрелять же, черт возьми, в самом центре города?!

И в какой-то момент все замерли.

И прохожие наконец-то увидели, что происходит

нечто странное. Стали расступаться, боязливо отодвигаясь к деревьям.

И насторожились милиционеры, до сих пор мирно болтавшие на перекрестке.

И никто не знал, что делать.

Никто, кроме Заремы.

Хватка у Исмаила оказалась железной. Даже когда раздался женский вопль — Орешкин не расслышал слов, показалось, прозвучало какое-то имя — и Исмаил обернулся, он все равно не выпустил Димкино плечо. Даже чуть сильнее сдавил, то ли показывая, что бежать бессмысленно, то ли машинально, увидев стоящих метрах в тридцати людей — толстого коротышку и окружавших его телохранителей. Судя по всему, их появление не обрадовало Исмаила, и Орешкин затосковал. Вонючка fOff на полусогнутых ногах направился к деревьям. На него никто не обращал внимания. Кому интересен предатель? Он свою роль сыграл. А Димка оставался вместе с Исмаилом в центре площади. И ждал, что вот-вот начнут стрелять. И проклинал вечеринку, на которой поругался с генеральным, ибо, не будь ее, сидел бы сейчас в теплом офисе да флиртовал бы с Ниной...

— Перстень давай, — прошипел Исмаил.

— Дома оставил.

Орешкин никогда бы не подумал, что его руку можно сжать еще сильнее. Оказалось — можно. Исмаил оказался настоящим терминатором.

— Перстень давай, гаденыш. Иначе положу.

— Вытащи меня отсюда, — с трудом превозмогая боль, ответил Димка. И заметил, что от перекрестка к площади направляются встревоженные милиционеры. Стало легче. — Выбираться будем вместе.

Откуда только взялась наглость? Откуда? Потом Орешкин понял — из метро. Он стал меняться, когда переломил себя и отправился на подозрительную встречу. Когда принял первое в своей жизни правильное решение, когда почувствовал себя смелым.

К сожалению, от терминатора не ускользнули перемещения стражей порядка.

— Перстень, сука! — В бок Орешкина уперлось что-то твердое. — Пристрелю.

И решимость стала таять.

Ноги у Димки подогнулись. Рука машинально опустилась в карман... И в этот момент на них налетело что-то маленькое, пушистое и очень-очень активное.

И очень шумное.

Подкравшаяся Зарема ударила Исмаила в спину. Не сбила с ног, конечно, куда там! Но оттолкнула, заставила отпустить Орешкина.

— Дима, бежим!

— Ты кто?! — Орешкин соображал с большим трудом. — Куда?!

Исмаил развернулся, рявкнул что-то...

И на площади прозвучал первый выстрел — Мустафа, отобравший оружие у одного из телохранителей, пальнул во врага.

И сразу же включились люди: крики, вопли, беготня. Заорали что-то милиционеры. Кто-то из солдат Казибекова ответил на выстрел. Побелевший Исмаил попытался вцепиться в Орешкина, но Зарема потянула Димку за собой, и терминатор не успел. А потом, совершенно неожиданно для продолжавшего смотреть на него Орешкина, упал на колени. Неестественно медленно повалился на асфальт лицом вперед.

И только после этого Димка услышал еще два выстрела.

Водитель Батоева развернул «Хаммер» прямо через Тверскую, остановился у тротуара, и телохранители втащили обезумевшего хозяина в безопасное бронированное чрево.

— Девку, ублюдки! Девку и пацана ищите! Не отдавайте Казибекову!! Два миллиона даю! Два миллиона!!

Несколько человек бросились на площадь.

А возле «Хаммера» резко затормозил милицейский «Форд».

— Быстрее! Быстрее!! — Зарема, продолжая держать Димку за руку, буквально перетащила ошарашенного парня через дорогу и завела в какую-то арку. — Сюда! Скорее!!

— Куда мы?

— Подальше от них!

— А кто они?

— Ты еще не понял?

— Нет.

— И не надо! Перстень у тебя?

Орешкин сунул руку в карман куртки, облегченно вздохнул, почувствовав пальцами холодный камень.

— Да. — И тут же напрягся. — Не отдам!

— И не надо! — Зарема огляделась в поисках выхода. — Туда! — Ткнулась в одну из дверей. — Закрыто! — Замерла. Прислушалась. — Они близко.

— Кто?

Девушка обернулась, и спокойный взгляд ее больших черных глаз привел Орешкина в чувство. Он вдруг понял, что если хрупкая красавица способна сохранять хладнокровие в подобных ситуациях, то ему, взрослому мужику, стыдно впадать в истерику.

— Дима, ты хочешь жить?

— Да.

— Тогда, пожалуйста, надень перстень на безымянный палец правой руки.

Из арки послышались шаги, затем гортанные голоса. Громкие. Грубые. Несколько мужчин выясняли отношения на незнакомом языке.

— Люди Батоева и люди Казибекова. Сейчас кто-то из них придет сюда.

Орешкин вздрогнул и поспешил выполнить приказ девушки — надел кольцо.

— А теперь повторяй за мной: во имя Аллаха, милостивого и всемогущего...

— Ты смеешься?

Из арки послышались звуки ударов, короткий вскрик, а потом голос:

— Они здесь!

В глазах девчонки мелькнул страх.

— Во имя Аллаха, милостивого и всемогущего, — тут же произнес Орешкин.

— ...я заклинаю тебя...

— ...я заклинаю тебя...

— ...именем Сулеймана, ибн Дауда...

— ...именем Сулеймана, ибн Дауда...

— Вот они!

Из арки выскочили двое.

— Зарема! Орешкин! Стоять!

— Да будет так, — прошептала девушка.

На них направили пистолеты. Но Димка, к огромному своему удивлению, страха не испытывал. Совсем не испытывал. Он задумчиво посмотрел на засверкавший камень и негромко спросил:

— Мы успели?

— Да, — с улыбкой подтвердила Зарема, — мы успели.

— И что теперь?

— Просто скажи: спаси меня.

Орешкин помолчал, перевел взгляд на приближающихся бандитов и попросил:

— Спаси меня.

И впервые в жизни увидел, как человек совершает десятиметровый прыжок с места. Нет, не человек — джинн.

Как буднично: «Я только что стал повелителем джинна».

Димка тряхнул головой и снова уставился на сверкающий рубин. Он не хотел видеть, как Зарема его спасает.

* * *

Проблем с милицией избежать не удалось. Уехать Батоев не успел — дорогу «Хаммеру» перегородил бело-синий «Форд», а потому пришлось давать объяснения: что да как, откуда взялись три трупа и кто открыл пальбу в людном месте. Возможно, при других обстоятельствах Мустафу отпустили бы сразу, но на этот раз происшествие получилось слишком шумным — центр города как-никак. На Пушку прибыл начальник московского ГУВД со свитой и кто-то из мэрии. Вертелись журналисты. Группа фээсбэшников тщательно искала следы террористов. Толпа зевак росла с каждой минутой.

К Батоеву, который отказался покидать «Хаммер», постоянно приходили какие-то люди, и в погонах, и в штатском, демонстрировали удостоверения и просили ответить на вопросы. Слушали внимательно, кивали, переспрашивали. Мустафа понимал, что, окажись у них хоть малейшая зацепка, — «закроют», и потому старался отвечать по возможности лаконично, тянул время до приезда адвоката, а когда тот появился — замолчал окончательно. Версия Батоева гласила, что он во время внезапного приступа сентиментальности вышел прогуляться к знаменитому памятнику и стал объектом покушения. Телохранители, действовавшие строго в рамках закона, защитили шефа от преступного посягательства, за что им отдельная и безмерная благодарность. Милиционеры, первыми прибывшие на место событий, предприняли все необходимые меры, за что им еще более отдельная и еще более безмерная благодарность.

Само собой изложение версии закончилось деликатным вопросом: нельзя ли мне покинуть эту жуткую площадь?

Примерно в три пополудни — после того как уехали шишки из ГУВД и мэрии — Батоева отпустили, и «Хаммер» помчал злого как черт Мустафу в его загородную резиденцию.

* * *

— Чья это квартира? — угрюмо спросил Димка, разглядывая богатое убранство огромного холла.

— Одного мертвого человека, — ответила Зарема.

— Ибрагима Казибекова?

— Да.

— Большая.

— Он любил жить красиво.

Шестикомнатные апартаменты мертвого человека располагались на берегу Строгинской поймы, в доме, который Орешкин видел только на рекламных картинках журналов. Территория тщательно охранялась собственной службой безопасности, но девушка сказала: «Прикажи войти в дом незаметно». Димка приказал. И ни один охранник не посмотрел в их сторону.

Гипноз?

— Располагайся, — предложила Зарема, сбрасывая куртку на кресло. — Здесь мы в безопасности.

— Ты уверена?

— Да. Это гнездышко Ибрагим свил лично для себя, и сыновья вспомнят о нем в последнюю очередь.

— Почему мы не поехали ко мне?

— Я же говорила: там люди Мустафы.

— Точно?

— Хочешь проверить?

Она улыбнулась. Под курткой оказалась легкая белая блузка, тонкая и почти прозрачная. И больше ничего. И Орешкин старался не смотреть на присевшую на диван красавицу.

— Ты ведь сможешь справиться с засадой?

— Смогу, — кивнула Зарема. — Но потом у ментов возникнут к тебе вопросы: откуда трупы, чего от тебя хотели...

— Понял, понял, понял.

Димка прошелся по мягкому ковру, остановился у окна, полюбовался рекой, набережной, задумчиво потер перстень, развернулся, сделал еще несколько шагов, постоял у картины.

— Пикассо, — сообщила девушка. — Подлинник. Ибрагим любил испанца.

— А ручки на дверях позолоченные...

— Из чистого золота, — поправила Орешкина Зарема. — Ибрагим не терпел фальши.

— Для меня это дико, — тихо произнес Димка.

— Ты из другого мира, — пожала плечами девушка.

— Наверное... — Орешкин помолчал. Потом решился: — А ты?

— Что я?

— Ты из другого мира?

На этот раз паузу взяла Зарема. Она перестала улыбаться, покусала губу, отвернулась и негромко ответила:

— Из другого царства. Есть царство людей. Есть царство джиннов. А есть те, кто волей обстоятельств оказывается не на своем месте.

Грусть в ее голосе потрясла Димку. Заготовленные вопросы вылетели у него из головы, показались глупыми, никчемными, слишком прагматичными. Вместо этого он почти шепотом поинтересовался:

— Твой дом далеко?

— Я уже не помню. — Девушка передернула плечами. — Я слишком давно живу среди вас.

— Тысячу лет?

— Гораздо больше.

— И все время кому-то служишь?

Она кивнула.

Димка вспомнил ее прыжок. Вспомнил элегантные и смертоносные движения — там, во дворе, двое громил ничего не смогли противопоставить хрупкой красавице. Вспомнил произнесенные им самим слова древней формулы и то, как засверкал камень.

«Да, за такой перстень не жаль миллиона. Не жаль и десяти...»

Странно, но осознание выигрыша не поглотило Орешкина. Не появилось чувства собственного превосходства и вседозволенности. Слишком много переживаний выпало сегодня на его долю, слишком резким получился переход: только что он стоял под дулом пистолета и вот уже сжимает в руке счастливый билет. Да и счастливый ли он? О Зареме знают Батоев и Казибековы, они наверняка захотят вернуть себе сокровище. А у них власть и деньги, у них солдаты. А у Орешкина только джинн с неизвестными техническими характеристиками.

— Я могу поспрашивать тебя?

— Конечно, — кивнула девушка. — Все с этого начинают.

Димка сел в кресло, потер лоб...

— Наши взаимоотношения?

— Ты хозяин, я рабыня.

В ее устах фраза прозвучала обыденно — привыкла.

А вот Орешкин вздрогнул — не ожидал.

Точнее, ожидал — «Тысячу и одну ночь» читал как-никак, но еще не осознал себя хозяином. Повелителем. Еще не понял, что есть некто, готовый исполнить любой его каприз.

Что у него есть раб.

— Хочешь, скажу: слушаюсь и повинуюсь?

— Скажи!

На Димку накатила лихость. Захотелось повелевать, приказывать. Захотелось увидеть склоненную голову.

— Прикажи что-нибудь, — попросила Зарема. — Просто так эту формулу не произносят.

— Что?

— Придумай.

— Построй дворец!

— Недвижимостью не занимаюсь, — улыбнулась девушка. — Но могу подсказать телефон солидной строительной компании.

Орешкин удивленно уставился на джинна:

— Ты серьезно?

— Я не могу врать хозяину.

— Никакого дворца?

— Увы.

— Мне что, подсунули бракованную модель?

Зарема весело рассмеялась.

— Знаешь, а ты отличаешься от тех, кому я служила раньше. Мне повезло.

— И чем же я отличаюсь? — после короткого молчания спросил Орешкин.

— Если им что-то не нравилось в моих ответах, они начинали меня бить. А ты шутишь.

— Ты чувствуешь боль?

— Да. Мне нельзя причинить вред, меня нельзя убить. Но боль я чувствую. И в эти мгновения мне так же плохо, как обычному человеку.

Она ответила ОЧЕНЬ спокойно, но Димка понял, что стояло за словами девушки. Годы унижений, насилия и страха. Бесчисленные годы непрекращающихся пыток, с помощью которых люди доказывали джинну, что они сильнее.

Орешкин криво улыбнулся:

— Ладно, оставим. Но если ты не умеешь строить дворцы, тогда какой в тебе прок?

В глазах Заремы сверкнули огоньки.

— Я умею воевать.

— И все?

— Разве этого мало?

* * *

— Мы потеряли троих: Исмаила...

— Не продолжай, — приказал Абдулла помощнику. — И так все понятно.

Он откинулся на спинку огромного кресла и замер, невидяще глядя перед собой. Только пальцы левой руки нервно ерзали по гладкой столешнице.

— Перстень?

Голос прозвучал очень глухо.

Помощник отрицательно качнул головой. И вышел из кабинета, подчиняясь повелительному жесту Казибекова.

И снова тишина, нарушенная лишь однажды — Юсуф закурил сигарету.

— Придется согласиться с условиями Мустафы, — тихо произнес Ахмед. — Надо уходить, пока сообщество может защитить нас.

— Судьба Заремы все еще неизвестна, — проворчал Юсуф. — Если джинн вне игры, у нас есть шанс.

Абдулла внимательно посмотрел на младшего. Кивнул:

— Согласен.

Ахмед удивленно оглядел братьев:

— Вы серьезно?

— Казибековых никто и никогда не мог обвинить в трусости, — тоном, не допускающим возражений, произнес Абдулла: — Время у нас есть — сообщество ждет до девяти вечера. Мы поедем к Мустафе и отомстим за отца.

Юсуф согласно покивал. Но промолчал. Раздавил в пепельнице окурок и еще раз кивнул. Другого выхода младший не видел.

— Мы можем уйти, — напомнил Ахмед.

— Все, что мы можем, — это принять правильное

решение. — Абдулла улыбнулся. — Поверь, брат, иначе нельзя. Ты это знаешь. Просто сейчас ты немного растерян.

Ахмед думал недолго, секунд десять, а потом громко расхохотался и с силой ударил кулаком по столу:

— Да!

* * *

Все произошло в ванной. Зарема сама предложила Димке освежиться, смыть грязь трудного дня, почувствовать себя человеком. В большой комнате — ванная у Казибекова занимала примерно такую же площадь, как вся квартира Орешкина, — девушка показала, где взять полотенце, халат, шампунь, включила воду, без ее помощи Димка не справился бы с огромным, напоминающим небольшой бассейн корытом, а потом неожиданно прижалась к мужчине и тихонько вздохнула. Орешкин наклонился и поцеловал ее черные, пахнущие травами волосы. А потом нежно погладил девушку по щеке и поцеловал в губы. Крепко поцеловал. Деталей он не помнил. Как они остались без одежды, как Зарема распустила волосы, как оказались они среди бурлящей воды... Помнил лишь невыносимую сладость и нежность женщины. Помнил ее глаза и губы. Помнил стон и тонкие руки, царапающие плечи. Помнил, как маленькая девушка замерла в его объятиях, словно пытаясь спрятаться от всех.

Помнил.

А что еще нужно помнить?

Позже, когда они лежали на огромной кровати и пили вино, Зарема вдруг сказала:

— У тебя давно не было женщины.

Сказала не с целью посмеяться, просто констати-
ровала факт.

— Заметно? — улыбнулся Орешкин.

— Да.

— Зато теперь у меня есть ты.

— Есть, — эхом отозвалась девушка. — И мне с
тобой хорошо.

«Она чувствует боль, значит...»

— Как и любая другая женщина, я получаю удовольствие не от каждого мужчины, — продолжила
Зарема. — Нежность — моя единственная отдушина
в этом мире. Но ее мало. Гораздо чаще меня просто
трахали, а не занимались любовью.

— Почему?

— Я — джинн. Я сильнее. Мои унижения — плата
за вашу слабость. Однажды хозяин отдал меня сотне
своих телохранителей...

— Замолчи!

— На три дня...

— Замолчи!! Я приказываю!!

— Слушаю и повинуюсь.

Вино стало горьким. Орешкин поставил бокал на
тумбочку и раскурил сигарету.

«Рабыня...»

Димка почувствовал отвращение, стыд за того
урода, что смог так поступить с Заремой. Ему стало
неловко за свой крик.

— Извини, — не глядя на девушку, произнес
Орешкин. — Я не хотел кричать.

— Не обращай внимания, — спокойно ответила
Зарема. — Я привыкла. Я — рабыня.

— Хочешь сделать из меня настоящего хозяина?

— Ты им станешь. Ты хороший, но все равно им
станешь. Все становятся.

Димка внимательно посмотрел на перстень. На кроваво-красный рубин, сверкающий на безымянном пальце. На камень, хранящий нерушимую печать.

Зарема тоже закурила, легла на спину, подложила левую руку под голову и задумчиво проговорила:

— Мы должны подумать, как тебя спасти. До тех пор, пока Батоев и Казибековы живы, ты в опасности. Они не отстанут.

— Даже теперь? Когда я... — Орешкин сбился.

— Когда ты управляешь мной? — пришла на помощь девушка.

— Да.

— Ибрагим тоже управлял мной.

Орешкин вспомнил окровавленного старика, умирающего на грязной площадке. Понял, что пылающий на пальце рубин еще не гарантирует безопасности. На мгновение вернулся страх. Но лишь на мгновение — девушка была спокойна, а значит, выход есть.

— Кстати, а как получилось, что ты не помогла Ибрагиму?

— Я должна слышать приказ. Я должна быть рядом. — Она глубоко затянулась тонкой сигаретой. — Я не всемогуща.

— Но ты знаешь, как нам поступить.

— Сообщество дало Мустафе и Абдулле время до девяти вечера, — медленно произнесла Зарема. — Батоев будет выжидать — он в более выгодном положении. А братья вынуждены действовать. Они встретятся в резиденции Мустафы.

— Ты знаешь, где она находится?

— Конечно.

* * *

— Полагаешь, они не договорятся?

Павел Розгин сделал маленький глоток кофе, помолчал и коротко ответил:

— Нет. Но и третейского суда не будет.

— То есть к девяти часам вопрос решится? — уточнил собеседник.

— Без сомнения.

Люди, сидевшие за большим столом, неспешно переглянулись. Уважаемые люди. Серьезные.

Сообщество.

От их слова зависела значительная часть московской жизни: почти вся теневая и, частично, белая, законопослушная.

Серьезные люди собрались чуть раньше объявленного Батоеву и Казибековым срока, чтобы прийти к окончательному решению: как поступить. И Мустафа, и Абдулла были для них своими, входили в закрытый круг, а потому выход из кризиса следовало искать осторожно.

— Войну начал Батоев. И до сих пор не доказал, что имел повод.

— Это не значит, что повода нет. Мустафа согласен говорить с нами.

— Ибрагим вышел из сообщества, он никому и ничего не был должен. Мы приняли его решение. И мне не понравилось, что Мустафа взялся за старика. Мустафа отморозок. Ему нельзя верить.

— Мустафа согласен говорить с нами.

Люди помолчали.

— Павел утверждает, что через час-полтора под Москвой станет очень жарко. Мы должны решить — допускать разборку или нет?

— Пусть дерутся, — буркнул кто-то с дальнего конца стола. — Спросим с победителя.

— Орешкин на своей квартире так и не появился, — доложил Хасан. — Мы оставили засаду, начали проверять его контакты, но...

Чтобы проверить друзей длинноволосого недотепы, требуется время. Надежды на то, что он вернется домой, никакой, по крайней мере не в ближайшие дни. Скорее всего шустрый системный администратор взял билет и укатил на родину, подальше от московских разборок. А может, к друзьям из других городов подался, мало ли кто с ним в институте учился?

В общем, след пропал.

А времени все меньше и меньше.

— Если Орешкина не можем найти мы, — задумчиво произнес Мустафа, — значит, его не могут найти и Казибековы. Но голова у них болит сильнее.

— Сообщество на нашей стороне?

Батоев хитро улыбнулся:

— В основном. Я пообещал некоторым людям часть наследства Ибрагима, и они не станут предъявлять претензии. Если Абдулла доведет дело до третейского суда, он уедет из Москвы нищим.

— Но живым.

— К сожалению.

Хасан прищурился, обдумывая ситуацию:

— Абдулла гордый.

— И глупый! — немедленно отозвался Мустафа. — Абдулла попробует убить меня. Сегодня вечером.

— Может, натравим на Казибекова ментов?

— Зачем? — Батоев презрительно посмотрел на помощника. — Хасан, ты еще не понял, что я не собираюсь отпускать ибрагимовских ублюдков?

— Но почему?

— Потому что рано или поздно Орешкин найдется, а если Казибековых не станет, искать его буду только я.

— Это так важно?

— Очень важно.

Хасан помялся.

— Не скажете, почему?

Мустафа усмехнулся:

— Ты тоже хочешь умереть?

Машины мчались по шоссе на бешеной скорости. Несколько массивных джипов, пара «Мерседесов», микроавтобус. Сидящие в них люди предпочитали молчать. Каждый думал о своем. Каждый был вооружен. И каждый понимал, что, проиграв, потеряет все. Казибековы взяли с собой только самых верных, тех, кто, лишившись их покровительства, или умрет, или окажется в тюрьме, тех, кому есть что терять, кто будет драться до конца.

— Мустафа нас ждет, — вздохнул Ахмед, поправляя бронежилет. — Он не дурак, он нас ждет.

— Вот и хорошо, — отрезал Абдулла. — Значит, он дома.

Юсуф ощерился.

На кожаных сиденьях лежали автоматы.

Резиденция Батоева — массивный четырехэтажный особняк с кучей служебных построек вокруг — располагалась на берегу небольшого озера, вдали от модных коттеджных поселков. Мустафа сознательно отказался от жизни на многолюдной Рублевке, подобрав для себя уютный сосновый бор чуть севернее. Здесь было меньше посторонних глаз, меньше пафоса, а значит, гораздо свободнее. От трассы к поместью вела неширокая асфальтовая дорога, на которой находились два поста с охраной. Весь бор был обнесен оградой из колючей проволоки, а сам особняк — еще и каменным забором. Разумеется, были и видеокамеры, и патрули с собаками — Батоев заботился о своей безопасности.

Но что может помешать джинну?

— Скажи: приказываю скрытно пройти к дому.

— Приказываю скрытно пройти к дому.

И они, спокойно миновав первые ворота, неспешно побрели по ведущей через лес дорожке.

К резиденции Димка и Зарема добрались довольно быстро, хотя и на перекладных. Сначала на электричке, затем, сойдя на небольшом полустанке и выбравшись на шоссе, поймали частника, которому Орешкин отдал почти все остававшиеся деньги. Последние пару километров прошагали пешком — Зарема посоветовала не афишировать перед незнакомцем конечную точку маршрута.

— Странное ощущение, — пробормотал Димка. — Я иду убивать людей.

— Я иду убивать, — поправила его девушка.

— Нет, — мотнул головой Орешкин. — Иду я, а ты лишь выполняешь мой приказ.

— Не думай об этом.

— Не могу.

— Они тебя в покое не оставят.

— Знаю. — Димка в очередной раз посмотрел на

перстень. — Но все равно не могу не думать. Ведь я — не они.

— И это хорошо, — после паузы произнесла Зарема. — Мне приятно помогать тебе.

— Но...

— Подожди! — Девушка остановилась, прислушалась и приказала: — Прячься!

В весеннем сосновом бору трудно найти укрытие, пришлось отбежать довольно далеко от дороги и присесть на корточки за толстыми стволами, чтобы люди, сидевшие в пронесшихся автомобилях, их не заметили.

— Казибековы?

— Да. — Зарема осмотрелась. — Пойдем вон туда.

Метров через пятьдесят они вышли к небольшому, почти круглому озеру. Увидели край особняка, ступеньки, ведущие к воде, пирс с пришвартованным катером.

— Жди меня здесь. Там опасно.

Орешкин молча кивнул.

Со стороны дома донеслись первые выстрелы.

* * *

Бывает так, что за серостью будничных дней мы забываем о том, что можно радоваться самому факту — ты живешь. Бывает так, что камни большого города холодят душу, наполняют ее тоской и заставляют опускать плечи. Бывает, что гаснет огонь в глазах и ты считаешь жизнью лямку, которую тянешь. И забываешь, что сегодняшний восход солнца уже никогда не повторится, а завтрашний день не будет похож на вчерашний. Забываешь, сколь много зависит лично от тебя. Ты теряешь уверенность, теряешь мечты, а ведь они никуда не исчезают. Ты меняешься... Забываешь о том, что силен, лишаешься огня, впрягаешься в лямку. И видишь впереди лишь серую мглу. Или дно стакана...

— Я могу, — прошептал Димка, глядя на спокойную поверхность воды. — Я знаю, что могу. Я сам.

Кто-то просыпается сам. Кому-то нужна встряска. Ведь не каждый может взглянуть на себя со стороны, далеко не каждый. На берегу лесного озера, сидя на бревне и прислушиваясь к выстрелам, Орешкин понял, что проснулся. Что снова стал настоящим. Тем самым Димкой, который верил в себя и готовился бросить вызов всему миру. И еще он понял, что ни за что теперь не отпустит свое настоящее «я».

— Я могу. Я могу!

Поглощенный своими мыслями, Орешкин даже не заметил возвращения Заремы, не обратил внимания на то, что перестали звучать выстрелы. Но даже не вздрогнул, когда девушка неожиданно присела рядом.

— Все кончилось?

— Да, — односложно ответила Зарема. Подумала и добавила: — Теперь тебе никто не угрожает.

— И что дальше?

— Ты — господин. Приказывай.

«От меня зависят судьбы людей. Судьба Заремы, судьбы тех, кто встретится по дороге. Я силен. Но я или Зарема? Кто из нас сильнее? Я могу избить и изнасиловать ее — она останется покорной и преданной. Я могу любить ее...»

Короткое воспоминание — сплетенные в ванной тела — и ощущение безграничной нежности.

«Нежность — это все, что у меня есть...»

«Я могу любить ее, но всегда буду думать о том, что она сильнее, что живу за ее счет».

А проснувшаяся гордость царапала душу:

«Я могу всего добиться сам!»

«Но никогда не избавлюсь от чувства, что без нее я никто.

И однажды я изобью Зарему. Или изнасилую. Или унижу каким-нибудь другим способом.

Я не удержусь».

Никто не удержится.

«Я стану таким же, какими были они».

И для маленькой девчонки все начнется сначала. И ее черные глаза увидят еще очень и очень много такого, чего не хочется видеть никому.

«Не будь идиотом!»

«А я и не буду. Я буду самим собой».

В метро Орешкин познал, что значит быть смелым. Сейчас он понял, каково это — уважать себя. Оставалось самое сложное — научиться быть сильным.

Он посмотрел на Зарему.

— Я могу освободить тебя?

— Можешь, — спокойно ответила девушка. Очень спокойно, так, словно ожидала, что он спросит. — Но подумай, от чего отказываешься.

— У меня было время подумать.

Зарема улыбнулась, прикоснулась к его руке.

— Ты на самом деле хороший.

И снова волна нежности. Нечеловеческой нежности.

— Говори, что делать, — проворчал Димка, — а то передумаю.

— Давай покурим, — предложила девушка. — Здесь так тихо.

Орешкин щелкнул зажигалкой, пустил дым. А потом обнял Зарему и крепко прижал ее к себе.

Они курили молча. Смотрели на темнеющее небо, на воду, на высокие сосны и молчали. Лишь прижимались друг к другу.

А потом, когда сигареты умерли, Димка негромко произнес формулу свободы.

Бережно положил Зарему на землю, закрыл черные глаза, поцеловал ставший холодным лоб, вложил в руку перстень. Выпрямился, постоял несколько секунд, развернулся и пошел к шоссе.

Не оборачиваясь.

ВЕДЬМА

— Привет! Я из Красноярска, и я странный.

Именно с этих слов начал знакомство со мной Валька Гостюхин.

С неожиданных, согласитесь, слов.

Валька стоял в центре комнаты, которую нам предстояло делить ближайшие пять лет, и смотрел прямо на меня своими огромными зелеными глазищами. Наверное, это обстоятельство и повлияло на мою реакцию. Только представьте: парень с довольно длинными ярко-рыжими волосами и зелеными, можно сказать — женскими, глазами, смотрит на вас и говорит:

— Привет! Я из Красноярска, и я странный.

Оценили?

Ничего удивительного в том, что я насторожился.

Нет, буду откровенен — я растерялся. Насторожился я позже, секунд через пять, когда первая оторопь прошла и в памяти всплыли предупреждения родителей насчет царящей в столице свободы нравов. Я, конечно, не из деревни в Москву приехал, о существовании гомосексуалистов, трансвеститов, бисексуалов и прочих... гм... странных ребятах знал, но услышать подобное заявление от предполагаемого соседа по комнате в студенческой общаге, от человека, с которым придется жить рядом не один год...

— Привет, — выдавил я из себя. — А я из Липецка, и я нормальный.

Теперь задумался Валька.

— В каком смысле?

— Я не странный. Я как все.

Он непонимающе поднял брови. Пришлось добавлять:

— Я обычный. Я женщин люблю.

И Гостюхин принялся ржать. Не смеяться, а именно ржать: громко, очень громко. В коротких промежутках между приступами хохота он поведал, что его зовут Валька, что он тоже любит женщин, а фраза насчет странности относилась не к сексуальным пристрастиям.

— А к чему?

— У меня бывают закидоны, — ответил Валька и в подтверждение постучал себя указательным пальцем по лбу. — Иногда мое поведение вызывает... недоумение.

— Например?

Я решил выяснить все до конца. Ведь в столь тонком деле, как выбор соседа по комнате, ошибиться нельзя. Если Гостюхин псих, то надо пойти к коменданту и потребовать другую комнату.

— Ну, например, я собираюсь переставить здесь мебель. Ты не против?

Я огляделся: две кровати, две тумбочки, стол, два стула и шкаф. Все в меру потрепанное, но на первый взгляд достаточно крепкое. И расставлено, кажется, вполне разумно: шкаф в углу, стол у окна...

— Зачем?

— Шаману не нравится, как стоят кровати, — объяснил Валька. — По-дурному они стоят. Неправильно.

Та-ак, час от часу не легче. Студент технического вуза приволок в общагу шамана. Здорово!

Нет, поймите меня правильно, об экстрасенсах и всяких там знахарях мне доводилось слышать и даже видеть... по телевизору. Скепсис в отношении этих деятелей я унаследовал от родителей, и к людям, обращающимся за помощью ко всякого рода адептам черно-белой магии, я отношусь со смешанным чувством иронии и жалости. Верят они, ну и пусть верят, может, одумаются. К тому же я всегда считал, что бегают к колдунам сорокалетние тетки, пытающиеся вернуть себе молодость, да выжившие из ума старухи, а потому я опять слегка растерялся.

— Какому еще шаману?

— Ему.

Валька небрежно махнул рукой. Я посмотрел в указанном направлении, но никого не обнаружил. А потом опустил взгляд...

В углу сидел здоровенный, черный как уголь кот.

— Шаман, — представил его Валька. — А в том месте, где он сидит, должно находиться изголовье кровати.

— Чьей? — выдавил я.

— Неважно, — ответил мой рыжий друг. — Хочешь — твоей. Шаман знает, что у нас две кровати, и найдет еще одно подходящее место. — Он помолчал. — Ну что, давай двигать тумбочки?

Кот зевнул и принялся вылизываться, периодически бросая в мою сторону подозрительные взгляды. Глаза у него были такие же зеленые, как и у Вальки. Только еще более наглые, что немудрено, учитывая габариты зверя — размерами Шаман не уступал небольшой собаке.

— Сибирский? — поинтересовался я.

— Угу.

Я тяжело вздохнул.

— Он будет жить здесь?

— Тебе не нравятся коты?

Шаман перестал вылизываться и посмотрел на меня... Что вам сказать о его взгляде? Тяжелый? Да. Враждебный? Нет. Правильнее всего описать его так: Шаман посмотрел на меня с высокомерной усталостью. И я вдруг почувствовал — не догадался, не понял, а именно почувствовал — что черный котяра видит меня насквозь. Он знает, что я никуда не денусь, что останусь и помогу Вальке переставить мебель. Он знает, что я не имею ничего против его присутствия — я люблю кошек. Он знает все и не понимает, почему я тяну резину и не берусь за работу.

— Тебе не нравятся коты?

Я пробурчал: «Да ладно, ладно», после чего сбросил джинсовку и взялся за кровать.

Шаман отправился обнюхивать мой рюкзак.

Мы затратили на перестановку почти полчаса. Из-за Шамана, разумеется, — вредная зверюга долго не соглашалась принимать результаты работы.

Кот бродил между мебелью, точил когти то о ножки шкафа, то о спинки кроватей, пару раз подал голос, басовито мяукнув о чем-то Вальке, который, в свою очередь, сразу же принимался двигать неугодный животному предмет обстановки. Я послушно помогал, решив для себя, что следует хотя бы попробовать ужиться с зеленоглазыми знакомцами. Не объяснять же в самом деле коменданту, что не хочу жить с Гостюхиным потому, что его кот занимается дизайном интерьеров?

Другими словами, я сдался. Смирился с судьбой, хотя, если честно, доведись мне тогда знать, к чему приведет наша с Валькой дружба, я бы сто раз подумал...

Но не будем забегать вперед.

После получаса такелажных работ нам наконец-то удалось удовлетворить дотошное животное. Кот милостиво оглядел обновленную комнату, немного посидел на моем стуле, потом на столе, а затем прыгнул в открытую форточку, перебрался на ветку дерева и исчез среди листвы.

— Шаман эту комнату сразу заприметил, — сообщил валяющийся на кровати Валька. — Второй этаж, у окна большое дерево — раздолье.

— И ты стал выпрашивать ее у коменданта?

— Ну... вроде того.

После я догадался, что скрывалось за неопределенностью фразы, но в то мгновение просто не обратил на нее внимания. Покончив с делами, я вновь почувствовал прилив энтузиазма. Праздничное настроение, улетучившееся при первых словах Вальки, вернулось, и мне захотелось бузить.

— Что будем делать дальше?

— Как — что? — Гостюхин был ошарашен моим вопросом. — Сегодня же наш первый день в общаге! Будем знакомиться!

— С кем?

— Со всеми, — решительно ответил Валька.

Я не возражал.

Честно говоря, события той ночи я помню смутно. То есть до определенного момента все запоминалось в обычном режиме, но после того, как по кругу пошла шестая бутылка, та часть моего мозга, что отвечает за запись, стала сбоить. Помню, мы пошли гулять, чтобы «проветриться», и я свалился в какие-то кусты. Помню, на общую кухню пришли ребята с третьего курса, и мы пили настойку. Помню, курили на лестнице. Помню... нет, кажется, я путаю с каким-то другим праздником.

Единственное, чего я не помню, а знаю наверняка, так это то, что уснул я в ванной, откуда меня перенесли на кровать. Раздевать не стали, да и вряд ли кто-нибудь из моих новых приятелей справился бы со столь сложным делом, зато накрыли покрывалом, так что спал я как белый человек.

А проснулся в момент произнесения очередного тоста и инстинктивно сморщился, услышав звон стаканов.

— Серега, пить будешь?

Будто и не засыпал... Я промычал: «Нет», заставил себя подняться, присел к столу и сразу же нашел ЕГО — пакет апельсинового сока.

— А мы решаем, не пойти ли сегодня в киношку, — сообщил Валька.

Скажи мне кто-нибудь, что Гостюхин пил всю ночь, ни за что бы не поверил: свежий, опрятный, с ясными глазами и широкой улыбкой, он напоминал целлулоидных мальчиков с рекламных плакатов и выглядел так, словно только что вышел из душа. Немудрено, что обе сидевшие за столом девчонки не сводили с Вальки глаз.

— Киношка — это хорошо, — пробубнил парень с противоположного конца стола. — Но разве мы не все деньги пропили?

— Нет.

— Непорядок.

Парень вздохнул и принялся разливать. Его лицо было мне незнакомо.

— Ребята, — подала голос одна из девчонок, — а давайте выпьем за...

Договорить она не сумела. За окном раздался визг тормозов, удар и звон разбитого стекла. Еще через несколько мгновений послышалась громкая ругань.

Валька выглянул на улицу и внимательно изучил замершие на перекрестке автомобили.

— Столкнулись.

— Это здесь бывает, — махнул рукой парень.

— Часто бывает, — тихо произнес Валька.

И только я уловил, что Гостюхин не спрашивал — он говорил так, словно все знал.

— Ага, часто, — охотно подтвердил парень. — Дорога хорошая, ровная, но перед перекрестком изгибается. Не видно ни хрена. Народ разгоняется, вылетает на перекресток — и привет.

— Какое странное совпадение. — Валька улыбнулся.

Стояло раннее утро. Я не смотрел на часы, но голову даю на отсечение, что было не больше семи. Улица пуста, светофор работает исправно, а на перекрестке стоят две разбитые машины.

Действительно — стечение обстоятельств. Но мне отчего-то показалось, что Валька имел в виду другое...

— Ребята, давайте же, в конце концов, выпьем и пойдем спать! — громко предложила все та же девчонка. — Иначе накроется наше кино.

И выразительно посмотрела на Вальку.

— Не накроется, — пообещал тот, поднося ко рту стакан.

Я вздохнул.

Они выпили, всезнающий парень свалился со стула, и мне пришлось тащить его в соседнюю комнату. А Валька отправился провожать девчонок.

Вернулись они одновременно: Валька и Шаман. Часа через два. Первый появился через дверь, а второй через окно. Постояли, посмотрели друг на друга зелеными глазами и завалились спать.

* * *

Как выяснилось, о репутации перекрестка, на который выходило наше окно, знали все. Аварии на тихой улице происходили едва ли не чаще, чем на оживленных проспектах. Не каждый день, разумеется, но два-три раза в месяц нам приходилось видеть разбитые машины и слышать их ругающихся владельцев. Утром и вечером, днем и ночью, в часы пик и во время затишья. Всегда. Периодически в студенческих компаниях заходили разговоры об этом странном месте, и тогда всплывали любопытные подробности. Например: несмотря на огромное количество аварий, до сих пор не было ни одной жертвы. Водители и пассажиры ломали руки, ноги, ребра, получали сотрясение мозга, но всегда оставались в живых. Даже в тех случаях, когда машина превращалась в груду металлолома. Или: перекресток любит «Тойоты». Все в один голос утверждали, что автомобили этой марки ни разу не попадали в аварии в нехорошем месте. Один парень даже рассказывал, что видел, как шофер «Тойоты» чудом вывернулся из, казалось бы, безнадежной ситуации. Так это или нет, не знаю, но японские тачки были самыми популярными машинами у жителей окрестных домов.

Милиция, надо сказать, пыталась бороться с плохим перекрестком. Они устанавливали дополнительные знаки, тщательно следили за тем, чтобы светофоры работали безотказно, периодически выставляли мобильные группы, приучая водителей к мысли, что на этой улице строго следят за соблюдением скоростного режима, а потом и вовсе прибегли к помощи «лежачих полицейских». Но все напрасно. Однажды я сам видел, как на перекрестке «поцеловались» два автомобиля, проползавшие со скоростью двадцать километров в час мимо стоящего у обочины милиционера. Повреждения оказались незначительными, и громче всех после аварии ругался постовой, честно не понимающий, как водители смогли столкнуться при таких обстоятельствах.

Когда я рассказал об этом Вальке, он лишь пожал плечами и пробурчал, что следует закрыть для проезда одну из улиц.

— Оттуда ездить нельзя.

— Что ты имеешь в виду? — спросил я.

— То, что сказал.

И вернулся к учебникам.

Еще одно проявление странности?

Меня подмывало продолжить разговор, но в этот момент дверь распахнулась, и появился комендант общежития, лично провожающий Шамана в его покои.

— Классный у тебя кот, Гостюхин.

— Спасибо, Василий Иванович, — улыбнулся Валька.

Необычное дружелюбие коменданта, отставного военного, ненавидевшего кошек всеми фибрами души, объяснялось просто — за неделю Шаман передавил всех обитавших в подвале мышей. После такого подвига его право жить в общежитии никто не оспаривал.

— Зверюга, — уважительно улыбнулся Василий Иванович.

Разлегшийся на подоконнике Шаман холодно кивнул и отвернулся.

Предупреждение, с которого Валька начал наше знакомство, и история с Шаманом, указавшим наиболее благоприятное расположение кроватей, побудили меня искать элементы необычного в поведении соседа. Честно говоря, не знаю, что я ожидал увидеть. Гостюхин не разжигал в комнате благовония, не медитировал, не творил обряды, не разговаривал со своим котом, одним словом, вел себя как нормальный человек. И после нескольких месяцев наблюдений я обратил внимание всего на три детали, которые можно было трактовать как странные.

Во-первых, Валька был крупнее остальных первокурсников и держался как более взрослый человек. Присутствовало в его поведении и рассуждениях нечто, что подсказывало — он и на самом деле старше. С другой стороны, я точно знал, что в армии Гостюхин не служил. Поскольку посмотреть его документы возможности не было, я рискнул спросить Вальку в лоб, и он спокойно подтвердил мою правоту, сообщив, что пошел в школу в десять лет.

— Почему так поздно?
— Занят был.
— Чем?
— Учился.

— Где?

Он усмехнулся, но не ответил.

Во-вторых, Вальку обожали женщины. Помните историю, как он отправился провожать двух подружек и вернулся лишь через несколько часов? Так вот, это было лишь началом. Не в том смысле, что Гостюхин посвятил свою жизнь путешествиям по девичьим постелям, а началом того ажиотажа, который возник в общаге. Сам Валька держался достаточно скромно и пользовался своими выдающимися способностями весьма осмотрительно, а вот девчонки при его появлении млели и забывали обо всем, не в силах оторваться от зеленых глаз. Сами понимаете, что при таких обстоятельствах у него не могло не возникнуть проблем с мужской половиной общаги, однако два «серьезных разговора», закончившихся убедительными победами рыжего соблазнителя, заставили парней умерить пыл, и все продолжалось по-прежнему.

Ни до, ни после знакомства с Гостюхиным я не видел мужиков, которые бы производили столь сильное впечатление на женщин.

Но об этом его секрете я не спрашивал.

И в-третьих, Валька очень любил молоко.

С него-то все и началось.

С молока.

* * *

Когда я сказал: «Валька очень любил молоко», я имел в виду, что Валька ОЧЕНЬ ЛЮБИЛ молоко. Вот так, большими буквами.

Он пил молоко за завтраком, за обедом и за ужином. Он пил его всегда. Я ни разу не видел Вальку с кофе, очень редко — с чаем, все остальное время — или молоко, или спиртное.

Но при этом Гостюхин терпеть не мог ту жидкость, что разливают по пакетам на современных комбинатах. Во время одного из первых наших визитов в студенческую столовую Валька попробовал то, что подавалось под видом молока. Его стошнило. Я не шучу — действительно стошнило. Вывернуло наизнанку прямо в зале. Гостюхин позеленел, на его лбу выступили крупные капли пота, и он едва доковылял до комнаты, где сразу же бросился к кувшину с молоком. С настоящим, как вы понимаете, коровьим молоком. Глиняный кувшин Валька поставил на свою тумбочку в первый же день, и в нем всегда находилось молоко. Я пробовал — настоящее, только что из-под коровы.

Как Гостюхин ухитрялся его доставать? Где брал?

Я ломал голову почти месяц, пока однажды не вернулся домой чуть раньше, чем следовало.

Вечером я собрался в библиотеку, но по дороге в читальный зал у меня разболелась голова, и намерение погрызть гранит науки улетучилось. Я решил не издеваться над собой и отправился в общагу. Открыл своим ключом дверь, услышал, что Валька плещется в душе, и вошел в комнату.

И остановился как вкопанный.

Не потому, что услышал:

— Стой!

На Валькин голос я среагировал позже.

Я остановился, потому что увидел.

Глиняный кувшин стоял на полу в самом центре очерченного мелом круга. Тряпочка, которая обычно прикрывала горлышко, лежала на тумбочке, и я увидел, как кувшин медленно наполняется белой жидкостью.

НАПОЛНЯЕТСЯ.

То есть уровень поднимался.

— Как ты здесь оказался? — угрюмо спросил появившийся за моей спиной Валька.

Или не спросил. Просто бросил в сердцах. Но я все равно ответил:

— Голова... заболела...

— Какие мы нежные. Ну, заболела, ну и что? Сиди и читай учебник — сама пройдет.

Я обернулся, секунд пять разглядывал зеленые глаза приятеля, сглотнул и осведомился:

— Что происходит?

— Корову дою, — отрезал Гостюхин.

— Чью?

Тем временем молоко добралось почти до самого края кувшина. Валька оттолкнул меня, прошел в комнату, остановился у круга, прошептал несколько слов, наклонился и выдернул торчащий из пола нож. Затем осторожно поднял наполненный кувшин, поставил его на тумбочку и накрыл тряпочкой.

— Хочешь?

— Обойдусь.

— Как знаешь.

И он спокойно направился обратно в душ.

Так, будто ничего не произошло.

Я же плюхнулся на свою кровать и закурил.

Разговор продолжился минут через двадцать. Валька, одетый лишь в повязанное вокруг бедер полотенце, вошел в комнату, молча уселся на стул, вздохнул и проворчал:

— Мне нужно настоящее молоко. Я не могу без него обойтись.

— Понятно, — тихо ответил я.

— Из пакетов я пить не могу, ты видел, чем это заканчивается.

— Видел.

— А то, что продают на местных рынках, тоже не лучшего качества. — Он помолчал. — Приходится добывать самому.

Обыденность его тона меня потрясла. Черт побери, Валька говорил так, словно мотался каждое утро в деревню! Словно платил огромные деньги за доставку парного молока в общагу! Но нет! Оно само появлялось в кувшине!

Я видел!

— Как ты это делаешь?

— Есть специальное заклинание, — спокойно сказал Гостюхин. — Я ищу подходящую корову, рисую круг, вонзаю в пол нож, ставлю кувшин и... дою ее.

Пару раз мне действительно казалось, что в глиняном сосуде находится парное молоко. Я отмахивался от этих мыслей. Теперь выяснилось, что я был прав.

«Рисую круг, вонзаю в пол нож...»

А на полу, между прочим, линолеум. А под ним — бетон. Но нож — я видел! — вонзился в него почти на треть лезвия.

— Ты колдун?

Валька помолчал, затем улыбнулся и ответил:

— Я — ведьма.

— Ведьмак?

— Нет. Ведьма.

Совсем непонятно.

— Что значит ведьма? — буркнул я. — Ты что, женщина?

Он запустил пятерню в рыжие кудри, вздохнул, размышляя, с чего начать рассказ, и произнес:

— Все довольно запутанно, Серега. Дело в том, что в моем роду испокон веков все женщины были ведьмами. Столетие за столетием сила передавалась по наследству, от матери к дочери. Рождались в нашей семье только девочки. И вдруг — аномалия.

— Ты?

— Угу, — кивнул Валька. — Все признаки указывали матери, что она ждет дочь. Все шло так, как положено. Мне даже имя подобрали...

— Валентина?

— Нет, — поморщился Гостюхин. — Другое. Настоящее имя. Но тоже женское. — Он вздохнул. — А когда пришел срок, появился я. Вот и получается, что я — ведьма.

— Да почему ведьма? Не колдун, не ведьмак, не чародей, а именно — ведьма?

— Потому что в нашей семье рождались только ведьмы, — терпеливо, как маленькому ребенку, объяснил Валька. — Не колдуны, не ведьмаки и не чародеи. А против наследственности не попрешь.

Послышался мягкий удар, и в форточке появился Шаман. Секунду котяра оценивал ситуацию, а затем, видимо, сообразив, о чем шла речь, уставился на меня.

Ведьма и ее кот.

Великолепно.

Я поднялся с кровати и вышел из комнаты. Мне хотелось покурить и побыть одному.

В ту ночь мне снится, что Валька — женщина.

Крупная, рыжая и развратная.

У нее большие груди, широкие бедра и узкая талия. А еще у нее большой рот и манящие зеленые глаза. И волосы до талии. Густые. Пахнущие горькой травой.

В окно светит полная луна, и в ее свете женщина кажется совершенной статуей. Она столь прекрасна, что от желания у меня дрожат пальцы. Умоляя ее побыть со мной, я готов валяться в ногах, готов целовать ее туфли, готов стать ее рабом... но этого не требуется. Она пришла, чтобы побыть со мной.

Она ложится рядом и разводит в стороны ноги.

Я оказываюсь сверху.

Я вхожу в нее.

Она улыбается и молчит.

Мои первые движения медлительны и мягки. Ей нравится.

Постепенно я становлюсь напористее. Она закрывает глаза.

Мы улетаем...

Когда я просыпаюсь, Валька пьет молоко и смотрит на меня. Он сидит за столом. На нем тренировочные штаны и футболка. Он пьет молоко и смотрит на меня.

А на подоконнике, перед блюдцем с молоком, сидит Шаман. Черный как уголь. И смотрит на меня.

Они знают, что мне снилось.

Но стыда нет. Только злость.

Я говорю:

— Ты — урод.

Валька пьет молоко.

Я говорю:

— Ты — урод.

Валька пьет молоко.

Я говорю:

— Ты — урод.

Шаман отворачивается и начинает изучать уличный пейзаж.

Валька ставит кружку на стол. Опускает ее резко, раздается громкий стук, и я вздрагиваю.

Он говорит:

— Я не виноват.

Он говорит:

— Ты оказался чересчур восприимчивым.

Он говорит:

— Я просил, чтобы мне дали отдельную комнату, но мест в общежитии не хватает. Меня подняли на смех.

Валька не оправдывается. Он говорит как есть.

И смотрит мне прямо в глаза.

А Шаман не смотрит.

Я говорю:

— Ты сука и извращенец.

Он говорит:

— Будь я извращенцем, ты бы занимался сексом со мной.

Я говорю:

— Ты должен был снять комнату в пустом доме.

Он молчит.

Я говорю:

— В доме, где нет жителей.

Он отводит взгляд.

Я говорю:

— Чтобы никому не мешать.

Он молчит.

Я устаю ругаться.

Я беру с тумбочки пачку сигарет, вытряхиваю одну из них на одеяло, подбираю и крепко сжимаю губами. Затем я возвращаю пачку обратно, беру зажигалку и прикуриваю.

Какое-то время мы молчим.

Между нами танцует дым.

Потом он говорит:

— Я не хочу жить один.

Потом он говорит:

— Одному мне плохо.

Потом он говорит:

— Я должен с кем-нибудь дружить.

Он не врет. Я вижу — он не врет. Я знаю — он не врет. Я ему верю.

Но мне страшно.

Я говорю:

— Мне страшно.

* * *

Я от них не сбежал: от Вальки и от Шамана.

Остался.

Почему?

Потому что к тому времени я уже считал Вальку своим другом. Еще объяснения нужны? Нет? Я так и думал.

Видеть во сне Вальку-ведьму я перестал. Несколько дней он давал мне на ночь горячее молоко с какими-то травами, после чего объявил, что мое восприятие притупилось до безопасного уровня. По всей видимости, так оно и было, потому что сны с тех пор я вижу крайне редко.

Однако восприятие восприятием, но какая-то связь между нами возникла.

И однажды весной...

Я вскапываю огород.

Приличный, надо сказать, огород, пятьдесят на пятьдесят метров, не меньше. Он окружен старым, но еще крепким забором и расположен сразу за деревенским домом, сложенным из толстых, потемневших от времени бревен.

Я вскапываю огород.

Плохо, что у Федьки полетел трактор. Если бы механизатор запил, поставить его на ноги не составило бы труда: особый отвар на ночь, и утром Федька пахал бы как проклятый. Но со сломанным трактором не справиться, на холодное железо отвары и заговоры не действуют, а время уходит. Вот и приходится махать лопатой.

Я вскапываю огород.

Полоску за полоской.

Я работаю всю ночь. У меня ломит спину, а на руках появляются мозоли. Парочку из них я умудрился сорвать, и они неприятно болят.

Очень яркий сон.

Очень отчетливый.

Как будто все происходит на самом деле.

Когда Валька будит меня, я просыпаюсь совершенно разбитым, усталым и злым. От меня пахнет потом. Спину ломит. На руках — сорванные мозоли.

В форточке появляется вернувшийся с ночных бдений Шаман. Увидев меня, котяра удивленно замирает.

Валька спрашивает:

— Что тебе снилось?

Я удивленно разглядываю кровавые мозоли. Я с трудом заставляю себя подняться и присесть на кровати. Я почти умер.

Я отвечаю:

— Мне снилось, что я вскапываю огород.

Валька бурчит одно-единственное слово:

— Бабушка.

Сначала я не понимаю:

— Что бабушка?

Но догадываюсь раньше, чем он успевает ответить.

— Я отказался ей помогать, — объясняет Валька. — И она решила припахать тебя. Весна, старик, понимаешь, надо огородом заниматься...

— А у Федьки трактор полетел, — заканчиваю я.

— Она тебе сказала?

Я догадываюсь, но еще не верю. Я смотрю на мозоли, и у меня не укладывается в голове.

— Ты офигел?

Валька пожимает плечами и предлагает:

— Посмотри на себя в зеркало.

Я ползу в ванную, любоваться отражением до крайности усталого парня. Волосы всклокочены, на лбу грязные разводы — вытирал пот.

У меня нет сил злиться.

Я говорю:

— Это свинство.

Шаман фыркает и потягивается. Его моя беда забавляет.

Валька выглядит серьезнее, но я вижу, что он едва сдерживает улыбку. Возможно, через пару дней я тоже буду вспоминать сегодняшнюю ночь со смехом, но пока я недоволен. Я устал до дурноты.

Я принимаю душ, проглатываю приготовленный Гостюхиным нехитрый завтрак, и мы бредем на первую пару. То есть я бреду. Валька, сукин сын, бодр и весел. Он пишет конспект, а я борюсь со сном.

Голова тяжелая. Болят мозоли. Спину ломит.

Ловлю на себе удивленные взгляды.

В перерыве отвожу Вальку в сторону и заявляю:

— Пусть твоя бабушка заплатит.

Решение пришло неожиданно, и в тот момент оно показалось мне весьма удачным. Валька улыбается:

— Молодец, что сам догадался потребовать плату.

— А я имею на нее право?

— Конечно. — Он пожимает плечами. — За все надо платить. Если хочешь брать, надо чего-то отдать. Так заведено.

Я ожидал, что Гостюхин примется спорить, а потому успокаиваюсь:

— Договорились.

— Каким образом она должна тебе заплатить? — интересуется Валька.

Ответа у меня нет, и я снова начинаю злиться:

— Откуда я знаю, как? Пусть придумает сама!

Некоторое время Гостюхин сосредоточенно размышляет, после чего кивает и говорит:

— Я ей передам.

Следующей ночью я занимался любовью с Лидочкой Михайловой.

Не во сне, если вы вдруг об этом подумали, — наяву.

А чтобы вам стало совсем все понятно, скажу, что о третьекурснице Лидочке, томной красавице с длинными каштановыми волосами и синими, как небо, глазами, мечтали все мужики института. Но она была умна, расчетлива и умела выбирать поклонников. С кем она дружила раньше, я не знаю, а на момент нашего знакомства — хотя какое это знакомство? так, были представлены, оказавшись в одной студенческой компании, — в бойфрендах Лидочки числился Коля Сорокин, мальчик из весьма и весьма обеспеченной семьи. По всем статьям получалось, что спать с первокурсником, который лишь робко кивал ей, встречаясь в коридорах, Лидочке было не с руки.

Но все статьи полетели к черту.

В тот вечер все получилось крайне удачно. Сначала Лидочка зашла ко мне за хлебом. Мы немного поболтали. Потом она ушла, и позвонил Валька, предупредил, что не придет ночевать. Шаман смылся еще днем и до утра не ожидался. Я было приготовился к тоскливому вечеру за учебниками, но вновь вернулась Лидочка, у которой закончился сахар. Мы посмеялись над этим и решили выпить чаю вместе. У нас.

В общем, робость моя постепенно прошла, на ум приходили исключительно подходящие моменту слова и удачные шутки, и все дальнейшее получилось как-то само собой.

На первую лекцию я примчался как на крыльях. Усталости, несмотря на бессонную ночь, не было. Я хотел смеяться и шутить. Мир казался добрым и веселым. Я был счастлив.

До тех пор, пока не встретил Вальку.

Полусонный Гостюхин то и дело зевал, но, увидев меня, собрался и даже подмигнул:

— Понравилось?

И тут я понял, почему Лидочка была со мной столь ласкова.

— Ты?!

Валька махнул рукой:

— Бабушка.

Внутри стало пусто-пусто.

— Вот ведь дрянь!

Гостюхин удивленно раскрыл рот:

— Не понял? В чем дело, Сергей, тебе ведь нравится Лидочка?

Пустота постепенно заполнялась отвращением.

— Но...

Лидочка лежит рядом со мной... Мы целуемся. Вот она стонет. Вот она улыбается. Вот она проводит рукой по моим волосам.

Не по-настоящему.

— Как вы можете так обращаться с людьми?

Валька сразу понял, что я имел в виду. Помрачнел, но оправдываться не стал. Пожал плечами и холодно напомнил:

— Ты сам хотел, чтобы с тобой расплатились.

Вот так.

А самое ужасное заключалось в том, что мне нечего было ответить. Сам связался с ведьмой. Забыл, что они смотрят на жизнь совсем по-другому.

— Предупреждать надо.

— Чем ты недоволен?

Орать на Вальку бессмысленно, в конце концов, он виноват лишь в том, что оказался моим соседом по комнате. А до старушки не добраться. Хотя... я посмотрел на мозоли. Если бабка готова платить, следует вытянуть из нее как можно больше.

Я вздохнул.

— Валька, это нечестно. Я горбатился на огороде, а вместо хорошего отдыха или какого-нибудь морального удовлетворения получаю еще одну бессонную ночь.

— Мне показалось, что с удовлетворением у тебя все в порядке, — заметил Гостюхин.

— Ну, перепихнулся я с этой красоткой, а что толку? Я ведь, получается, просто украл ее на одну ночь.

— Одну ночь украли у тебя, одну ночь украл ты. Все квиты.

— Вот именно: украл, украли... А я, между прочим, собирался в эти ночи готовиться к экзамену. Ты не забыл, что есть шанс сдаться досрочно?

Вальке не понравилось мое заявление. Очень не понравилось. Он отвел взгляд, помолчал некоторое время, после чего негромко бросил:

— Я думал, ты хочешь учиться честно.

— Тогда оставьте меня в покое. Вы нарушили мои планы, а не наоборот.

Теперь он не нашелся, как возразить.

— Я передам бабушке твое пожелание, — сказал он. — Но давай договоримся: мы мухлюем с экзаменами в первый и последний раз. — Валька помолчал. — Я себе этого не позволяю.

Я знал, что Гостюхин не врет — видел, с каким рвением просиживает он за учебниками и сколь внимателен на лекциях. Валька хотел выучиться сам, и на мгновение мне стало немного стыдно.

— Обещаю, что больше не буду просить тебя или твою бабушку помогать мне с учебой. Сегодня в первый и последний раз.

— Обещаешь?

— Обещаю.

— Договорились.

Получив обещание, Валька успокоился настолько, что позволил себе еще одну откровенность:

— Ты наверняка будешь об этом думать, поэтому

скажу сразу: с девчонками я тоже не мухлюю. Не поступаю с ними так, как бабушка обошлась с Лидой.

— Но они к тебе липнут, — улыбнулся я.

— Ко мне, — подчеркнул Валька. — Ко мне.

В коридоре появился профессор, мы направились к дверям аудитории, и поэтому последнюю фразу Гостюхин произнес на ходу:

— Кстати, предыдущую плату придется отдать.

— Как ты это себе представляешь?

Валька не ответил.

Прелесть досрочного экзамена заключалась в том, что принимал его не профессор, а доцент той же кафедры, который вел в нашей группе семинары по предмету. Называть его мягким преподавателем я бы не стал — требовал доцент довольно жестко, но до волчары-профессора ему было расти и расти.

Мы заходили в аудиторию группами по пять человек. Клали зачетки, тянули билеты и усаживались готовиться. Все как во время настоящего экзамена. Стол доцента стоял в дальнем углу, и поэтому никто из однокурсников не слышал нашего с преподавателем разговора.

— Первый вопрос?

Эту тему я знал довольно хорошо и ответил весьма и весьма прилично. Доцент остался доволен.

— Второй вопрос, пожалуйста.

Я честно сознался, что понятия не имею, как на него отвечать. Доцент невозмутимо кивнул и попросил показать задачу. Которую я решил не совсем корректно.

Указав мне на ошибки, преподаватель задумчиво уставился в потолок и пробубнил:

— Что же мне с вами делать?

— Не знаю, — честно ответил я.

— В некоторых разделах вы, безусловно, плаваете.

— Увы.

— Но в целом впечатление благоприятное.

Он взял мою зачетку и вывел: «отлично». Правда, потом строго глянул на меня поверх очков и произнес:

— Но это аванс. В следующий раз при таких ответах сможете рассчитывать только на «хорошо».

— В следующий раз я подготовлюсь лучше.

— Надеюсь.

Вывалившись из аудитории, я подпрыгнул едва не до потолка: бабушка не подкачала!

А Лидочку я встретил чуть позже, в коридоре общежития.

Увидев ее, я сначала растерялся, но потом решил: была ни была! — и поздоровался. Без всяких двусмысленных улыбочек или хитрых взглядов. Просто поздоровался. Вежливо.

И получил пощечину.

— Мерзавец! — Она ударила меня еще раз. — Скотина!

Гордо вскинула голову, повернулась и пошла прочь.

Я же был слишком ошарашен, чтобы как-то реагировать. Молча вошел в комнату, бросил на пол сумку и удивленно посмотрел на Гостюхина.

— Лидочка дала мне пощечину.

— Бабушка забрала предыдущую плату, — невозмутимо объяснил Валька. — Сейчас Лида думает, что ты напоил ее вином и трахнул, воспользовавшись, так сказать, ситуацией.

— Но мы ничего не пили!

— Не волнуйся, старик, она слишком горда, чтобы рассказать кому-нибудь о...

Я ударил Вальку в лицо. Он, разумеется, ответил, и мы подрались.

Потом мы три дня не разговаривали, и за эти дни я понял, насколько был глуп. И еще — насколько все серьезно. И еще — что это не для меня.

Но ведь Валька мой друг!

Через неделю его бабушке потребовалось распилить и наколоть пару кубометров дров. На этот раз она поступила честно: спросила, не помогу ли я?

Я помог.

Но плату требовать не стал.

* * *

Если вы думаете, что наши с Валькой отношения вернулись в обычное русло сами собой, что в один прекрасный день мы посмотрели в глаза друг другу и поняли, что пора перестать дуться, то вы ошибаетесь.

Была причина.

Серьезная причина.

И очень красивая к тому же.

Крупная и развратная.

С большой грудью, широкими бедрами и узкой талией. С чувственным ртом, длиннющими волосами и манящими зелеными глазами.

Черноволосая.

Как эта «причина» сумела войти в комнату, я не знаю. Сумела, и все. Когда я вернулся из института, женщина сидела на Валькиной кровати и гладила Шамана. На меня она взглянула без интереса:

— Ты его друг?

— Да, — поколебавшись, ответил я.

— Когда он придет?

— Минут через десять.

Я видел, что Валька заканчивает обедать, и знал, что после он обязательно отправится в общагу.

— Хорошо.

Десять минут мы просто молчали, сидя друг напротив друга. Я смотрел на женщину, а она не сводила глаз с урчащего Шамана.

Потом пришел Валька.

Несколько секунд он стоял в дверях, затем попросил меня на «пару слов». Мы вышли в коридор, и он попросил:

— Выручай.

— Что я должен сделать?

— Уйди и не появляйся до утра.

Я хотел сказать что-то пошлое, вроде: «А хватит ли тебе времени до утра?», но увидел Валькины глаза и понял, что шутить, тем более — глупо шутить, не следует.

Это случилось в субботний вечер, а потому я легко нашел себе компанию. Завалился на пятый этаж, где гудела параллельная группа, и принял участие в попойке. У кого ночевал, не помню. Точнее, помню, но не скажу. Видите, какой я благородный? В общем, ночь прошла весело.

А утром я застал Вальку в необычном для него виде.

Он сидел за столом и пил водку.

— Что-то не так?

— Все прошло отлично. — Он залпом осушил стакан. — Спасибо, что выручил.

И глубоко затянулся сигаретой.

Я бросил взгляд на Шамана — тот смотрел на Вальку без осуждения. Скажем так — понимающе. И я догадался, что для моего друга эта ночь не была веселой.

— Ложись спать.

Он вновь наполнил стакан.

— Извини, что тебе не предлагаю — самому мало. И выпил.

А под столом лежала еще одна бутылка. Пустая.

— Валька, ложись спать.

— Сейчас лягу.

Он раздавил сигарету в пепельнице. Улыбнулся Шаману. Чуть пошатнулся, но успел ухватиться за стол и не завалился.

— Вот и все, дружище...

Я не понял, кому он говорил: мне или коту.

— Через девять месяцев родится чудесная девочка. Ошибка будет исправлена, и все вернется на круги своя.

Он посмотрел на меня неожиданно трезвым взглядом. Помолчал и закончил:

— Ошибка — это я.

Я молча обнял его за плечи и повел спать.

А следующей осенью Валька спас мне жизнь.

* * *

Второй курс института далеко не то же самое, что первый. Ты уже взрослый. Ты преодолел две сессии, уверился в собственных силах и понял, что такое самостоятельная жизнь. Ты научился уважать себя, и тебе неловко брать деньги у родителей. Да и присылать они могут совсем не столько, сколько тебе нужно. Пора зарабатывать.

Первую попытку стать богатыми мы предприняли еще на первом курсе. Пообвыкнув в городе и поняв, сколько всего интересного можно открыть с помощью толстого бумажника, Валька решил раздобыть деньжат самым легким, как ему казалось, способом — он купил лотерейный билет. Один из тех квиточков счастья, в которых надо выбрать то ли шесть чисел из сорока, то ли пять из пятидесяти — точно не помню.

— Раз плюнуть! — весело заявил Валька, заполняя купон. — На следующей неделе гуляем.

Я отнесся к заявлению скептически, Шаман — неодобрительно, но оба мы промолчали. Да и переубедить Вальку не представлялось возможным. Его глаза сияли.

Сияли до тех пор, пока мы не включили телевизор и не стали смотреть, как белозубая девочка вынимает из барабана шарики. Один за другим. А белозубый мужчина приплясывает и объявляет выигравшие номера. А тупые зрители визжат так, словно каждому из них достался джекпот. В общем, в отдельно взятой студии протекал шумный праздник. А в отдельно взятой комнате общаги было тихо, как в могиле.

Валька не угадал ни одного числа.

Вывод был естественен:

— Жулики!

И с тех пор он даже не заикался о «легких деньгах».

На первом курсе мы подрабатывали где придется. На кафедре — денег мало, зато можно свести знакомство с преподами. В приемной комиссии — денег мало, зато можно свести знакомство с красивыми абитуриентками. Расклейщиком объявлений — денег побольше, зато приходится бегать.

Но повторюсь: то, что хорошо на первом курсе, на втором уже не прокатит. А потому, когда появилась возможность устроиться продавцами в палатку, мы ухватились за нее обеими руками. Вариант казался идеальным: сменяя друг друга, мы будем контролировать свое время; деньги, несмотря на небольшой оклад, выходили вполне приличные — основам торговли нас быстренько обучили братья из общаги; другими словами, чего еще желать?

Два месяца мы жили весьма и весьма неплохо. Успевали и в институте, и на работе. Я купил себе новую куртку, а Валька — новые джинсы и ботинки. Шаман обжирался «Вискасом».

А потом я заснул среди ночи, и из палатки вынесли товар.

Вы знаете, что такое «счетчик»? Нет, не тот, который в такси. По глазам вижу — знаете. Тогда и объяснять не буду.

А вы знаете, какие чувства испытываешь, когда «счетчик» тикает по твою душу? Не знаете? Вам повезло.

Десять тысяч баксов — не самая большая в мире сумма, но собрать ее за три дня нереально. Конечно, в общаге хватало зажиточных ребят, вот только ссужать мне деньги никто из них не собирался.

— К тебе, Гостюхин, претензий нет, — произнес владелец палатки — внушительных размеров толстяк по имени Жора. — Хоть вы с Цветковым и друзья.

Десять тысяч баксов самая огромная сумма в мире. Особенно когда она начинает прирастать десятью процентами каждый день.

— Ты прав, Жора, Серега мой друг, — спокойно произнес Валька. — И отвечать мы будем вместе.

Вы можете не верить, но у меня хватило силы крикнуть:

— Я виноват! Я!! Ты ни при чем!

— Заткнись, — буркнул Валька.

— Ты сам вызвался, — развел руками Жора. — Вы вместе пришли, вы вместе и ответите. Извините, мужики, но иначе я не могу.

Хочу объяснить его последнюю фразу. Жора Камышин возник не из пустоты. Несколько лет назад он окончил наш институт, так же, как мы, жил когда-то в общаге, а потому разговаривать с ним было несколько проще, чем с кем-нибудь другим. Да и знали мы о нем довольно много. Точнее — Валька знал.

— Жора, а если я предложу тебе сделку?

— Какую?

— Предложу тебе монету, которой нет ни у кого больше.

Глаза толстяка вспыхнули.

Наш Жора, владелец палаток, да не простой, а с высшим образованием, оказался страстным коллекционером. Валька давно разведал об этом обстоятельстве через того самого доцента, что принимал у меня досрочный экзамен. Доцент был бывшим одногруппником нашего толстого работодателя.

— Откуда у вас, босяки, могут быть редкие монеты?

Но по глазам видно, что наживка проглочена. Босяки босяками, но у каждого есть семья, а у каждой семьи есть история. Вдруг окажется, что Валькин или мой дедушка экспроприировали экспроприаторов в восемнадцатом году или охраняли какой-нибудь музей в Берлине? Войны и революции позволили многим босякам обзавестись приличными коллекциями картин или скульптур.

— Я не сказал «монеты», — произнес Валька. — Монета. Одна. И она стоит десять тысяч.

Толстяк подумал и поинтересовался:

— Что за монета?

Валька улыбнулся, наслаждаясь нетерпением Жоры, и коротко ответил:

— Неразменная.

Вы спросите, почему Гостюхин не покопался в мозгах Камышина, подобно тому, как его бабушка поработала над Лидой, и не заставил его забыть о долге? Очень просто — за все надо платить. Мы были действительно должны толстяку, и нам следовало отдавать долг. Если бы увернулись, если бы обманули Жору, Вальке пришлось бы платить иначе. Как именно, я не спрашивал, но, судя по тому, как он решил отдать долг Камышину, плата за вторжение в голову толстяка была бы весьма и весьма высокой.

Вместо этого Гостюхин привел Жору в нашу комнату и показал фокус с наполняющимся кувшином. На толстяка это произвело впечатление. Не настолько сильное, чтобы простить нам долг, но вполне серьезное. Даже я понял, что Камышин в замешательстве. А потом Валька сказал, что прилетающее от коровы молоко — это самый простой из доступных ему фокусов.

— У тебя будет неразменный серебряный рубль. Волшебный. Назови коллекционера, который может похвастаться тем же.

Жора промолчал.

Когда первый шок прошел, он вновь принялся терзаться сомнениями... Или цену набивал? Не знаю. Кто поймет бизнесменов? И тогда Валька сделал еще более сильное предложение:

— Если решишь, что я тебя обманул, мы будем должны двадцать тысяч.

Услышав эти слова, я чуть не умер. Но Валька, как выяснилось, знал, что делал.

У Камышина было две перспективы: или он получает невероятную монету, или съедает нас с потрохами. Оба варианта его устраивали.

Я настоял на том, что буду присутствовать на «операции» от начала и до конца. Из-за меня мы вляпались в эту историю, и я не мог спокойно сидеть и ждать, когда меня спасут.

Жора тоже был обязан присутствовать от начала и до конца. Неразменный рубль предназначался ему, и Камышину предстояло лично совершить необходимые действия.

На следующий день, рано утром, Жора заехал в общагу на своем «Круизере», и мы отправились за город, на небольшой сельский рынок, где можно было найти не только замороженные куриные бедра, но и живую птицу. Мы с Валькой и телохранителем Камышина остались в машине, а толстяк отправился за покупками. Не оглядываясь, ни с кем не разговаривая — в точности соблюдая полученные от Вальки инструкции, — Жора подошел к птичьим клеткам и ткнул пальцем в ближайшего гусака. Мы наблюдали за происходящим издали, но все равно поняли, что Жора не торговался и заплатил продавцу столько, сколько тот сказал.

Все шло по плану.

Инструктируя толстяка, Валька узнал, что в загородном доме Жоры есть русская печь, и велел растопить ее к нашему приезду. Когда мы вошли в комнату, Жора поставил клетку на пол, неуверенно потер подбородок и спросил:

— Значит... — Откашлялся. — Я должен сделать...

— Ты знаешь, что должен сделать, — невозмутимо произнес Валька. — Если откажешься, сделка аннулируется, и мы тебе ничего не должны.

Мне показалось, что в этот момент Жора готов был отступить. То, что ему предстояло сделать, не нравилось Камышину. Во время обсуждения плана он даже несколько раз переспрашивал Вальку, нельзя ли заменить его кем-то другим, и всякий раз получал отказ.

— Мы теряем время.

Толстяк вздохнул, вытащил гусака из клетки, прижал его к себе одной рукой, а другой крепко сдавил птице горло.

— Пока не задохнется.

Жора не ответил: он боролся с умирающим гусаком.

Я отвернулся.

Когда все было кончено, Валька велел положить задушенную птицу на сковороду и сунуть в печь. Жора подчинился. Нечищеные перья вспыхнули, и, несмотря на хорошую вытяжку, в доме появился неприятный запах. Пришлось выйти во двор.

— Если ты меня обманул, ты пожалеешь, что родился, — тихо пробурчал Жора, вытирая руки о джинсы.

Валька промолчал.

Гусак жарился до полуночи. Мы бродили по двору, курили, изредка перебрасывались короткими фразами, снова курили и снова бродили. О повисшем на нас долге я, честно говоря, не думал. Как-то забылось. Гораздо чаще перед моими глазами вставал убивающий птицу Жора и холодный, чуть отстраненный Валька. И приходило в голову, что на этот раз мой друг замыслил что-то очень непростое.

А часиков в одиннадцать вечера Гостюхин достал из сумки припасенную заранее бутылку водки и предложил нам выпить.

— Для чего? — осведомился Жора.

— Тебе понравилось начало? — спросил Валька.

Камышин бросил взгляд на дом, в котором жарился гусак, и молча покачал головой.

— Дальше будет хуже.

На перекресток мы приехали примерно в час ночи.

На тот самый перекресток, что находился рядом с нашей общагой. На нехороший перекресток.

Когда мы вышли на него, появился Шаман. Черная клякса, вынырнувшая из тени. Я увидел, как вздрогнул Жора. И, если честно, мне самому было не по себе.

— Шаман знает дорогу и приведет нас куда нужно, — негромко пояснил Валька. — Жора, твоя задача не сводить глаз с кота и идти строго за ним. Что бы ты ни услышал, что бы ты ни почувствовал — не отвлекайся. Смотри только на Шамана.

— А если я отвлекусь?

— Мы заблудимся.

Валька сказал это так, что у меня зашевелились волосы на голове. У Камышина — я понял это по его взгляду — тоже. К счастью, водка несколько притупила страх, и у нас не появилось желания отказываться от предприятия.

— Я буду держать тебя за плечо. Сергей!

Я сглотнул:

— Да?

— Ты будешь держать за плечо меня. Не разжимай пальцы до тех пор, пока я не скажу, что можно. Понял?

— Да.

— И поскольку все вы верующие, предупреждаю еще раз: что бы вы ни увидели, не вздумайте креститься. — Валька выдержал паузу. — Пропадем.

— А крестик снимать не надо? — запинаясь, спросил Жора.

— Не надо. — Пауза. — Это ваша последняя защита.

— На какой случай? — прошептал я.

— Если заблудимся.

Камышин громко икнул.

Мы встали, как велел Валька, друг за другом. Впереди Жора, держащий под мышкой завернутого в тряпку гуся. Сосредоточенный Валька. И я, клацающий зубами от страха.

Шаман обернулся, сверкнул зелеными глазищами, коротко мяукнул и медленно пошел к центру перекрестка.

Вы когда-нибудь купались ночью в море? А в очень-очень теплом море? Вы когда-нибудь входили из темноты воздуха в темноту воды? Но при этом температура окружающего вас пространства не меняется — воздух и вода одинаково теплы, и только тьма становится все более и более вязкой. Каждое следующее движение дается все с большим и большим трудом, каждый следующий шаг — маленькая победа, каждый следующий вздох... В какой-то момент вы понимаете, что густая тьма незаметно пробралась в ваши легкие, наполнила их чернильным студнем и не позволяет сделать следующий вздох. Вы чувствуете только тяжесть. Тяжесть вокруг, тяжесть внутри. Вы понимаете, что еще чуть-чуть, и не выдержите, что студень накроет вас с головой и заберет навсегда.

Вы в ужасе.

Но страх придает сил, и вы делаете рывок.

И вы снова можете дышать.

Я закашлялся и упал на колени. Я судорожно дышал. Дышал! Втягивал в себя воздух снова и снова и не мог надышаться. Господи, какое же это счастье — дышать.

— Оклемался?

Я поднял глаза на Вальку, подумал, прислушиваясь к биению сердца, и кивнул:

— Да.

— Вот и хорошо.

Жора вынырнул из студня первым, а потому уже успел прийти в себя. Рядом с ним сидел невозмутимый Шаман — судя по всему, ни он, ни Валька никаких неудобств не испытывали.

— Что теперь? — глухо спросил толстяк.

— Делай так, как я говорил, — усмехнулся Валька. — Или ты все забыл?

— Не забыл, — буркнул Жора.

Он развернул тряпочку, в которую был завернут гусак, поднял птицу над головой и завопил:

— Купите у меня гусака, дайте за него рубль серебряный! Купите у меня гусака, дайте за него рубль серебряный!!

Я огляделся.

Общаги не было. Домов не было. Москвы не было.

Был только перекресток, слабо освещенный четырьмя факелами, и четыре дороги, ведущие в никуда.

Светофоров не было. Асфальта не было. Деревьев не было.

Мы стояли на черной дороге, а вокруг нас разливалась непроницаемая тьма.

Ничего не было.

— Купите у меня гусака, дайте за него рубль серебряный! Купите у меня гусака, дайте за него рубль серебряный!!

— Золотой возьми, хозяин, возьми золотой!

Первый покупатель оказался низеньким лохматым ублюдком с длинным и голым, будто у крысы, хвостом. Жора, как и было велено, никак не среагировал на неправильное предложение. И на внешний вид урода не среагировал. То ли водка помогла, то ли врожденная смелость.

— Купите у меня гусака, дайте за него рубль серебряный!

— Жемчуг возьми, хозяин, две жемчужины дам!

— Колечко, милый, колечко с самоцветом возьми!

— Червонец! Червонец!!

— На шелк сменяй, хозяин, шикарный шелк...

Толпа вокруг Жоры становилась все гуще и гуще. Нечистые прибывали со всех дорог разом, скапливались вокруг нашего кредитора (совершенно игнорируя меня и Вальку) и наперебой предлагали за гусака свою цену. Высокие и низенькие, худые и толстые, лысые и заросшие. Вот черт, обыкновенный черт, каким я привык видеть его на картинках. Вот безобразная старуха с непропорционально большой головой, кривыми ногами и обнаженными, обвисшими грудями. Вот вроде бы человек. Только руки у него достают до земли, а сам он покрыт короткой серой шерстью. Вот старик с зеленой бородой. Вот...

На мгновение мне показалось, что я вижу ее: крупную, черноволосую и развратную, но видение исчезло. Была она в толпе или нет, кто знает?

— Купите у меня гусака, дайте за него рубль серебряный!

К чести Жоры следует сказать, что он не спятил и не перепугался, увидев вокруг себя толпу тварей. Я думаю, он остался тверд потому, что занимался привычным делом — торговал, а с кем вести бизнес — это вопрос второй. Жора с каменной физиономией выслушивал предложения нечистых, отворачивался и продолжал гнуть свое:

— Купите у меня гусака, дайте за него рубль серебряный!

И добился цели.

— У меня есть рубль серебряный, — произнес человек без головы.

Жора без разговоров протянул ему гусака и получил взамен крупную монету.

— Уходим! — немедленно приказал Валька. — Быстро уходим!

Я вцепился в его плечо.

А вокруг уже завывали:

— Ты обманул нас!

— Твой гусак мертвый!

— Зачем ты оторвал ему голову, уверяя, что он живой?

— Ты обманул нас!

— Верни рубль!

— Верни рубль!!

Обратный путь оказался и быстрее, и легче. Нечисть визжала, но препятствий не чинила — за руки нас никто не хватал и подножки не ставил. Десять шагов, и вот мы снова на перекрестке.

На НАШЕМ перекрестке.

В некоторых окнах общаги горит свет, подмигивает светофор, ровно сияют уличные фонари. Свежо. Необычайно свежо. И воздух такой... вкусный!

При нашем появлении телохранитель Жоры выскочил из автомобиля и открыл хозяину дверцу.

— Что ты видел?

— Ничего. — В глазах громилы читалась растерянность. — Вы дошли до центра перекрестка и вернулись обратно.

— И все?

— И все.

— Сядь в машину, — приказал Жора.

Телохранитель подчинился. Толстяк, не глядя на нас, повертел в руке серебряную монету, после чего опустил ее в карман и буркнул:

— Мы в расчете. — И после паузы добавил: — Но вы уволены.

* * *

Как вы уже поняли, Валька не часто демонстрировал мне свои способности. Он стремился всего добиваться сам. Сам. Ночами просиживал за учебниками. Работал, чтобы было на что жить. Никогда не использовал свой дар, чтобы уложить в постель понравившуюся девчонку. Он им и так нравился.

Он.

Сам.

Все его победы — его победы. Все его поражения — его поражения. Ведьма сторонилась своих способностей, ведьма жила обычной жизнью. Ведьма самостоятельно шла к цели. Набивая шишки, поднимаясь и снова вставая.

Валька был упрям и знал, что нельзя отнять настоящее, то, чего достиг своими силами.

Валька жил так, потому что знал, что в один прекрасный день...

Я вошел в комнату и увидел разбитый кувшин. Глиняные черепки рассыпались по полу, рядом лежал сломанный нож, а Валька сидел на кровати и грустно улыбался.

И я понял.

У него родилась дочь.

Он сказал:

— Я больше не люблю молоко.

А на столе, свернувшись клубочком под теплым светом лампы, лежал Шаман. Услышав шаги, кот медленно поднял голову, открыл потускневшие глаза, посмотрел на меня и вернулся в прежнее положение.

Медленно.

Устало.

И я понял, насколько он стар.

— Шаман родился в один час со мной, — бесцветным голосом произнес Валька. — И всегда был рядом.

Ведьмин кот, ведьмин друг. Но Валька уже не ведьма. Ошибка исправлена, способности исчезли, и если опустошенной оболочке, сохранившей требующиеся для продолжения рода качества, позволено жить дальше, то зверь, питаемый волшебным даром, обречен.

— Это неправильно, — прошептал я.

— Так заведено.

Валька поднялся, взял кота на руки, вернулся с ним на кровать, уселся, положил к себе на колени и принялся гладить. Я услышал тихое, едва различимое урчание.

— Так заведено.

ПОЛОВИНКИ

«Акции «ТехЭнергоЭкспорта» не могли упасть на шесть пунктов только из-за неудачного высказывания финансового директора. Проблемы бывают у всех, даже у китов, но спекулянты не станут сбрасывать столь мощные активы после одного интервью. Должно быть что-то еще...»

В биржевых играх важна каждая мелочь, каждый слух, каждое слово. Любое высказывание может привести к взлету или, наоборот, к падению акций. К резкому выигрышу или крупным финансовым потерям. Игорь Тареев знал эти законы лучше других. Он умел играть, был настоящим профессионалом, которому доверяли большие деньги. Принадлежащая Тарееву брокерская компания процветала, сам Игорь славился чутьем, информированностью, удачливостью, но ситуация с «ТехЭнергоЭкспортом» ставила его в тупик.

«Сбрасывать или подождать?»

— ...альбом. Светка уже заказала столик. — Марина допила кофе и посмотрела на часы. — Ой, опаздываю. У меня переговоры через двадцать минут.

«Новый альбом? Ах да, поп-идол десятилетней давности пытается вернуться в обойму». Игорь припомнил, что вчера вечером Маринка долго щебетала с подругами, обсуждая потертого кумира не столь давней юности. Сколько им было во времена расцвета героя? Лет по четырнадцать? По пятнадцать? Судя по последним словам, щебетание закончилось твердым решением посетить мероприятие и воочию полюбоваться на лысеющего кумира.

— Я заеду за тобой в офис, — предложил Игорь.

Он совершенно не помнил, о каком клубе говорила девушка.

— Прекрасно! До вечера.

Она позволила себя поцеловать и упорхнула. Нет, правильнее будет сказать: стремительно умчалась, на ходу превращаясь в железную бизнес-леди. Спокойную, уверенную и деловитую — несмотря на молодость, Маринка уже стала партнером в крупной юридической фирме.

Тареев с улыбкой проводил взглядом выбежавшую из кафе подругу и рассеянно потянулся за счетом.

«Кому же позвонить по поводу «ТехЭнергоЭкспорта»?»

— Ваша жена?

Игорь удивленно повернулся к задавшему вопрос человеку. Прищурился, пытаясь выбрать наиболее подходящий вариант ответа, но голова была занята необъяснимым падением котировок, и пришлось ограничиться недружелюбным:

— Какое вам дело?

За соседним столиком сидел подтянутый старик в старомодном костюме-тройке. Сухонький, абсолютно седой, очень морщинистый, но с большими, горящими, будто у юноши, глазами. С очень молодыми глазами, как машинально отметил Игорь: быстрыми, живыми, внимательными.

— Позвольте извиниться, — искренне произнес

старик. — Честное слово, я не ожидал, что мой вопрос прозвучит бестактно. Простите меня.

В его голосе было столько неподдельного раскаяния, что Тарееву стало немного стыдно за резкость.

— Моя невеста, — слегка извиняющимся тоном произнес Игорь.

— Очень красивая, — сдержанно кивнул незнакомец.

И замолчал. Но продолжал смотреть на Тареева, явно надеясь на продолжение разговора. «Какого черта?» Игорь посмотрел на часы — пора бы вернуться в офис — и, неожиданно для самого себя, спросил:

— Почему вы решили, что она моя жена?

— А вы не обидитесь?

— Обещаю.

— Хорошо. — Старик улыбнулся и протянул руку: — Александр Александрович. Но, пожалуйста, называйте меня Сан Саныч.

— Очень приятно, Игорь. — Тареев пожал крепкую ладонь старика. — Так почему вы решили, что Марина моя жена?

— Потому что вы расстались обыденно, — объяснил Сан Саныч. — Очень обыденно. Так, словно прожили с этой женщиной не один год. И еще вы не очень внимательно ее слушали.

— Мы вместе семь месяцев, — буркнул Игорь.

— Это большой срок. — Старик произнес эту фразу так, что Тареев не понял, серьезно он говорит или с издевкой. — Вы хотите сказать, что семь месяцев назад все было по-другому?

— Э-э... Наверное. — Игорь снова взглянул на часы. — Но почему вас это интересует?

— Дело в том, что я профессор психологии... —

Сан Саныч правильно истолковал резкий взгляд Тареева и замахал руками: — Нет-нет, не волнуйтесь, Игорь, я на пенсии и давно не практикую. Более того, не пишу научных трудов, так что можете быть абсолютно спокойны — вы не являетесь объектом исследования.

— Тогда к чему ваши вопросы?

— Проклятая привычка, — обезоруживающе улыбнулся старик. — Я специализировался в семейной психологии. В том, что обычно называют любовью.

— Интересно, — обронил Тареев.

— Очень интересно, — охотно согласился Сан Саныч. — Игорь, вы позволите задать еще один вопрос?

— Последний?

— Как захотите.

— Задавайте.

— Вы полюбили ее с первого взгляда?

— Можно сказать и так, — медленно ответил Тареев, машинально припоминая первую встречу с Маринкой.

Она представляла интересы крупного инвестора и пытала Игоря по каждому пункту контракта. А он путано отвечал, отчаянно пытаясь совладать с эрекцией — строгий деловой костюм превосходно подчеркивал изысканную красоту Марины. После подписания договора Игорь послал прелестному юристу огромную корзину роз и пригласил в Большой на премьеру.

— Мне хорошо с ней.

— Насколько хорошо?

— Очень.

— Вы принимаете снотворное? — неожиданно спросил Сан Саныч, внимательно глядя в глаза Тареева.

Глядя внимательно и профессионально. До сих пор Игорь видел такой взгляд лишь однажды, на приеме у крупного медицинского светила, врача от бога. Старик смотрел внутрь Тареева, видел насквозь, и лгать ему было бессмысленно.

— Принимаю, — кивнул Игорь. — Почти... Да какое «почти»? Каждый вечер принимаю. — Он пожал плечами. — Я устаю. Бизнес. Закрываю глаза и вижу монитор с таблицами. Или продолжаю переговоры. Если бы не снотворное, я бы проводил на работе двадцать четыре часа в сутки. А так удается поспать.

Сан Саныч понимающе посмотрел на Тареева, отвел взгляд, медленно провел пальцем по столешнице.

— А в те дни, когда вы ночуете с Мариной, вам тоже приходится пить снотворное?

— Конечно, — пожал плечами Игорь. И только потом понял смысл вопроса. Прищурился. — Разве это важно?

— Если вам действительно хорошо с этой женщиной, то неважно, — задумчиво произнес старик. — В конце концов, современные средства не вызывают привыкания и гарантируют спокойный глубокий сон.

— Мне нужны таблетки, чтобы успокоиться. Какая разница, с Маринкой я засыпаю или нет?

— Вы прекрасно ответили на свой вопрос, — вздохнул Сан Саныч. — Нет разницы. С любимой вы засыпаете или нет. Вы ни минуты не слушали ее во время обеда и едва заметили, что она ушла.

— У меня сложный день.

Но старик не слышал Тареева.

— Вы прекрасная пара. Успешные, красивые, яркие, но где искра? Где огонь? Помните старую легенду? О том, что каждый человек лишь половинка чего-то целого и должен найти свою вторую часть? Вторую половинку своей души.

— Я свою половинку нашел, — твердо заявил Игорь.

Но Сан Саныч вновь не отреагировал на его слова. Старик говорил негромко, но очень искренне. Не поучал, а скорее рассуждал, могло даже показаться, что Сан Саныча не очень-то и волнует, слушает его Тареев или нет.

— Ошибиться невозможно. Свою половинку нельзя воспитать, вырастить, притереться к ней. Ее можно только найти. Кому-то везет, он встречает свою судьбу в школе, в институте, в соседнем подъезде. Кто-то ищет всю жизнь, заводит семью, детей, но так и остается один. Кто-то не ценит свое счастье и легко расстается со своей половинкой, а кто-то... — Старик жестко посмотрел на Игоря. — А кому-то не следует ее искать.

Тареев вздрогнул — настолько откровенным был взгляд Сан Саныча.

— Даже так? Не следует искать?

— Да, не следует искать.

— Но я уже нашел.

Старик покачал головой.

— Игорь, сколько раз вы бросали все дела ради того, чтобы приехать к Марине среди дня и взять ее за руку? Потому что соскучились?

Тареев честно попытался представить себе эту картину: он мчится в офис к Маринке, врывается в переговорную и берет девушку за руку.

— Но это безумие.

— Разве не безумие делает нас настоящими людьми?

— Это говорит психолог?

Сан Саныч пропустил язвительное замечание мимо ушей.

— Один совет на прощание, Игорь. Когда встретите свою вторую половинку — бегите. Плачьте, стискивайте зубы, изнывайте от тоски, но бегите. Бегите изо всех сил.

Старик поднялся, поклонился с церемонной старомодностью и медленно направился к дверям. Удивленный Тареев только развел руками. Странная встреча, странный разговор, странный совет. Нет, ребята, психологам, даже бывшим, надо запрещать покидать пределы клиник. Они от своих клиентов такого набираются, что к нормальным людям их подпускать нельзя. «Бегите изо всех сил!» Идиот! Игорь усмехнулся, тоже встал из-за столика и, уже подходя к дверям, услышал недовольный голос одного из посетителей:

— Черт побери, где мой бифштекс? — Румяный мужчина удивленно смотрел на тарелку. — Я отрезал всего кусочек!

— Ну, ты проглот, — захохотали спутники румяного. — Слопал мясо и не заметил.

— Не завтракал сегодня?

— Черт, я же говорю — только начал есть! — Мужчина ошарашенно огляделся, словно пытаясь найти вора. — Один кусочек отрезал!

Бывшей звезде вполне удавалось зажигать. Потрепанный мачо радостно скакал по небольшой сцене, вертелся вокруг подтанцовывающих девочек и вполне правдоподобно делал вид, что вытягивает ноты самостоятельно. Повзрослевшие фанатки бушевали на танцполе и требовали старых хитов. Кумир счастливо улыбался и исполнял. Игорь, задумчиво потягивающий за столиком коктейль, с улыбкой наблюдал за раскрасневшейся Маринкой, лихо извивающейся перед эстрадой в компании ровесниц.

— Девчонки в восторге, — усмехнулся Боря, кавалер Светы. — Даже о нас забыли.

— Я не против, — рассмеялся Тареев. — Не хватало еще плясать под такую музыку...

И резко замолчал, поймав на себе взгляд незнакомой девушки.

Нет, скорее девочки. Хрупкой, еще немного угловатой, в дешевом зеленом платье и с косичками. С двумя косичками! Она стояла у бара и не сводила глаз с Игоря. Тареев отвернулся, вновь приложился к бокалу, но взгляд незнакомки манил, притягивал, и Игорь снова обернулся к стойке. Она по-прежнему стояла у бара. И по-прежнему смотрела прямо на него. И даже сквозь клубный полумрак Тареев сумел разглядеть огонь в ее глазах. Пленительную искру, заставившую учащенно забиться сердце. «Что за черт? Я ее знаю?»

— Гарик, ты кого там увидел? — Боря допил коктейль и немедленно приступил к следующей дозе. — Слушай, я анекдот вспомнил...

Оторваться от глаз незнакомки было невозможно. Игорь резко поднялся на ноги.

— Боря, я сейчас. Там знакомые... кажется... надо поздороваться.

Он потерял девушку из виду всего на мгновение, но этого оказалось достаточно. Когда Тареев добрался до стойки, хрупкой обладательницы детских косичек там уже не было. «Я пьян?» Еще глоток коктейля из предусмотрительно захваченного с собой бокала — и... Игорь чуть не поперхнулся — девчонка стояла в противоположном конце помещения. У выхода. Дешевое зеленое платье до колен, узкие плечи и глаза... Глаза, которые накрыли Игоря с головой. У него задрожали руки. «Да что происходит, черт побери?!» Девушка медленно повернулась и вышла из зала. Тареев машинально сделал шаг следом.

— Ищешь кого? — Маринка обняла Игоря за шею. — Пойдем потанцуем.

— Мне что-то не очень... — Тареев поставил недопитый бокал на стойку, рассеянно поцеловал подругу в щеку. — Марин, я выйду на улицу, подышу.

Она удивленно хлопнула ресницами.

— Тебе плохо? Давай уедем.

— Пройдет... — Игорь потер лоб. — Если не пройдет — уедем. Я скоро.

Освободился от объятий и, на ходу закуривая сигарету, быстро направился к дверям.

Она стояла рядом с его машиной. Худенькая, угловатая, с двумя косичками. «Интересно, как ей удалось пройти фейс-контроль? В этот клуб малолеток не пускают». Игорь докурил сигарету, растоптал каблуком, подошел к машине и, не глядя на девушку, отрывисто спросил:

— Как тебя зовут?

— Настя.

— К тебе или ко мне?

— К тебе.

— Садись.

Они молчали всю дорогу. Они встретились, что еще нужно? Могучий консьерж кинул на Настю удивленный взгляд: новая знакомая Тареева не соответствовала обычному уровню его подруг, но высказаться не посмел. Игорь провел Настю к лифту, нажал на кнопку своего этажа, а оказавшись в коридоре, кивнул на дверь.

— Сюда.

Первое слово с тех пор, как машина покинула стоянку клуба.

В обширном холле тареевской квартиры Настя нерешительно остановилась, но Игорь взял девушку за руку и молча, уверенно провел в спальню. Она не протестовала. Только попросила:

— Не включай свет.

Он подчинился, одернул потянувшуюся к выключателю руку и принялся молча раздеваться. Пиджак, сорочка, брюки... Вопреки обыкновению, Игорь не складывал одежду, а швырял ее на пол. Резко стаскивал и швырял, грубо, почти зло, словно дорогие тряпки были в чем-то перед ним виноваты. Тареев не мог понять, что с ним происходит. Какая сила заставила его, хладнокровного и расчетливого бизнесмена, бросить любимую женщину и приехать домой с этой тощей и не очень красивой замухрышкой? Он не мог понять. Не мог объяснить. Но и не мог поступить иначе. Сердце, сорвавшееся с цепи в клубе, разрывало изнутри грудь и подсказывало, кричало: «Это она!»

Она?

Что за безумие?

А разве не безумие делает нас настоящими людьми?

Раздевшись, Игорь обернулся к девушке и замер.

Настя робко стояла около кровати. Тоненькая, хрупкая, немного угловатая. Она развязала косички, и пшеничные волосы рассыпались по узким плечам. Маленькие острые груди торчат в разные стороны, длинные пальцы закрывают треугольник волос внизу живота, а на шее бешено пульсирует крохотная жилка. Настя стояла в нескольких шагах от Игоря, свет в спальне он так и не включил, но даже в непроглядной тьме Игорь видел и сморщенные соски, и огонек в серых глазах, и крохотную, едва уловимую жилку на шее. Он видел так отчетливо, будто девушка стояла совсем рядом. Видел так, будто ее озаряло волшебное сияние. И он понял, что даже если закроет глаза, то все равно увидит каждую черточку Насти. Каждый ее волосок, каждую родинку.

И, едва ли не впервые в жизни, Игорь почувствовал робость наедине с женщиной. Молчаливая уверенность, с которой он вез Настю домой, сменилась юношеской застенчивостью, ожиданием... — нет, пониманием! — приближающегося чуда. Пониманием, что этот раз станет особенным.

— Я тебя вижу.

Игорь откашлялся.

— Я знаю, — очень тихо ответила Настя. И улыбнулась.

Он подошел, взял ее руку и нежно, очень-очень нежно, поцеловал тоненькие пальцы. Девушка закрыла глаза, судорожно вздохнула и прильнула к Игорю. Он понял, что дрожит. Не от возбуждения. От счастья. От волшебного ощущения слияния с женщиной. Он поцеловал каждый пальчик Насти, поцеловал пшеничные волосы и маленькие розовые ушки. Он медленно увлек ее на кровать, он гладил ее острые груди, плоский живот, узкие бедра. Он наслаждался прикосновениями к прозрачной коже и сухой сладостью ее губ. Игорь не говорил ничего, молчал, но знал, что Настя слышит стук его сердца, дрожь пальцев и шепот дыхания. Слышит и читает их, как открытую книгу. Зачем слова, если его прикосновения и ее горящие глаза говорили больше, чем тысячи признаний и многословных объяснений.

И когда он понял, что пришло время, то медленно вошел в Настю, замер, почувствовав сопротивление, но продолжил движение, стараясь быть аккуратным и нежным.

Он был первым.

У Марины имелся ключ от квартиры, и ее прекрасно знала охрана. Открыв дверь, она прошла по коридору, услышала шум воды в ванной и остановилась, тяжело прислонившись к стене. Ее переполняли обида, ярость, ненависть, но Марина ни за что бы не ворвалась за закрытую дверь, из-за которой доносились негромкие голоса, мужской и женский. Она и без того была достаточно унижена.

Марина стояла, кусала губы и изо всех сил старалась сдержать слезы. За дверью выключили воду, и через некоторое время из ванной вышел Игорь, держа на руках худую белокурую девушку.

— Я так и думала, — хрипло произнесла Марина.

Тареев молча посмотрел на бывшую подругу. Красивая, красивая до боли. Чуть-чуть силикона в губы и грудь, фитнес и диеты, тряпки из бутиков и коллекционные туфельки. Красивая до боли и чужая. Сейчас — чужая абсолютно. А раньше?

Марина сделала два шага и сильно ударила Игоря по щеке.

— Мерзавец! Дрянь! — Он продолжал молчать. Еще удар. Его щеки стали красными. Из ее глаз потекли злые слезы. — Какой же ты мерзавец! Отпусти эту тварь!

Игорь качнул головой, крепче прижал к себе дрожащую Настю:

— Нет.

Марина швырнула ему в лицо ключи от квартиры. Острое железо оцарапало щеку, но Тареев даже не вздрогнул. Марина плюнула в него и третий раз ударила по щеке. Он только опустил глаза. И не поднимал взгляд до тех пор, пока рыдающая Марина не исчезла за громко хлопнувшей дверью. Только после этого Игорь отнес Настю в спальню и опустил на кровать.

— Хочешь вина? Фруктов?

— Принеси, пожалуйста, воды.

— Воды?

— Из-под крана.

Она жадно выпила целый бокал простой воды из-под крана, забралась под одеяло и прижалась к Игорю всем телом.

— Я счастлива.

— Мы... — Он обнял узкие плечи и зарылся лицом в пшеничные волосы. — Мы счастливы, Настя. Мы.

И впервые за много лет Игорь заснул почти сразу, едва закрыв глаза. Заснул спокойным, безмятежным сном. Заснул без помощи снотворного.

* * *

Он проснулся один. Совершенно один в огромной пятикомнатной квартире. Он открыл глаза и понял, что Настя ушла. Не выскользнула в ванную или на кухню, чтобы сварить утренний кофе, а ушла, покинула его дом.

Навсегда? Вопрос напугал Игоря. Нет, разумеется, нет. Она ненадолго отлучилась. В институт или на работу. Или домой, успокоить родителей. Настя обязательно перезвонит, скажет, где они встретятся, он услышит ее голос... Но Игорь не мог ждать, не мог полагаться на случай, не мог отсчитывать мгновения тоскливого ожидания.

— Я должен найти ее, — твердо заявил Тареев своему отражению в зеркале ванной. — Немедленно.

Но как? Что он знает, кроме имени? Примерный возраст? Внешний вид? Не слишком ли мало информации, чтобы отыскать любимую в десятимиллионной Москве?

Любимую? Игорь не сразу понял, что назвал Настю любимой. Конечно, любимую! Единственную! Половинку... И застыл, забыв вытащить изо рта зубную щетку.

«Половинка. Женщина, предназначенная для меня. Кусочек меня самого».

Тареев вымыл щетку и сполоснул рот. Имел ли смысл вчерашний разговор? Встреча с психологом на пенсии: совпадение или нет? Игорь вытер лицо, аккуратно повесил полотенце на крючок и вышел из ванной. Вероятность совпадения — мизерная.

А раз так, он знал, где искать Настю.

— Игорь Александрович, от Манаяна звонили уже три раза. «ТехЭнергоЭкспорт» упал еще на девять пунктов...

— Зина, я приеду не раньше обеда. Я заболел. У меня личные проблемы. Я на важных переговорах, все понятно?

— Вы будете в обед, — слегка обиженно повторила секретарша.

— Правильно.

Тареев убрал телефон в карман, вошел в кафе и внимательно оглядел зал.

Они сидели за самым дальним столиком. Настя, все в том же дешевом платьице, и Сан Саныч, в старомодной тройке. Девушка завтракала — перед ней стояли две тарелки, с омлетом и десертом, и бокал с соком. Психолог-пенсионер ограничился чашкой кофе. Игорь молча подошел к столу, без приглашения присел и коротко, почти враждебно, поинтересовался:

— Что все это значит?

— Я не могу обвинять тебя, Настя, — ровным голосом произнес Сан Саныч. Он проигнорировал появление Тареева и спокойно продолжал начатый до появления Игоря разговор. — Но считаю, что ты поступила неправильно.

— Мы созданы друг для друга, — ответила девушка. — Мы половинки.

И продолжила завтракать. Пирожное, дожидавшееся своего часа на второй тарелке, было надкусано, словно Насте не терпелось попробовать сладкого. А на бокале с соком Игорь заметил след губной помады.

— Ты должна думать не только о себе, — глухо проронил Сан Саныч.

Настя доела омлет, вытерла губы и только после этого сказала:

— Теперь уже ничего не исправить.

— Да, — согласился старик, — теперь уже поздно.

— Объясните, в чем дело? — угрюмо поинтересовался Тареев.

— Я не могу. — Сан Саныч вздохнул и поднялся на ноги.

— Далеко собрался?

— Игорь, он не может тебе ничего рассказать, — негромко проговорила девушка.

— Не может или не хочет?

— Не может. Ему запрещено.

— Кем?

Сан Саныч медленно побрел к выходу из кафе.

— Что происходит? — Тареев пристально посмотрел на девушку.

Она не отвела взгляд, но ответила не сразу, видимо, пыталась подобрать правильные слова:

— Игорь, я... Я не знаю, кто я и кто мои родители. У меня нет дома, нет семьи, нет документов. Единственное, что связывает меня с миром, — Сан Саныч.

Психолог на пенсии. А она? Бывшая пациентка? Или нынешняя? Тареев жестко посмотрел на девушку, на надкусанное пирожное, на испачканный красным бокал. Снова на девушку — помады на ее губах не было.

— Что ты ешь?

— То, что принес Сан Саныч. — Ее голос дрогнул. — Он ворует и кормит нас украденной едой. Ничего другого нам нельзя.

— Вас? Кого вас?

— Меня и... Нас четверо, сейчас четверо...

Настя наконец решилась, собралась с духом и заговорила быстро, торопливо, словно боясь, что Игорь поднимется и уйдет. Оборвет ее монолог. Не дослушает. Рассмеется. Она говорила быстро, но убежденно, без малейшего сомнения в словах:

— Самое сильное проклятие на Земле — материнское. Самое тяжелое, самое ужасное. Ни одна мать не должна желать вреда своему ребенку. Ни при каких обстоятельствах! Это главный закон. Вечный закон. Один из принципов мира. И если его нарушить, последствия будут страшными.

— Что за сказки? — пробормотал сбитый с толку Тареев.

— Люди делали все, чтобы забыть слова проклятой формулы. Никто, ни темные колдуны, ни ведьмы, ни шаманы, никто не рисковал связываться с этим страшным заклинанием. Материнское проклятие бьет по всем, кто к нему прикоснется, и его формула давно исключена из книг. Но иногда ее произносят. — Настя всхлипнула. — По незнанию, случайно. Я верю — случайно! Иногда, в пылу ссор, матери невольно озвучивают древнюю формулу, не понимая, что она работает! Не думая... — Губы девушки дрожали все сильнее, но она старалась не сбиваться. — Ребенка, на которого легло материнское проклятие, ждет страшная участь. Особенно некрещеного ребенка, за которого совсем некому заступиться. Проклятый родной матерью, он становится отверженным, парией.

— Настя, Настя! — Игорь потянулся и взял девушку за плечо. — О чем ты говоришь? Что за ерунда? Какие колдуны? Какая формула?

— Моя мать прокляла меня, — бесцветным голосом продолжила Настя. — Случайно! Конечно, случайно, она не понимала, что творит, но теперь никто не в силах отменить действие формулы. Я помню этот день. Я помню, как испугалась, услышав ее слова. — Девушка взяла бокал, на котором остался след чужой помады, и сделала глоток сока. — Я плакала всю ночь. — Еще один глоток. — Я плакала очень тихо, под одеялом, чтобы никто не слышал. — Настя поставила бокал на стол. — А утром пришел старик,

Сан Саныч, и увел меня с собой. Ребенку, носящему материнское проклятие, запрещено оставаться в родном доме.

— При чем здесь старик? — нахмурился Тареев.

— Сан Саныч обязан заботиться о нас. Таково его наказание.

— За что?

— Он подарил формулу людям. — Девушка помолчала. — За это ему никогда не будет прощения.

Тареев покачал головой, огляделся — к счастью, слова Насти не долетели до соседних столиков, и переспросил:

— Вечно?

— Сан Саныч дает нам кров, ворует для нас еду и одежду. Он обязан заботиться о детях, которые прокляты из-за него.

Игорь посмотрел на красный ободок на стекле бокала.

— Ворует еду?

В памяти всплыла вчерашняя сценка в кафе: «Официант, где мой бифштекс?» А взгляд Тареева нашел надкусанное пирожное.

— Мы имеем право только на проклятую пищу, только на проклятую одежду... — Настя опустила голову. — У меня никогда не было платья, купленного для меня, понимаешь, именно для меня! Все, что приносит Сан Саныч, — чужое. Проклятое воровством. Мы не имеем права ни на одну чистую вещь. — Она подавила рыдания, глубоко вздохнула и совсем тихо закончила: — Прости, что я к тебе пришла.

Бред, бред, девчонка явно больна! Шизофреничка! Плюнуть и бросить! Как там говорил Сан Саныч:

«Когда встретите свою вторую половинку, бегите изо всех сил!»

Тареев закурил сигарету и посмотрел на Настю. На недопитый сок в бокале, испачканном чужой губной помадой, на надкусанное пирожное, на дешевое платье.

«Моя вторая половинка?»

Вчера он равнодушно наблюдал за истерикой Марины, а сегодня всерьез выслушивает идиотский рассказ Насти.

«Моя вторая половинка? Бросить ее?»

Игорь понял, что не уйдет, что не оставит девочку. И вряд ли Настя больна. Судя по всему, ей искусно внушили эту историю. Внушили качественно, профессионально, чувствуется рука опытного психолога. Сан Саныча, например.

— Ты мне не веришь? — Девушка в упор посмотрела на Игоря.

Он нежно провел пальцами по ее щеке.

— Я не уйду.

И увидел, как вспыхнули ее глаза. Можно ли подделать ТАКОЙ огонь?

— Я хочу во всем разобраться. — Тареев понял, что не только не уйдет, но никогда больше не отпустит Настю. Больна она или обманута — он хочет смотреть в ее глаза всю жизнь. Вторая половинка.

— Сейчас поймаем такси, и ты поедешь ко мне домой, — приказал он, торопливо царапая на вырванном из записной книжки листке. — Вот ключ. Записку отдашь охране, и тебя пропустят.

Она безропотно взяла ключ, обрывок бумаги. Кивнула.

— Хорошо.

— Я приеду вечером, поужинаем и решим, что делать дальше.

— Я не могу есть то...

— Да, я помню... Я украду для тебя еду.

— Не волнуйся, Гарик, если за девочкой что-нибудь есть — узнаем в два счета. — Петр Круглов, когда-то однокашник Тареева, а теперь майор милиции, весело посмотрел на старого друга. — А все-таки, к чему такие сложности? Раньше ты досье на подружек не собирал.

Игорь задумчиво посмотрел на бокал, с которого эксперты Круглова сняли отпечатки пальцев Насти. Посмотрел, помолчал и коротко ответил:

— Странная она.

— Наркотики принимает?

— Вроде нет.

— Ключи от квартиры просила?

— Э... Я сам их дал.

Круглов удивленно поднял брови:

— А как же Марина?

Петр был хорошим другом, очень хорошим и достаточно близким, но сейчас Игорь не испытывал желания рассказывать о своей личной жизни кому бы то ни было.

— Марина... э-э... все знает.

От более развернутого ответа Тареева избавил мелодичный перезвон компьютера — пришел ответ на запрос. Круглов, понявший, что Игорь не собирается откровенничать, выразительно покрутил пальцем у виска и уставился в монитор.

— Та-ак, Анастасия Крючкова. — Резко замолчал. Быстро пробежал глазами текст, нахмурился и жестко посмотрел на Тареева. — Откуда ты знаешь эту девочку?

— Она преступница?

— Она числится среди пропавших без вести.

— Мне передали визитку, Игорь Александрович. — Елена Крючкова внимательно посмотрела на Тареева. — Конечно, я слышала о ваших успехах, но, если мне не изменяет память, у нас не было совместных проектов. — Она чуть улыбнулась. — И не будет.

Крючкова держалась с потрясающим самообладанием и великолепно выглядела: ухоженное лицо, идеальная прическа, тщательный маникюр и немножко драгоценностей. Дорогая женщина в дорогом санатории, дорогая женщина в косметологической клинике... Но Тареев знал правду: дорогая женщина безнадежно больна. Из ЦКБ ей не выбраться, и развязка может наступить в любой день, в любую минуту.

— Елена Сергеевна, я просил о встрече, чтобы поговорить о вашей дочери.

— О Вере?

— О Насте.

В глазах Крючковой мелькнуло недоумение, затем — боль. Острая боль. А потом боль сменилась враждебностью.

— Я ждала кого-то похожего на вас, — медленно и очень холодно произнесла женщина. — В меру известного, энергичного, с незапятнанной репутацией.

«Ждала? — Игорь насторожился. — Что значит «ждала»? И не слишком ли быстро она поняла, что речь идет о пропавшей двенадцать лет назад девочке?»

— При чем здесь моя репутация?

Искреннее недоумение, прозвучавшее в голосе Тареева, произвело впечатление на Крючкову. Елена Сергеевна внимательно посмотрела на Игоря, выдержала короткую паузу и все еще холодно, но уже без агрессии сообщила:

— Две недели назад ко мне приходили из милиции. Интересный такой молодой человек, примерно вашего возраста. Он сказал, что появились новые обстоятельства... Правда, не уточнил, какие. Сказал, что расследование может быть возобновлено.

— Вы против? — Тареев удивленно посмотрел на Крючкову. — Если обстоятельства действительно существуют...

— Я слишком цинична, чтобы верить в совпадения, а эти обстоятельства появились очень вовремя, — жестко перебила Игоря женщина. — Я умираю, молодой человек. Я стою восемнадцать миллионов долларов, но вряд ли дотяну до конца месяца. Все, что у меня есть, завещано моей старшей... моей единственной дочери — Вере. Настя умерла.

— Пропала без вести.

— Она официально признана умершей, — отрезала Крючкова.

И Тареев вновь восхитился ее самообладанием. Сам бы он давно вызвал охрану.

— Россказни о том, что Настя чудесным образом воскресла, на меня не подействуют, — презрительно продолжила Елена Сергеевна. — Завещание составлено и находится у юриста. У очень хорошего юриста — не рекомендую с ним связываться.

И взяла с маленького столика хрустальный бокал со свежевыжатым соком, всем видом показывая, что аудиенция окончена. Тареев поднялся со стула, чуть поклонился — Крючкова не шелохнулась, — но не удержался от еще одного вопроса:

— Мне важно знать, что произошло перед тем, как пропала Настя. Очень важно, поверьте! — Женщина с любопытством посмотрела на Игоря. — Вы ругали ее? Что вы ей говорили? Ответьте, просто ответьте: вы ее ругали? Да или нет? Она провинилась, и вы ее ругали?

— Это важно?

Тареев кивнул.

— Очень.

Крючкова поколебалась, затем пожала плечами:

— Я не помню, действительно не помню, что случилось тем вечером. Это удивительно, но это так: иногда мне кажется, что я бранила Настю, но совершенно не помню, что при этом говорила.

«Неужели разгадка последних событий столь банальна? Елена Крючкова безнадежно больна, умирает, оставляя большое наследство — неплохой приз, ради которого можно начать интригу. Легализовать (шпионское словечко кстати всплыло из недр памяти) давно пропавшую дочь и претендовать на кусок пирога. Но зачем усложнять игру? Зачем подключать меня? Незапятнанная репутация и слава законопослушного бизнесмена, в делах о наследстве такие мелочи очень важны. Расчет строился на том, что я поверю в историю Насти и потребую от Крючковой признать дочь. Если Елена Сергеевна не соглашается — начинаю судебный процесс. Муж Крючковой давно умер, единственная наследница — старшая дочь, и выцарапать в ходе процесса пять-семь миллионов вполне реально. Возможно, таинственных кукловодов интересуют не деньги, а какие-нибудь акции Елены Сергеевны, доли в предприятиях. В таком случае затяжка процесса им даже на руку — на все пакеты накладывается арест, а в это время принимаются нужные решения. Вариантов масса. Предположим, я выигрываю дело, и Настя получает свою долю наследства. Победа. А на следующий день приходят серьезные мужчины в строгих костюмах, предъявляют доказательства, что девушка родилась и выросла в какой-нибудь Таврической губернии, и забирают свою долю. В смысле оставляют Насте маленькую долю, а меня цепляют на крючок: обвинение в мошенничестве может испортить любую карьеру. А как же отпечатки пальцев? Ради семи миллионов можно найти способ внести изменения в базу данных, тем более кто сейчас отыщет настоящие отпечатки пальцев девочки, пропавшей двенадцать лет назад?»

Разговор с Крючковой убедил Игоря в том, что он оказался в эпицентре тщательно спланированной аферы и роль ему уготована самая что ни на есть жалкая — лоха. Глупого, жадного лоха, делающего за кукловодов грязную работу. И лишь один нюанс немного портил эту версию. Маленький вопрос, который следовало проверить.

Украсть продукты оказалось не настолько сложным делом, как предполагал Тареев. Немного внимательности, немного осторожности, никакой суетливости и капелька удачи. Но ведь новичкам везет?

Ни один продавец на рынке (действовать в магазине Игорь не решился) ни за что не подумает, что дорого и со вкусом одетый господин станет воровать с прилавка. Внешний вид Тареева ставил его выше подозрений, и Игорь охотно воспользовался своим преимуществом. За каких-то сорок минут он умудрился стащить кусок свинины — продавщица как раз отвернулась, расхваливая печенку придирчивой домохозяйке, — два красных болгарских перца, шесть помидоров и пакетик майонеза. Угрызений совести Игорь не испытывал, он делал то, что считал нужным, и плевать хотел на мораль. В перерывах между «налетами» Тареев купил четыре куриные ножки, два желтых перца, пять огурцов и пару килограммов картошки.

Приехав домой, Тареев попросил Настю приготовить ужин, а сам отправился в ванную. Не спеша побрился, принял душ, а когда вновь вышел на кухню, с удовольствием отметил, что готовить девушка умела: на сковородке аппетитно шипела свинина, а по тарелкам был разложен заправленный майонезом салат. Из красного перца и помидоров.

Курица, огурцы, желтый перец и картошка остались в пакетах.

Игорь закурил и тяжело опустился на стул.

— Я не могу готовить эту еду, — негромко сказала Настя. — Извини.

Каким чудом она узнала украденное? На рынке за ним следили, список ворованных продуктов передали Насте, и она разыграла очередную сценку. А если никакой интриги не существует?

Тареев выкурил сигарету стремительно, за несколько очень глубоких затяжек, и очнулся только, когда приблизившийся к фильтру огонек обжег пальцы. Все это время Настя молча сидела за столом, робко положив руки на колени.

— Давай ужинать, — предложил он.

— Давай.

Но есть не хотелось. Игорь поковырялся в тарелке, съел пару кусочков мяса, отложил вилку, нож и снова закурил, не спуская глаз с девушки. Она же, не стесняясь, быстро и жадно съела все до последней крошки, вытерла губы салфеткой и, не поднимая взгляд, сказала:

— Я вижу их ауру.

— Что?

— Я вижу черную ауру на украденных вещах, — пояснила Настя. — Ты ведь хотел спросить, почему я выбрала именно эти продукты?

Тареев молча прикурил следующую сигарету.

— Ты мне не веришь.

— Я не знаю, что делать, — честно произнес Игорь. — Просто не знаю. Уверен я только в одном: игра это или нет, но ты действительно моя половинка. Когда ты рядом, мое сердце стучит как сумасшедшее. Когда мы расстаемся, мне хочется выть. Мне нужно смотреть на тебя, чтобы быть счастливым. Ни одна женщина не вызывала у меня такие чувства.

Настя еще ниже опустила голову.

— Я тебя люблю, — закончил Игорь. — Это я знаю точно.

На грязную тарелку упала слеза. Тареев раздавил едва начатую сигарету и снова закурил.

— Тебя зовут Анастасия Михайловна Крючкова. Ты исчезла двенадцать лет назад. Сейчас тебе шестнадцать.

— Откуда ты узнал?

— Твоя мать жива. Она в больнице.

— В какой?

— В ЦКБ. — Он ответил машинально, но сразу же подумал, что зря не сдержался. Помолчал, недовольный собой, но сказанного не воротишь, и продолжил: — Твоя мать богата. У нее была очень успешная карьера.

— Была?

— Она умирает.

— Проклятие всегда возвращается, — очень-очень тихо произнесла девушка. — Материнское проклятие бьет по всем, кто к нему прикоснулся.

— Твоя мать любит тебя, любит до сих пор. Мне она, разумеется, не поверила, держалась очень холодно, но я видел, что она тоскует. Я думаю, мы должны поехать в больницу и поговорить с ней. Я думаю... — И сразу же поправился: — Я уверен, что она тебя узнает.

— Но...

— Подожди, не перебивай, — попросил Игорь. — Твоя мать не поверила моим словам еще и потому, что речь идет об очень большом наследстве. Вопрос крайне серьезный и болезненный. Я предлагаю поехать в больницу вместе с опытным юристом, и ты подпишешь официальный отказ от претензий на наследство. Это убедит твою мать...

— В чем? — перебила его девушка.

— В том, что тебе можно верить, — пожал плечами Игорь. — В том, что ты на самом деле ее пропавшая дочь.

— И что будет дальше?

Тареев вытащил из пачки новую сигарету.

— Мы расскажем ей твою историю и найдем выход. — Игорь щелкнул зажигалкой. — Я не знаю, как это делается: ее раскаяние, твое прощение... Спроси у Сан Саныча. Твоя мать наложила проклятие, и должен быть способ его снять.

— Способ есть, — прошептала Настя.

— Вот видишь!

— Материнское проклятие можно снять только смертью. — Девушка подняла голову и твердо посмотрела в глаза Игоря. — Раскаяние, прощение — это для мелких случаев, для рядовых ссор. Неужели ты думаешь, что, если было бы достаточно произнести: «Мирись, мирись, мирись и больше не дерись», за мной пришел бы Сан Саныч? Только смерть, Игорь, только ее смерть! Или ее убьют за меня, или она, раскаявшись, наложит на себя руки. Только так я получу свободу. Другого выхода нет.

— А если она умрет? — жестко спросил Тареев. — Просто умрет? Раскаявшись?

— Смерть от болезни — заурядное явление, — вздохнула Настя. — Для материнского проклятия этого недостаточно, нужна особая плата. Если моя мать просто умрет, оно останется со мной навсегда.

Девушка старалась говорить спокойно, но Игорь видел, что Настя едва сдерживается. Каждое слово давалось ей с большим трудом.

— Я буду заботиться о тебе. — Он попытался улыбнуться. — В конце концов, некоторые члены правительства всю жизнь живут на ворованное и неплохо себя чувствуют. На ворованном едят, на ворованном пьют, обучают детей на украденные деньги.

— У них есть выбор, — глухо ответила Настя.

Шутки она не приняла.

— Да, — согласился Тареев. — У них есть выбор.

— А у меня нет. И я, и мои дети будут жить под гнетом материнского проклятия вечно. — Девушка закусила губу. — Не я придумала этот закон. И никто его не нарушит. Только смерть снимет груз.

— Ты понимаешь, о чем говоришь?

— Да. Я понимаю.

Она играет? Вряд ли шестнадцатилетняя девочка

способна так гениально лгать. Нет, Настю убедили, обманули, заставили поверить в эту чушь... Игорь не мог думать, что Настя лжет. Не мог, не хотел и знал, что, даже получив доказательства обратного, ни за что не бросит девушку. Настя его половинка. Женщина, наполняющая смыслом жизнь. И эта женщина просит убить ее мать.

«Но для чего? Врачи дают Елене Сергеевне не больше недели. Зачем кукловодам смерть? Смысл? Замазать меня по самые уши? Кровь — это не мошенничество с наследством, кровь — это серьезно. С таким пятном я буду делать все, что мне скажут, а могу я много: мои связи на бирже открывают очень широкие перспективы, мне доверяют миллионы». Тареев сжал кулаки. Как говорил Сан Саныч? «Иногда лучше не встречаться со своей второй половинкой?..» Игорь стиснул зубы. Надо было браться не за Настю, а за старика. Сразу искать кукловодов, а не тратить время на несчастную девчонку.

Или нет никаких кукловодов?

Никому не нужен послушный Тареев, а Настя на самом деле видит черную ауру на ворованных вещах? Если каждое ее слово — правда? Если для того, чтобы зажить полной жизнью, ему действительно нужно убить умирающую женщину?

Незаметно для себя Игорь выкурил все сигареты, которые оставались в пачке. Выкурил машинально, одну за другой, и наполнил кухню густыми облаками табачного дыма. Настя не протестовала.

— Знаешь... — Тареев откашлялся и почувствовал неприятный привкус во рту. Кисло-горький. Омерзительный. — Пойдем спать? — И добавил избитую фразу: — Утро вечера мудренее.

— Пойдем, — послушно кивнула девушка.

Они долго лежали без сна. Просто лежали, чувствуя тепло друг друга. Настя спряталась в его объятиях, уткнулась в грудь Игоря, и пшеничные волосы нежно щекотали его кожу. Они просто лежали и слушали дыхание друг друга, наслаждаясь тем, что они вместе.

* * *

— Игорь Александрович, третья линия.

Тареев безразлично нажал на кнопку. Говорить ни с кем не хотелось, обсуждать дела — тем более. Игорь сам не понимал, зачем приехал в офис. Чтобы не встречаться глазами с Настей? Наверное. Чтобы отвлечься от раздумий, вызванных вчерашним разговором? Чтобы нырнуть в знакомый мир? Спрятаться в нем? Но знакомого мира больше не существовало.

Тареев безразлично нажал на кнопку.

— Да?

— Ты мерзавец, — тихо сказала Марина. — Ты мерзавец и похотливая скотина. Ублюдок. Я тебя ненавижу.

Игорь молчал.

— Ты ломаешь меня, подонок. Ты искалечил мою душу. Ты... — Она задохнулась, оборвала фразу и даже всхлипнула. Железная леди умеет плакать? — Ты уже наигрался с этой сучкой? — Вопрос прозвучал так жалко, что у Игоря защемило сердце. Боль, почти физическая, пронзила грудь, и он крепко-крепко сдавил трубку. — Когда наиграешься... Ублюдок!

Короткие гудки. Тареев понял несказанное: «Когда наиграешься, можешь мне позвонить». Железная леди умоляла его. Железная леди оказалась хрупкой женщиной. Железная леди научилась любить.

Минут пять он просто сидел в кресле, держа в руке телефонную трубку, а затем решительно набрал номер регистратуры.

— Я бы хотел узнать о состоянии Крючковой Елены Сергеевны.

— Одну минуточку. — Короткая пауза, слышны щелчки по клавиатуре и чей-то невнятный голос: «Таня, мне положен отгул за...» — Извините, вы сказали: Крючкова Елена Сергеевна?

— Да.

— Она умерла сегодня ночью.

«Умерла?!!» Игорь дрожащей рукой вернул трубку на рычаг. И снова взялся за нее, машинально отвечая на звонок.

— Гарик, ты гений! Монстр! Как ты выдержал эти два дня?! Кто тебе подсказал? «ТехЭнергоЭкспорт» взлетел до небес! Ты, чертов везунчик...

Потом, потом...

Оставалась еще надежда, что она просто не подходит к телефону. Что она спит. Что она принимает ванну. Что она читает книгу или смотрит телевизор. Эта надежда поддерживала его все тридцать минут, которые потребовались, чтобы на сумасшедшей скорости доехать до дома. Тридцать минут у него была надежда. Но стоило Игорю открыть дверь, как эта надежда исчезла. Умерла прямо на пороге.

В квартире было пусто.

Дорогая мебель, расставленная дорогим дизайнером. Дорогие картины. Дорогие ковры. Дорогая обстановка великолепно подчеркивала царящую в доме пустоту. Пронзительную пустоту отсутствия души. Потери смысла...

Настя ушла.

Ключи лежали на столе.

Настя ушла.

Оглушенный Игорь прошел через все комнаты, заглянул в ванную, на кухню и даже в чулан, но все напрасно. Настя ушла. Ее не было.

Дом умер.

Тареев проверил последний набранный на телефоне номер — регистратура ЦКБ, — скрипнул зубами и позвонил на охрану.

— Девушка, которая была в моей квартире, давно ушла?

— Примерно два часа назад.

— Она...

И оборвал разговор — в кармане зазвонил мобильный. Тареев стремительно выхватил маленькую трубочку, запутался, выбирая нужную кнопку, и торопливо крикнул:

— Да?!

— Гарик, — негромко произнес Круглов. — Я, конечно, боюсь ошибиться, но посмотри новости. Второй канал.

Игорь включил телевизор.

«...не узнаем, что привело к ужасной развязке. Несмотря на все усилия психологов, девушка прыгнула с моста...»

Он увидел косички. Увидел худенькую руку и дешевое платье. Увидел старика, рыдающего за линией оцепления. Увидел и все понял. Он спокойно прошел в спальню и достал из тумбочки упаковку снотворного. Вернулся в гостиную, вытащил из бара бутылку, большой бокал и сел в кресло. Медленно, очень спокойно, наполнил бокал водкой и высыпал на гладкую поверхность стола горсть таблеток.

И посмотрел на подавший голос мобильник — звонила Марина.

КРУГ ЛЮБИТЕЛЕЙ ПОКУШАТЬ

При первом же взгляде на мужчину не оставалось сомнений в том, что он привык управлять и принимать решения, привык быть первым. Крупный, плечистый, начинающий расплываться, но еще производящий впечатление скалы, а не студня, он приковывал к себе внимание одной только фигурой. Рядом с таким медведем поневоле начинаешь ощущать себя хрупким и хилым. А если добавить «медведю» властный голос? Жесткое выражение умных глаз? Упрямый подбородок и твердые скулы? В общем, не «настоящий полковник», а «настоящий генерал» явился в холл ресторана «Круг любителей покушать» и был сразу же окружен вниманием и заботой метрдотеля.

— Господин Николаев?

Спокойный кивок. Не небрежный, не высокомерный, но четко устанавливающий границы.

— Вы позволите называть вас Дмитрием Евгеньевичем?

— Пожалуйста, — после короткой паузы ответил «настоящий генерал».

— Меня зовут Ноэль. Это я говорил с вами по телефону.

Еще один кивок. Николаев ясно давал понять, что приветствие затянулось и ему претит столь долгое пребывание в холле. Но метрдотель, словно не почувствовав настроение гостя, вежливо улыбнулся стоящим позади «настоящего генерала» женщине и юноше:

— Добрый вечер, Анна Леонидовна. Добрый вечер, Александр Дмитриевич. — Взгляд Ноэля вернулся к главе семейства: — Я искренне рад, Дмитрий Евгеньевич, что вы не оставили без внимания наш совет и решили посетить ресторан вместе с близкими.

Анна Леонидовна важно покачала тщательно причесанной головой. А вот Александр Дмитриевич поморщился: судя по всему, у него были другие планы на вечер.

— Теперь мы можем пройти за столик? — В голосе Николаева читалось раздражение.

— Прежде необходимо обсудить меню, — развел руками метрдотель.

— Пусть шеф-повар придет в зал, — подала голос супруга «настоящего генерала».

— Боюсь, это невозможно. — Ноэль дипломатично улыбнулся. — Мы обсуждаем меню в отдельной комнате.

— Вы серьезно? — надменно осведомилась мадам Николаева.

Далее мадам Николаева готовилась указать трактирщику на его хамство и... очень растерялась, услышав, что глава семейства не поддержал ее порыв.

— Это будет тот самый шеф-повар? — с нажимом поинтересовался он. — Человек, о котором мне рассказывали?

— Совершенно верно, — подтвердил Ноэль. — Господин Ра ждет вас. — И сделал приглашающий жест рукой. — Прошу за мной.

Небольшой коридор в сторону от главного зала,

изящная деревянная лестница на второй этаж. Метрдотель отворил одну из дверей:

— Господа Николаевы.

Шеф-повар «Круга любителей покушать», он же владелец ресторана, встретил гостей облаченным в белый халат, из-под которого виднелись серые брюки и модные туфли. На лице марлевая повязка, на руках тонкие медицинские перчатки, на голове шапочка. Завершали композицию темные очки.

В отличие от метрдотеля шеф-повар навстречу гостям не вскакивал, в любезностях не рассыпался. Жестом предложил Николаевым присесть в кресла и сразу же перешел к делу:

— Наша встреча нужна, чтобы я смог составить индивидуальное меню для каждого из вас.

Глава семейства кивнул с таким видом, словно услышал именно то, что давно хотел услышать.

— «Круг любителей покушать» — ресторан непростой, — продолжил владелец заведения. — Мы не кормим, мы... скорее лечим. Стараемся по мере сил улучшить ваше здоровье, самочувствие. Ведь от того, что мы едим, зависит очень и очень много.

— Да! Я всегда говорила Дмитрию Евгеньевичу, что диета...

Господин Ра не обратил никакого внимания на то, что его перебили, и спокойно продолжил речь, вынудив мадам Николаеву замолчать:

— Первичный курс рассчитан на месяц. В течение этого времени вам придется в обязательном порядке ужинать в моем ресторане.

— Но бывают случаи...

— Не бывают, — отрезал шеф-повар. — Если вы не уверены, что сможете являться в «Круг любителей покушать» в течение тридцати дней подряд, то начинать курс бессмысленно.

— Я не уверен! — немедленно выступил сынуля. — У меня...

— Он не пропустит ни одного вечера, — веско произнес «настоящий генерал». — Пожалуйста, господин Ра, продолжайте.

Николаев-младший насупился. Мадам Николаева посмотрела на супруга с легким удивлением. Но оба промолчали. Но оба подумали о том, что подобное внимание к словам неизвестного человека совершенно не в духе главы семейства.

— Начиная с сегодняшнего дня я жду вас каждый вечер.

— Хочу предупредить, что я не ем брокколи и не люблю рыбу. — Николаев-младший зло посмотрел на повара. — Учтите это при составлении меню.

— Пожалуйста, избавьте меня от подробностей, — невозмутимо откликнулся господин Ра. — Если потребуется, чтобы вы весь месяц ели рыбу и брокколи, вы будете их есть.

— Мне не нравится, как он себя ведет! — Теперь отпрыск таращился на папу. — Он мне хамит!

Хотел «настоящий генерал» прийти на помощь сыну или нет, осталось неизвестным: шеф-повар подошел к креслу, в котором сидел Николаев-младший, и попросил:

— Александр, досчитайте, пожалуйста, до пяти.

— Что?

— Вслух. Медленно.

— Папа, ты слышишь? Он издевается!

— Делай, что велят, — буркнул Дмитрий Евгеньевич. — Я хочу есть.

И посмотрел на часы.

— До пяти, — повторил господин Ра.

Юнец удостоил повара ненавидящим взглядом, но подчинился:

— Один. Два. Три. Четыре. Пять. Достаточно?

— Вполне.

Господин Ра чуть наклонился и пару секунд внимательно изучал глаза Николаева-младшего.

— Хорошо... Благодарю вас, Александр. — И повернулся к супруге «настоящего генерала». — Анна Леонидовна, вас не затруднит показать мне язык? Благодарю. Пожалуйста, ущипните себя левой рукой за мочку правого уха. Благодарю.

И снова взгляд в глаза.

— Теперь вы, Дмитрий Евгеньевич. Вашу правую руку, пожалуйста. Благодарю. Произнесите слово «фотограф».

— Фотограф.

— Благодарю. — Господин Ра медленно прошелся по комнате, остановился у дальней от гостей стены и, не оборачиваясь, произнес: — Ноэль проводит вас к столику, ужин будет готов в течение получаса.

— Так быстро?

— У нас отличные повара.

— Я хочу сказать: вы так быстро составили меню?

В голосе Николаева читалось подозрение. Поведение «настоящего генерала» указывало на то, что ему не просто рекомендовали загадочного повара, но тщательно описали манеру поведения господина Ра и посоветовали «не спорить с гением». Однако то, что повар разработал меню по результатам столь короткой встречи, вызвало у Николаева естественный скепсис.

— Я узнал достаточно, — скупо ответил господин Ра.

— После того, как я произнес слово «фотограф», а мой сын досчитал до пяти?

— И после этого тоже. — Шеф-повар медленно повернулся к гостям и посмотрел на «настоящего генерала». — У вас проблемы с сердцем и легкими, Дмитрий Евгеньевич. Вы не хотите бросить курить?

— Нет.

— Я так и думал. Поэтому рекомендации составлены с учетом... если не ошибаюсь, одна пачка сигарет в день?

Николаев хмуро кивнул.

— Еще один нюанс, Дмитрий Евгеньевич: вам придется есть палочками.

— Я не умею!

— Научитесь.

— Не хочу и не собираюсь. Я пользуюсь только европейскими приборами!

— Не станем дискутировать, Дмитрий Евгеньевич. Ужинать в моем ресторане вы будете палочками. Вопрос закрыт. Ноэль объяснит, как следует обращаться с новым для вас прибором.

Семья ожидала грандиозной бури. Семья замерла, предвкушая, как «настоящий генерал» размажет нахала по стенке. Семья была разочарована.

«Настоящий генерал» закурил и отвернулся.

— Мне тоже придется есть палочками? — негромко осведомилась Анна Леонидовна.

— Нет, обычными приборами, — ответил шеф-повар. — Если интересно, я констатировал у вас склонность к ожирению...

Сынуля не сдержал ухмылку.

— ...и, увы, сахарный диабет в начальной стадии. Вы обратились вовремя.

— Мне надо к врачу?! — встрепенулась мадам Николаева. — Дорогой, ты слышал? У меня диабет!

— Проверим, — проворчал Дмитрий Евгеньевич.

— Проверьте, — согласился господин Ра. — Но не начинайте курс лечения. Повторите обследование через месяц.

— Вы так уверены в себе?

— Абсолютно.

Сынок выдавил из себя невнятное восклицание. То ли скептическое, то ли презрительное. Шеф-повар повернулся к Николаеву-младшему.

— Теперь о вас, Александр. Постарайтесь в течение ближайшего месяца избегать экспериментов с кокаином.

У сынка отпала челюсть.

— Что?! — Это папа.

— О господи! — Это мама.

Господин Ра, не обращая внимания на встрепенувшихся взрослых, спокойно продолжил:

— Александр, пища, которую станут вам подавать, поспособствует избавлению от зависимости, но и с вашей стороны должны быть предприняты определенные шаги.

Николаев-младший стал бледен как смерть. Николаев-старший, подавив вспышку гнева, глухо поинтересовался:

— Вы уверены насчет Сашки? Он колется?

— Нюхает, — уточнил господин Ра.

«Настоящий генерал» тяжело посмотрел на сына:

— Ты нюхаешь?

Молчание.

Николаев перевел взгляд на повара:

— Как вы узнали?

— Я проводил осмотр.

— Заставили его досчитать до пяти?

— А вам рассказывали о спектральном анализе и компьютерной диагностике?

— Нет, — после паузы ответил «настоящий полковник». — Ничего такого мне не рассказывали. — Снова помолчал, после чего осведомился: — Он... сможет избавиться?

— Я не волшебник, Дмитрий Евгеньевич, — спокойно произнес господин Ра. — Я сделаю так, что ваш сын потеряет сформировавшуюся зависимость. Все остальное в его руках: организм не станет требовать наркотик, главное, чтобы не требовала голова.

— Понятно. — Взгляд «настоящего генерала» не сулил юноше ничего хорошего. — Это будет самый паскудный месяц в твоей жизни, Сашка.

— Не сомневаюсь, — огрызнулся тот.

— Сыночек, зачем ты это делаешь? — опомнилась мадам Николаева.

Шеф-повар выставил перед собой ладони:

— Господа, вы не могли бы продолжить обсуждение сложившейся ситуации за столиком?

Подчиняясь повелительному жесту «настоящего генерала», жена и сын вышли из комнаты. Дождавшись, когда за ними закроется дверь, Николаев поинтересовался:

— Сколько будет стоить курс? Ноэль говорил, что цена определится после осмотра.

Господин Ра подошел к столу, взял листок бумаги, на котором было напечатано несколько строк, чуть подумал, вытащил из кармана халата авторучку, написал сумму и протянул лист Дмитрию Евгеньевичу:

— Деньги перечислите по указанным реквизитам.

«Настоящий генерал» посмотрел на цифры и уважительно покачал головой:

— Большие деньги. Даже для меня большие. — Повар молчал. — Когда платить?

— Хотите — завтра. Хотите — после окончания курса. Если будут результаты.

— А если я решу, что результатов нет, и не заплачу?

— Как вам будет угодно.

— И все?

— И все, — подтвердил господин Ра. — Кроме того, что вы больше никогда не придете в «Круг любителей покушать».

Николаев улыбнулся, впервые за все время разговора.

— А я захочу прийти еще?

— Все хотят, — серьезно ответил господин Ра. — Мои гости быстро привыкают к хорошей, а главное — полезной пище.

* * *

Почему на тихой Воронцовской появилось такое количество ресторанов, история умалчивает. Кто-то скажет, что обилие солидных точек питания характерно для центра города, кто-то намекнет на близость Таганской площади, места, как ни крути, известного, кто-то припомнит, что трактиров в этом районе всегда хватало. Факт, тем не менее, остается фактом, пройдясь по недлинной улице из конца в конец, вы повстречаете заведения на любой вкус: Восток и Запад, итальянская паста и русские щи, изысканные вина и любое пиво. При этом каждый ресторан, что вполне понятно, старался привлечь к себе внимание, подчеркнуть, что именно за его столиком вы получите максимальное удовольствие от трапезы и что именно за этими дверями вас встретят как родных. Агрессивная реклама, яркие плакаты... В этом отношении «Круг любителей покушать» существенно проигрывал конкурентам. Или «конкурентам»? Двухэтажный особняк не украшали неоновые огни, а вдоль фасада не бродил швейцар в форме городового или малороссийского хуторянина, не пели черноокие красавицы в среднеазиатских халатах, и не водили медведя на цепочке. Ничего лишнего. Вход только по приглашениям. Скромная табличка слева от двери и всегда чистый тротуар. Но именно у этого дома чаще всего останавливались престижные автомобили, именно сюда спешили их преуспевающие пассажиры, вызывая зависть у владельцев соседних заведений. И поэтому никто не обратил особого внимания на очередной лимузин, припарковавшийся у «Круга любителей покушать». Два джипа сопровождения и милицейский «Форд» в авангарде? Ну и что? В элитном ресторане привыкли к серьезным гостям, и Ноэль, вышедший встречать посетителя, излучал обычное дружелюбие. Не более.

— Господин Елакс! Искренне рад, что вы выбрали время...

— Где повар?

Мужчине из лимузина было под пятьдесят. Довольно высокого роста, худощавый, с отекшим лицом почечника, он не выглядел ярким лидером, титаном, пробившим дорогу благодаря силе и упорству. Слишком изнеженные руки. Слишком хитрые глаза. Хотя было очевидно, что вышел он с самого низа — слишком много высокомерия во взгляде, слишком брезгливо изогнут рот. Елакс относился к тому типу людей, которых хочется заставлять подписываться под каждым сказанным словом: он не вызывал доверия.

— Где повар?

— Господин Ра ожидает в кабинете. Прошу...

Первым шагнул один из четырех телохранителей, появившихся в холле вместе с Елаксом. Ноэль покачал головой:

— Только вы, Рудольф Казимирович. Охрана останется здесь.

— Невозможно, — буркнул телохранитель.

— Где повар? — в третий раз повторил Елакс.

И посмотрел на Ноэля... ну, не как на вошь, но близко к этому.

— Охранники будут ждать в холле, — спокойно произнес метрдотель. — У нас приличное заведение. К нам ходят только гурманы, и ТОЛЬКО покушать.

Елакс скривился, заложил руки в карманы брюк, качнулся с мыска на носок, раздумывая, уйти или остаться, после чего бросил охраннику:

— У меня встреча с директором кабака. Один час.

Я обожаю этот ресторан!

Вам странно слышать подобное заявление от взрослого мужчины? А я не стесняюсь. И готов повторить: я обожаю этот ресторан! И любой, кто хотя бы раз в нем побывал, меня поддержит. Любой!

Небольшой зал, резная мебель, удобные полукресла, столики, искусно отделенные друг от друга игрой света и тени, мягкие полутона шелка на стенах, ворсистый ковер, скрадывающий шаги, едва уловимая музыка... Здесь все продумано до мелочей, создана единственно правильная атмосфера, приятная для тонкого ценителя еды. Но интерьер не главное, совсем не главное.

Еда. Нет — пища. Пища богов!

Я помню, как Колька... Нет, кажется, не Колька, он тогда был в Праге... Серега? Точно! Кажется, Серега... Я помню, как Серега рассказал мне об этом райском месте.

«Лучшая кухня в Москве!»

Но от подобной рекламы рябит в глазах, а посему я позволил себе скептически отнестись к приглашению:

«Не верю!»

«На самом деле лучшая!»

«Значит, крутое заведение, в котором глоток воды стоит больше, чем мы с тобой за год зарабатываем».

«У меня два приглашения», — подмигнул Серега...

Или все-таки Колька? А... неважно. Дело-то в другом.

«У меня два приглашения, — подмигнул Серега. — В ресторане проходит рекламная акция, дополнительную клиентуру ищут, нашего генерального зазывают, а он в Лондоне. Я и подумал: почему бы не сходить со старым другом?»

Он еще в школе любил халяву. Не изменился совсем. Сколько мы не виделись? Лет семь... Нет, семь лет я Кольку не видел, а Серегу... Серегу меньше. Странно, что он обо мне вспомнил. Хотя чего странного? Давно не виделись, а тут возможность бесплатно поужинать в шикарном ресторане. В общем, уговорил меня Колька, зазвал попробовать «лучшую кухню в Москве» и привязал к ресторану накрепко.

Местечко, если честно, и впрямь оказалось крутым, простых туда не пускают, только людей с положением. Почему так думаю? Навидался. И костюм за пять тысяч, пошитый по индивидуальному заказу, от итальянского ширпотреба отличаю с ходу. Другими словами, мы с Серегой выглядели в ресторане белыми воронами, но — все интеллигентно. Метрдотель приглашение увидел, нас оценил, но даже бровью не повел — сразу за столик. А уж как официант первую перемену принес, я обо всех этих дядях и тетях, что вокруг бриллиантами бряцали, и думать забыл.

Пища. Пища богов!

Колька что? Ест себе, жует, вина подливает, а я чувствую — улетаю. Рай на земле нашел, подлинный рай. Приготовлено так, что обо всем забываешь. От одного запаха забываешь. А уж когда на вкус пробуешь, то просто петь хочется. Ужин тот я как во сне провел. Серега болтает о чем-то, смеется, анекдоты травит, а я не слышу. Ничего не слышу — ем. И улетаю. Закуски, салат, рыба... блюда официант сам приносил, мы ведь по приглашению, но тут же рассказывал, как что называется. Я уточнять полез: что, мол, за соус? что за специи? Метр пришел. Услышал вопрос — заулыбался, на французском затрещал. Я чуть сквозь землю не провалился — язык-то не знаю. А Колька ржет. Стыдно. Зато, когда уходили, метр мне незаметно приглашение сунул. И снова улыбнулся: «Нам нравится, когда в заведение приходят настоящие ценители».

Хорошим человеком метр оказался. Мазель его зовут.

Кажется.

Рудольф Казимирович Елакс был богатым человеком...

Нет, подобное определение не отражает реальное положение дел. Рудольф Казимирович Елакс был БОГАТЫМ человеком. И влиятельным. Могущественным. Впрочем, председатель совета директоров «РДК» — «Российской Добывающей Компании», огромной полугосударственной корпорации, подмявшей под себя едва ли не все недра страны, не мог быть другим. Рудольф Казимирович входил в двадцатку первых лиц государства, управлял миллиардными активами и оказывал влияние на судьбы миллионов людей. Он ничем не напоминал худого оратора с горящими глазами, который появился когдато в Верховном Совете РФ и гневно обличал пороки социализма. Нет. Те времена канули в Лету. Теперь господин Елакс, стал серьезным и никогда не задумывался над тем, что во многом благодаря ему слово «демократ» приобрело ярко выраженный ругательный оттенок. Рудольф Казимирович не задумывался, ибо был доволен жизнью: пройти путь от мелкого депутата до главы мощнейшей корпорации дано не всякому. И пусть по дороге случались мелкие неурядицы в виде всеобщей ненависти обвинений в коррупции, главная цель достигнута — жизнь удалась.

Все остальное — детали.

Рудольф Казимирович всегда рассуждал именно так, по-иезуитски: главное — цель, все остальное — детали. И действовал с иезуитской же беспринципностью, щедро сдобренной врожденной нахрапистостью. Льстивые подчиненные называли эти свойства решительностью и напором.

Елакс и сейчас собирался следовать принципам, готовился бурно начать разговор с наглым поваром, однако обстановка в кабинете, в который привел его метрдотель, сбила Рудольфа Казимировича с толку.

В комнате было темно.

Кромешная тьма, как показалось шагнувшему из светлого коридора Елаксу. Рудольф Казимирович даже испугался. На мгновение. И едва не нажал тревожную кнопку маяка, сигнал которого призывал на помощь телохранителей. Но сдержался.

Дверь в кабинет закрылась, глаза привыкли к полумраку, Елакс огляделся. Первое впечатление оказалось обманчивым — комната была освещена. Очень продуманно освещена: на стул, предназначенный для Рудольфа Казимировича, падал скудный поток света, а вот повар, расположившийся напротив, скрывался в тени. Ни лица, ни одежды — только неясная фигура.

— К чему такая театральность?

— Присаживайтесь, Рудольф Казимирович.

Елакс решил принять — пока! — правила игры и опустился на стул.

— Меня зовут господин Ра.

— Это настоящее имя?

— Не настоящее.

Повар ответил с таким безразличием, что стало ясно — развивать тему не следует.

Елакс поджал губы.

— Вы ведете себя так, словно не удивились моему появлению.

— Приблизительно две недели назад мне стало известно, что вы наводите обо мне справки.

— Испугались?

— Обо мне часто наводят справки. — Короткая пауза. Рудольф Казимирович вдруг подумал, что господин Ра зевает. Рудольфу Казимировичу стало неприятно. — Я привык.

— Вы не должны были знать о моем интересе.

— У меня много друзей.

— Среди гурманов?

— Совершенно верно. — И снова пауза. — Я, знаете ли, умею хорошо готовить.

— Наслышан.

Освоившийся Елакс откинулся на спинку стула и положил ногу на ногу. В его голос, только что нейтральный, даже осторожный, вернулась уверенность.

— Я заинтересовался услугами, которые вы предлагаете. Продуманная, сбалансированная диета, ведущая к улучшению самочувствия и способная... лечить?

— В том числе, — кивнул господин Ра. — Не во всех случаях, разумеется, но — в том числе.

— Некоторые называют вас волшебником.

— Я много знаю и много умею. Таких людей частенько считают колдунами.

— Но вы им не являетесь?

— Я повар, Рудольф Казимирович. Не знаю, что вам наговорили, но я всего лишь повар.

— Оставьте, господин Ра. Ваши успехи трудно объяснить простой кулинарией.

— Я не говорил, что она простая.

Елакс рассмеялся. Не спрашивая разрешения, раскурил сигариллу. Пустил струю дыма. Вновь посерьезнел:

— Согласен — не простая. Совсем не простая. Заинтересовавшись вами, я приказал собрать всю возможную информацию...

— Вы предусмотрительный человек, Рудольф Казимирович.

— Положение обязывает. Я не могу вверять свое здоровье первому встречному.

— Удалось что-нибудь узнать? — с традиционным для себя безразличием осведомился господин Ра.

— Удалось, — жестко ответил Елакс. — Именно поэтому я здесь.

У них приглашения на конкретное число и время оформлены. А работа как? Я в Москву не так часто выбираюсь — дела. Вроде недалеко, а отлучиться трудно. В общем, с ужином в тот день никак не получалось, в обед сумел приехать. С ребятами договорился, они до Москвы подбросили, дали два часа времени. Пока до ресторана добрался, только и думал, что не пустят. У меня ведь на ужин приглашение, а тут обед. В таких местах строго, у них каждый столик учтен. Метр меня увидел — в улыбке расцвел. Хороший он человек, этот Кегель.

«Вы сегодня рано».

Так, мол, и так, объясняю, работа. Вечером никак. Только сейчас. Жаль, если не вовремя... А сам чувствую: выгонит — заплачу. Не выгнал. Посмотрел свои записи и ручкой официанту сделал: «Третий столик. Обед на одного».

Обед на одного?!

Ребята, я, поверьте на слово, в еде разбираюсь. И знаю, что значит хороший обед на одного. Тот пир, что мне устроили, смог бы удовлетворить одного... императора, короля или президента. Не меньше.

И этот уносящий все мысли запах...

А вкус...

То, что должно быть мягким, — мягкое, то, что должно хрустеть, — хрустит, то, что должно обжигать, — обжигает. Я узнал лишь малую толику специй, я ошибся с мясом: оказалось, что это не седло, а дивно приготовленный окорок, я был раздавлен. А когда подали восхитительный суп — нежнейшее сочетание грибов, овощей и аромата, я едва не заплакал от того, что не я, не я приготовил столь невероятное блюдо.

По всей видимости, переживания отразились на моем лице, потому что проходящий мимо человек вдруг остановился:

«Вкусно?»

Я молча кивнул. Я не хотел говорить. Я не хотел, чтобы кто-нибудь мешал мне в эту минуту наивысшего наслаждения. Но он присел за столик:

«Я впервые увидел такое выражение лица: восторг и отчаяние».

«Я восхищен. И растоптан».

«Не понимаю».

«Я мечтаю готовить так же».

«Именно этот суп?»

«Хотя бы!»

«Он так сильно понравился вам?»

«Я в восторге!»

«Спасибо на добром слове, — улыбнулся мужчина. — Суп приготовил я».

Так я познакомился с шеф-поваром ресторана.

Представляю, какой дурацкий у меня был вид: раскрытый рот, вытаращенные глаза, невнятные попытки что-то пролепетать... А он улыбался и смотрел мне прямо в глаза. Опомнившись, я бросился осыпать мужчину комплиментами. Я находил самые яркие эпитеты, пытаясь выразить восхищение его мастерством, я размахивал руками и тряс головой. Я говорил громко, сбивался, начинал сначала и не мог оторвать взгляд от этого человека. От гения!

Возможно, я выглядел смешно. Но я был искренен. Я ни на что не рассчитывал, у меня не было задних *мыслей, я хотел лишь высказать уважение, а он... Он вдруг рассмеялся, посмотрел на часы и сказал...*

«Вы настоящий ценитель, мой друг, это подкупает. Хотите, я поделюсь с вами некоторыми секретами?»

Хочу ли я?!!!

Да я бы убил за такую возможность!

— Честно говоря, я не сразу поверил в то, что раскопали мои люди. Но когда факты стали повторяться, когда я увидел картину в целом, то был... Не скрою, господин Ра, я поразился.

— Мы часто удивляемся, глядя на обыденные вещи под неожиданным углом. Казалось бы: просто завтрак. А ведь от него зависит, как сложится день.

— Думаю, тебе следует завязывать с подобным тоном. — В голосе Елакса зазвучала сталь. — Теперь мы будем говорить серьезно.

— Что вас интересует? — Господин Ра постарался избавиться от безразличия, но все-таки чувствовалось, что он... довольно расслаблен. И никак не обеспокоился изменением тона собеседника.

— Я хочу знать правду.

В отсутствие пепельницы Елакс стряхивал пепел сигариллы прямо на пол, а теперь раздавил окурок о столешницу. Господин Ра оставил происходящее без внимания.

— Вы рассчитываете на мою искренность?

— Не советую юлить, иначе тобой займутся специалисты по врунам.

— Не самая приятная перспектива. — Но тон, которым господин Ра произнес фразу, не был тоном загнанного в угол человека. — Что вас интересует?

— Начни сначала. И покажи свое лицо.

— Хорошо, я начну сначала, — вздохнул повар. — Вам, безусловно, поведали, что искусство питания гораздо глубже, чем кажется на первый взгляд...

— Любое искусство глубже, чем кажется на первый взгляд, — перебил повара Елакс.

— Вы правы, — с некоторой поспешностью согласился господин Ра. — Я произнес банальность. Извините. Но обыденность, которой является для нас питание, мешает понять, каких высот позволяет достичь искусная кулинария. Повара соревнуются в способах приготовления блюд, в скорости, превращают разделку рыбы в шоу и выстраивают феерические конструкции, надеясь попасть в Книгу рекордов Гиннесса. И почти никто не задумывается над тем, что пища может не только давать силы, но и отнимать, что неправильное питание отправит вас в могилу быстрее, чем СПИД...

— Когда я сказал: «Начни сначала», я не собирался выслушивать прописные истины!

— Не каждый задумывается о прописных истинах. — Господин Ра помолчал. — Хороший повар — это врач, способный оценить состояние человека и подобрать для него — именно для него! — меню. Хороший повар — это интеллектуал, способный удержать в голове знания о тысячах приправ и специй, о миллионах их комбинаций, и все для того, чтобы приготовить уникальное блюдо, которое не только накормит, но и поможет. Хорошие повара всегда ищут новое. Землепроходцы, завоеватели, пионеры — все они сталкивались с новыми способами приготовления пищи, с новыми вкусами, что позволяло хорошим поварам подняться еще на одну ступеньку.

— Хороших поваров мало, — заметил Елакс.

— Зато много любителей хорошей еды, много богатых людей, способных оплатить получение новых сведений: встречу с путешественниками, доставку новых специй, даже специальные экспедиции на поиски новых кухонь. Всегда есть люди, которым небезразлично, что они едят. И благодаря этим людям всегда есть хорошие повара.

— Но их мало, — повторил Рудольф Казимирович.

— Очень мало, — уточнил господин Ра. — Увы, в своем развитии общество не может избежать потрясений. Войны, революции, кризисы, эпидемии... Знания теряются. Увы.

— Если знания того стоят, их спасают, несмотря ни на что, — бросил Елакс. — Ты лечишь болезни?

— Лечу.

— Как ты этому научился?

— Читал книги.

— Что еще ты умеешь?

— А разве нужно что-то еще? Вы узнали все, что хотели. Я лечу болезни. У меня есть кулинарная книга, которую пишут со времен Конфуция. Я действительно помогаю людям. Дорого? Да, дорого. Но это того стоит. Я могу вылечить ваши почки, Рудольф Казимирович, вам не потребуется пересадка.

— Мы вернемся к этому вопросу, — пообещал Елакс. — Сейчас же поговорим о том, что ты можешь еще.

— Я неплохо играю на рояле.

Рудольф Казимирович изволил усмехнуться.

— Когда я занялся твоим вопросом, мне на глаза попалось любопытное исследование, автор которого утверждал, что кухня оказала существенное влияние на формирование целых народов. Если на протяжении веков люди питались одинаковым пищевым набором... ну, относительно одинаковым, скажем так: в среднем — одинаковым, то это отражалось на их облике, даже на характере.

— Существует много разных гипотез. В этой я не вижу особых противоречий. Конечно, можно было бы отыскать слабину в позиции автора и завязать спор, но я не вижу повода. К чему вы клоните, Рудольф Казимирович?

— Можно влиять на сознание с помощью пищи? Одним уникальным набором специй лечить почки... а другим?

— Это фантастика.

— Мы только подбираемся к вопросам, которые меня действительно интересуют. Так что не юли. Ты же видишь: я хорошо разработал тему. Тот, кто лечит, умеет и убивать. Это как инь-янь, как день и ночь — одно невозможно без другого. Если ты умеешь лечить, сумеешь и убить. Но это крайности. Ты умеешь дурманить людей своими травками? Так? Отвечай!

— Современные психотропные препараты справятся с задачей быстрее и эффективнее.

— Зато они оставят следы. А на твои приправы никто не обратит внимания.

— Зачем это вам, Рудольф Казимирович? — тихо спросил господин Ра.

— Я думаю, как можно тебя использовать. А для разработки планов требуется полная информация. Итак, ты умеешь брать людей под контроль?

Повар ответил не сразу.

— Да.

— Какое время на это требуется?

— По-разному. Чтобы создать в организме человека нужный букет остаточных отложений, требуется не менее недели.

— Ты слышал о ресторации «Беседка истинных гурманов»? — неожиданно бросил Елакс.

Ответа не последовало.

— Она располагалась на Воронцовской еще до революции. Забавное совпадение, да? Я выяснил, что владел ресторацией граф Холодов. Большой гурман и, по отзывам современников, отличный повар. Я хочу видеть твою морду, Ра.

— Зачем?

Но требование Елакса смутило повара, он машинально отшатнулся назад. Даже в темноте по голосу и по движениям стало понятно, что от безразличия господина Ра не осталось и следа.

— Затем, — веско произнес Рудольф Казимирович, — что у меня есть фотография графа Холодова.

Господи, как же он работает!
Как может он творить такое?!
Он человек? Нет!
Он — Мастер!
Теперь я знаю, что значит быть Мастером с большой буквы. Теперь я понял, кто достоин этого звания. Такие люди рождаются раз в сто лет... Нет! Раз в тысячу лет!
Уникумы! Гении! Бриллианты самой чистой воды!
Но, господи, как же он работает!
Глядя на его ловкие руки, глядя, как безошибочно выбирает он приправы и специи, как точно смешивает ингредиенты и отмеряет силу огня, я завидовал и стыдился. Я завидовал его гению и стыдился себя. На фоне этого повара я чувствовал себя букашкой, никчемным недоучкой, не имеющим ни таланта, ни умения. Я сто-

ял рядом с ним, в его святая святых, в его кухне, и видел себя жалким оборванцем, которому разрешили посмотреть на великолепие дворца. Нет, в оснащении кухни не было чего-либо необычного, но он наполнял ее своим мастерством, своим Даром, и каждая сковорода, каждая кастрюля начинали казаться таинственными артефактами, магическими инструментами кудесника, превращающего продукты в гастрономические чудеса. Я наблюдал, как он священнодействует, и с тоской понимал, какая пропасть лежит между нами.

Я едва не плакал, глядя на работу Мастера.

А потом он предложил мне снять пробу с только что приготовленного блюда.

«Что скажете, коллега?»

Коллега? Его великодушие не знало границ! Я насладился неземным вкусом жаркого и, потрясенный, смог произнести только одно:

«Великолепно!»

«А знаете, его не так уж и сложно готовить. — Он улыбнулся. — Главный нюанс — подготовка мяса... Вы готовите свежую ягнятину?»

«Конечно!»

«Хотите, подарю вам рецепт?»

Я ловил каждое слово, запоминал ингредиенты, пропорции, нюансы приготовления. Я не записывал, я знал, что пронесу подаренный великим Мастером рецепт через всю жизнь.

И буду гордиться тем, что такой человек снизошел до меня.

— Европейских поваров начали выписывать еще до Петра Первого, при нем это просто вошло в моду. Приезжали знаменитости — их заманивали огромными деньгами... На подлинный бриллиант наткнулся граф Шереметев. Он нашел человека, которого вы называете «хорошим поваром», человека, обладающего колоссальными знаниями по европейской кухне и кухне Нового Света. Так была заложена основа московского общества гурманов. К тому времени русские повара уже имели представление о кухнях Китая, Индии и Азии, требовалось систематизировать знания, положить начало школе. Революции и войны в Европе облегчили задачу: в Москве появились бегущие от потрясений специалисты, подчас — гении кулинарии. Все, что оставалось, — нагнуться и подобрать лежащее под ногами золото. — Господин Ра помолчал. — Граф Холодов был продолжателем традиций русских гурманов, лидером закрытого общества, сложившегося в Москве в течение восемнадцатого века. Я, как и вы, узнал о «Беседке истинных гурманов» и стал искать...

— Хватит болтать. Покажи лицо! — Елакс не скрывал волнения. — Лицо покажи!

Повар же, напротив, успокоился, взял себя в руки. Голос его звучал с прежним хладнокровием.

— Что вы хотите увидеть, Рудольф Казимирович?

— Ты знаешь что, — буркнул Елакс. — В исторических материалах подчеркивалось, что Холодов не любил фотографироваться, но отказать великому князю Кириллу не смог. Я раздобыл карточку в Париже, в архиве императорской семьи. И хочу убедиться...

— А стоит ли?

— Значит, правда?

Господин Ра молчал, но тишина стала самым красноречивым ответом на вопрос. Елакс покачал головой:

— Сколько ты живешь, Холодов?

— Учитывая обстоятельства, имеет смысл спрашивать: сколько мне осталось.

— И сколько?

— Не так много. Лет тридцать — тридцать пять. Никто из общества не преодолевал двухсотлетний рубеж.

Елакс шумно выдохнул. Он верил. Он верил каждому слову повара.

— И все только потому, что вы правильно жрали!

— С детства, Рудольф Казимирович, — уточнил господин Ра. — Родители правильно кормили нас с младенчества. Индивидуальная диета.

— Ты хочешь сказать, что мне можно не беспокоиться?

— Почему же? — Повар на мгновение задумался, оценивая состояние собеседника. — Если постараться, можно обеспечить вам пятнадцать-двадцать дополнительных лет. Если же оставить все как есть, то, даже пересадив почки, вы не преодолеете семидесятилетний рубеж.

— Пугаешь?

— Я хороший врач, Рудольф Казимирович. Мне не нужны длительные исследования, чтобы понять, сколько вам осталось.

— А ты, значит, согласен меня тянуть?

— Я хороший врач, — повторил господин Ра. — Ближайший год вам придется питаться только в моем ресторане. Затем — только ужинать. Потом посмотрим.

— Я часто уезжаю из Москвы.

— Вас будет сопровождать Ноэль.

— Предлагаешь договориться? — усмехнулся Елакс. — Моя лояльность против двадцати дополнительных лет жизни?

— Мне кажется, это очень хорошая сделка. Хотя, если судить по тону, у вас другое мнение.

— Ты прав — другое. — Елакс не сдержался, выдал гримасу: злую и презрительную. — Предлагая сделку, ты отдавал себе отчет, с кем разговариваешь?

— Мне известна ваша репутация, Рудольф Казимирович.

— Я всегда первый. Я буду лидером общества.

— И чем вы будете нас кормить? — осведомился господин Ра.

— Кормить нас будешь ты. Я займусь другими вопросами.

Повар вздохнул и произнес предельно вежливо:

— Рудольф Казимирович, вы не первый человек, который пытается навязать мне соглашение подобного рода. Не скрою, что вы, пожалуй, самый могущественный из них. И уж действительно самый умный. Не сочтите за лесть, но я на самом деле потрясен вашей подготовкой. Вы раскопали уникальные сведения, а самое главное, отнеслись к ним крайне внимательно, не сочли сказками. Именно поэтому я готов пойти против принципов и повторить свое предложение. Обдумайте его. И поймите, что мне нужны не покровители, а друзья.

— Тебе придется принять МОИ условия.

— Не торопитесь, Рудольф Казимирович, припомните все, что вы обо мне знаете.

— Я все решил задолго до того, как приехал сюда.

— А вас не смущает, что я могу отравить вас обыкновенным бутербродом? Не смущает, что, назвавшись моим врагом, вы станете с опаской смотреть на содержимое любой тарелки?

— Не волнуйся — не смущает. — Елакс усмехнулся. — Твоя сила в тайне, в страхе. Но если твой секрет станет известен широкому кругу лиц, ты не сможешь ничего предпринять. Я ведь забочусь не только о себе. Нет. Ты будешь обслуживать элиту. Ты займешь свое настоящее место — на кухне. Все уже решено, Холодов. Все уже решено.

— Вам не кажется, что наш диалог теряет конструктивное зерно?

— Кажется, — согласно кивнул Рудольф Казимирович. — Поэтому хватит на сегодня. — Он посмотрел на часы. — Я понимаю, Холодов, что ты привык к самостоятельности и требуется время для осознания новых реалий. Перед визитом сюда я плотно покушал, так что, по моим оценкам, обойдусь без еды до завтрашнего полудня. Это твое время, Холодов. Не согласишься с моими условиями — потеряешь все.

— Время это очень щедро, — пробормотал повар.

— Не надейся улизнуть, — предупредил Елакс. — До полудня за тобой будут присматривать мои люди. Считай себя под домашним арестом.

— Они тоже не будут есть?

— Тоже.

— Какая дивная предусмотрительность.

Елакс подозрительно посмотрел на темную фигуру собеседника. Рудольф Казимирович не сомневался, что Холодов оценил серьезность предложения, возможно — испугался. Но при этом повар не потерял присутствия духа. Что смущало. Впрочем, план разработан до мелочей, люди подобраны надежнейшие, и Елакс был уверен, что все пройдет именно так, как он наметил.

Рудольф Казимирович поднялся со стула.

— Приготовь вежливую речь. Во время разговора ты держался весьма самоуверенно, поэтому завтра я хочу выслушать заявление о преданности, составленное в изысканных выражениях. И постарайся быть искренним.

Дверь отворилась, на пороге стоял метрдотель.

— Ноэль, — негромко произнес господин Ра. — Проводите Рудольфа Казимировича. К сожалению, он не будет сегодня ужинать у нас.

Уют родного лимузина окончательно успокоил могущественного человека. Запах любимого табака и кожи обивки, неяркий свет, приятная музыка из динамиков — все это помогло расслабиться и выбросить из головы дерзкое поведение повара, позволило забыть, как побежал по спине холодок, когда господин Ра произнес свою угрозу. Но из бронированного чрева окруженного телохранителями авто слова повара казались жалким лепетом.

«Ничего ты мне не сделаешь, ублюдок, — усмехнулся Рудольф Казимирович. — Сила солому ломит! Будешь служить!»

Елакс еще не прорабатывал следующие шаги, но контуры будущего сообщества наметил и всю дорогу домой размышлял над кандидатами, прикидывая, кого следует позвать в круг избранных. Его влияние, и без того весьма ощутимое, достигнет немыслимых высот.

«Бессмертие или гарантированное долголетие спаяет нас крепче крови. Элита будет счастлива заполучить в свои руки такую власть...»

Оказавшись дома и узнав, что супруга уже почивает, Рудольф Казимирович отпустил слуг, а сам, прежде чем отправиться в спальню, поднялся в кабинет. Готовясь к встрече с поваром, Елакс знал, что даст тому время на размышление: требовать мгновенный ответ в столь деликатном деле трудно. И тогда же, несколько дней назад, Рудольф Казимирович положил в сейф три бутылки с питьевой водой и три банки консервов. Насчет консервов он не был уверен — продержаться двенадцать часов без еды не составляло труда. А вот вода пришлась кстати: после сигарилл захотелось пить, но Елакс не рискнул прикасаться к содержимому автомобильного бара.

Рудольф Казимирович открыл сейф, извлек пластиковую бутылку, тщательно оглядел крышку — запечатана, внимательнейшим образом изучил саму бутылку: нет ли где следов от шприца? И, убедившись, что все в порядке, открутил крышку и сделал большой глоток прямо из горлышка.

— Хорошо!

Он опустился в мягкое кресло, сделал еще один глоток и улыбнулся:

— Ну что ж, Холодов, согласись: до меня тебе не добраться. Я предусмотрел все.

И нахмурился, почувствовав легкое покалывание в почках.

«Барин умер!»

«Рудик копыта откинул!»

«Что теперь будет?!»

С самого утра, с того момента, как телохранитель нашел хозяина в кабинете, в особняке царила суета. Молодая супруга усопшего, как и положено, рыдала в спальне. Взятая за красоту и молодость, она совершенно не представляла, что следует делать при кончине благодетеля, но кое-какие шаги предприняла: с целью обновления траурного гардероба прибыл известный портной.

Но прежде в усадьбе появились две кареты «Скорой помощи»: местная и микроавтобус, на котором подвезли нескольких медицинских светил. Чуть раньше примчался милицейский «жигуленок», но внутрь его не пустили, дабы не смущал приличных людей отвратным видом, отвели место у ворот, а при первой же возможности заменили на роскошный «Форд». Правоохранителей вообще набежало много: звезды, лампасы, каждый хочет лично удостовериться, что Рудик помер, каждый желает лично убедиться, что криминала в этом нет, каждый обязан лично поговорить с экспертом и лично выразить соболезнования вдове. Истоптали ковер в большой гостиной, поцарапали штучный паркет. У эксперта сел голос, охрип, бедолага, каждому лампаснику объяснять, что помер великий и ужасный Рудик от острой почечной недостаточности, заурядный случай для хронического гломерулонефрита. И никаких препаратов, ускоряющих переход человека в мир иной, не обнаружено. Очередной генерал (или полковник) отправлялся восвояси, покачивая умной головой, а на его место сразу же заступал следующий. «Как? Почему? Из-за чего?» И ведь знали же, подлецы, что в теле видного демократа еще не раз покопаются лучшие патологоанатомы, что каждую клеточку в микроскоп рассмотрят, а все равно лезли. «Говори как на духу! Именно мне! Я лично буду докладывать...» Фамилии назывались самые могущественные.

Но больше всего, разумеется, появилось в особняке соратников покойного, солидных, сосредоточенных господ в дорогих костюмах. Шушукались, морщились, что-то друг другу доказывали. Но — тихо, только между собой. Если лампасник какой приближался или из прислуги — замолкали. Серьезные дела не для посторонних ушей. И с уважением поглядывали на плечистого здоровяка, прибывшего одним из последних.

— Совсем ведь молодой был?

— Молодой, да порченый, — буркнул я. — Не зря же о пересадке беспокоился.

Не нравилось мне, что среди дворни шуточки нехорошие пошли, а особенно раздражало, что некоторые открыто улыбались, словно не похороны предстоят, а праздник какой. Ну да, согласен, Рудика мало кто любил: родители его давно умерли, с детьми от первого брака он не общается, а больше вроде и некому горевать. Но радоваться-то зачем? Во всяком случае — открыто? Нехорошо это.

Впрочем, Борька, судя по всему, мою точку зрения разделял.

— Клавдия с девками хихикает. А чего хихикать? Куда мы теперь? Опять место искать?

Я вздохнул: тему приятель поднял правильную. Но неприятную, ибо, как сложится судьба после внезапной смерти Елакса, я не представлял. Текла себе устоявшаяся жизнь, сытая и безмятежная, и вдруг — опа! — ищи новое место. Опять пороги обивать.

— Думаешь, здесь остаться не получится?

— Помяни мое слово: молодая при первой же возможности умчится. Ей во Францию хочется, у них дом на Лазурном Берегу. Вилла. В ней и поселится. А там обслуга другая. Французская. Не потащит же она туда нас.

— Не потащит.

Борька закурил.

— Ты-то мужчина молодой, да и повар знатный, не зря тебя Рудик постоянно нахваливал. А нам с Клавдией куда?

Я потоптался около плиты, раздумывая, стоит ли заниматься обедом, решил не спешить и, одолжив у Борьки сигарету, присел рядом.

— При доме останемся. Не пропадем. Новые господа въедут. Мало их, что ли?

— Одна надежда.

Надежда-то надеждой, да слабая. Когда еще новые господа появятся? Завещание огласить надо? Надо. Опять же, неизвестно, кому Рудик дом оставил. Может, молодой жене, а может, и первой. Он вроде неплохо к ней относился. А господа за домину удавятся, наверняка в суд пойдут, дело замутят... В общем, чуяло мое сердце, что закроют особняк на неопределенный срок. Мало, что ли, случаев? Полно!

— Повар кто?

Голос грубый, глаза равнодушные — милиционер пришел. В погонах. Хотя и без погон все понятно. По обращению.

— Ты повар?

— Ага.

Я на всякий случай привстал и сигаретку затушил. Милиционер оглядел меня с хорошо поставленной подозрительностью:

— Слушай сюда, повар: поскольку обстоятельства смерти Рудольфа Казимировича Елакса пока не ясны, принято решение опечатать кухню.

— Почему?

— Ты дурак, что ли? Сказано: поскольку обстоятельства смерти пока не ясны. Неизвестно, отчего приступ приключился.

— Подозревают, что траванули Рудика, — доходчиво объяснил Борька. — Ты, стало быть, и траванул. Как этот... Сальери.

В груди у меня стало холодно-холодно. Ведь упекут гады! Одно дело — такая шишка сам окочурился, и совсем другое — был убит. Начальникам милицейским только бы зацепиться, только бы упечь честного человека, «расследование начать», а там... Им ордена и благодарности, а мне? Мне пропадать.

Задрожали руки.

— Но...

— Да не трусь ты, — заржал милиционер. — Эксперты говорят, что смерть наступила по естественным причинам. Болезнь у Рудольфа Казимировича была, гомонефрит, кажется. От него одно ·спасение — пересадка. А он не успел.

— А я? А я тогда при чем?

— Проверяем.

«Знаем мы ваши проверки!» Мне стало тоскливо.

— Шкафчик открой.

Я распахнул дверцы и посмотрел на знакомые полки. На склянки, стоящие в первом ряду. Милиционер говорил что-то еще, но я не слышал. Не слушал, если быть точнее, потому что не понимал... В первом ряду корица, лаванда, гвоздика, чили... Странно. Рудик не любил корицу. Да и лаванду... Куда же я их добавлял? Я вдруг понял, что абсолютно не помню, что в последний раз готовил для хозяина. Рыбу? Мясо? Овощи? Какие овощи? Нет, не рыбу. Жаркое. Смутное воспоминание о сложном рецепте. Да, был очень интересный рецепт, который я прочитал... В журнале? А ведь верно — в журнале. Там есть раздел «Рецепты от звезд».

— Что это? — Милиционер брезгливо посмотрел на склянки.

Он не понимал, как может взрослый мужчина заниматься кулинарией. Конечно, не понимал, он ведь в автомат играет.

— Приправы. — Я посмотрел на склянку с корицей. Потер лоб. Ну и ладно, забыл, значит, забыл. Потом вспомню. Посмотрел на милиционера: — Здесь приправы. Специи.

* * *

В том, что господин Ра попросил приехать, не было ничего странного — Николаев ждал звонка и готовился к встрече. Насторожило другое: на этот раз шеф-повар не стал скрывать лицо. Господин Ра встретил гостя у дверей кабинета, первым протянул руку, улыбнулся, посмотрел в глаза.

«Довольно молод», — отметил Николаев.

На вид владельцу «Круга любителей покушать» было не более пятидесяти. Сухой, подвижный, ловкий. Светлые, с проседью волосы. Светлые, почти прозрачные глаза. Холодные. Умные.

Николаев понял, что разговор предстоит непростой. Он знал людей с такими глазами — змеи. Хладнокровные змеи. Их не разжалобить, на чувствах не сыграть — чувств нет, только расчет. Их можно убедить только логикой. И искренностью.

И поэтому, едва присев за сервированный на двоих стол, Дмитрий Евгеньевич взял быка за рога:

— Я все понял после первого курса в вашем ресторане. Я говорил с сыном — он действительно потерял зависимость от наркотиков. Я велел жене пройти повторное обследование на сахарный диабет — результаты показали, что она здорова. Мои проблемы с сердцем ушли в прошлое. — Николаев помолчал. — Я все понял.

— Что именно, позвольте узнать? — осведомился господин Ра.

Шеф-повар расположился напротив гостя и задумчиво вертел в руке серебряную ложечку.

— Я понял, что вы или гений, или колдун.

— И решили меня использовать.

Николаев развел руками, обаятельно улыбнулся:

— А вы бы согласились помочь, выложи я вам свой план?

Странное дело — этот медведь умел быть очень обаятельным.

— Я стараюсь не вмешиваться в подобные истории, — заметил господин Ра. — Не люблю привлекать к себе внимание.

— Рудик мог узнать о вас и без моей помощи.

— И тем не менее это вы поведали обо мне господину Елаксу. Потом помогли ему собрать сведения... и не забыли предупредить меня. Надо отдать должное, вы мастерски столкнули нас лбами.

— Я не сомневался, что Рудик поведет себя грубо и бестактно, — спокойно произнес Николаев. — Он большая свинья.

— Он был большой свиньей, — уточнил господин Ра.

— Да, вы правы — был. Именно был. — «Настоящий генерал» позволил себе усмешку. — Я знал, что Рудик станет давить. Он не умел действовать иначе, был очень негибким. А когда Рудик закусывал удила, оставалось только подчиняться... или уходить. Вы, в свою очередь, не собирались делать ни того, ни другого.

— Я вырос в Москве, — с прежней рассеянностью произнес господин Ра. Он не отрывал взгляд от серебряной ложки. — Я гулял по бульварам и скверам задолго до того, как на них появились все эти Рудики. И я собираюсь жить здесь и впредь.

— Понимаю, — пробормотал Николаев.

— Вы это хорошо понимаете, — согласился господин Ра. — Вы сделали ставку на мою сентиментальную любовь к родным улицам и не ошиблись. Мне проще избавиться от какого-то там Рудика, чем переехать в другой город.

«Настоящий генерал» молчал.

— Но что мы все обо мне? — улыбнулся господин Ра. — Скажите, это правда, что теперь, после скоропостижной кончины господина Елакса, вы являетесь едва ли не единственным претендентом на пост председателя совета директоров «РДК»?

— Не единственным, — уточнил Николаев. — Но основным.

— Неожиданностей не предвидится? — поинтересовался господин Ра.

— Нет.

— Вас выберут?

— Да.

— Это хорошо.

— Согласен. — Дмитрий Евгеньевич выдержал короткую паузу. — Если бы Рудик не умер, то на следующем заседании он бы вышиб меня из правления.

— Мне рассказали и об этом, — нейтральным тоном ответил господин Ра.

— Я уже обратил внимание на вашу прекрасную осведомленность, — вежливо подчеркнул Николаев.

— В «Круг любителей покушать» ходит много людей. Это мои друзья.

— А вот Рудик не терпел рядом с собой сильных

людей... и совсем не умел дружить с равными. Что его и сгубило.

— Сгубило его другое... — Господин Ра оторвался от созерцания серебряной ложки и посмотрел на собеседника. — Кстати, мы совсем забыли о еде. Попробуйте этот восхитительный салат. Я приготовил его специально.

Ноэль — Николаев видел только руки, но понял, что это Ноэль, — выставил перед гостем блюдо. Запах пряностей, изящно порезанные овощи, капелька соуса.

— Пахнет замечательно.

— Попробуйте, каков он на вкус.

Несколько мгновений мужчины смотрели в глаза друг друга. И оба старались выглядеть невозмутимыми. Почти безразличными. Затем Николаев распечатал палочки и спокойно принялся за еду.

— Прекрасный салат.

Господин Ра сделал маленький глоток воды из хрустального бокала, помолчал и улыбнулся:

— Приятного аппетита, друг. И... добро пожаловать в круг любителей покушать.

ГОРЕВЕСТНИЦА

— Алло, добрый день.

— Здравствуйте.

— Будьте добры Анну Тимофеевну.

— Это я.

Голос старческий, но бодрый. Перед глазами сразу же встает образ крепкой, еще не уставшей жить старушки с ясными живыми глазами. Такая не жалуется товаркам на дочь, «оставившую на нее детей», а охотно занимается с маленькими хулиганами чтением и рисованием, водит их в бассейн или школу танцев...

— Я должна вам сообщить, что Степанида Андреевна Курочкина умерла.

— Боже, вы шутите?

— Нет.

— Ох... — Короткая пауза. — Стеша... она ведь... Погодите! Она ведь на пять лет меня младше! А когда...

«Не она!!»

Старушка удивленно посмотрела на трубку, начавшую издавать короткие гудки, и медленно положила ее на аппарат.

А Катя поставила крестик рядом с фамилией Анны Тимофеевны, легким движением руки отбросила со лба волосы и набрала следующий номер.

— Алло, добрый день.

— Добрый.

— Будьте добры Евгения Ивановича.

— Одну секунду.

«Папа, это тебя!»

«Кто?»

«Какая-то девушка».

«Девушка?»

Послышались шаркающие шаги: тапочки по паркету.

— Да!

Можно поспорить — отставной военный: короткое, рубленое «да» говорит само за себя. К штатскому «алло» старик не приучен.

— Евгений Иванович?

— У аппарата.

— Степанида Андреевна Курочкина умерла.

«Он? Или нет? Пожалуйста, нет!»

Снова пауза, но Катя понимала, что на этот раз тишина в трубке вызвана другими обстоятельствами. Мужчина не переживает печальное известие, а пытается вспомнить, о ком идет речь. Перебирает в памяти бывших сослуживцев, друзей, родственников. При этом дыхание старика осталось спокойным: в армии, особенно в действующей армии, учат относиться к смерти без лишних эмоций. А Евгений Иванович, скорее всего, в действующей армии был.

— Степанида Андреевна?

— Да, Степанида Андреевна, — подтвердила девушка.

«Папа, кто это?» Интересно, кто подошел к телефону: дочь или невестка? Хотя какая разница?

— Степанида Андреевна. Так точно, помню. Вдова полковника Курочкина. Якова Алексеевича. Очень печально. Когда похороны?·

Катя положила трубку.

Она отчаянно боялась, что вновь попадет на «него». Набирая номер, поднося к уху трубку, разговаривая с незнакомыми людьми, девушка с трудом подавляла дрожь. Дрожь в пальцах, дрожь в голосе, дрожь в душе. Страх заставлял кусать во время разговора губы. Страх появлялся на лбу капельками липкого пота. Страх требовал никотина, она курила едва ли не каждые десять минут — выбегала на лестничную площадку, садилась на грязные ступеньки и пускала дым, не отрывая застывший взгляд от разрисованной маркерами стены.

Она боялась очередной встречи с «ним».

Боялась, но ничего не могла поделать: снова и снова набирала телефонные номера. Давила на кнопки телефона и говорила...

— Тетя Стеша? Жаль... обязательно расскажу маме.

Твердый баритон, ни капельки не грустный, ни капельки не расстроенный. По всей видимости — взрослый сын старой приятельницы полковничихи Курочкиной.

«Не он!»

— Девушка, а вы кто будете...

Катя поставила очередной крестик. Вновь откинула волосы, тыльной стороной ладони вытерла пот, перелистнула очередную страницу потрепанной записной книжки. Буква «Т», а «он» еще не появился. Может, сегодня повезет?

«Он» появлялся всегда, но она все равно надеялась.

— Будьте добры Маргариту Львовну.

— Это я.

— Я звоню вам сообщить, что умерла Степанида Андреевна.

— Кто?

— Степанида Андреевна.

— Мне ни о чем не говорит это имя.

Сердце ухнуло куда-то вниз. Далеко-далеко. В холодную черную пропасть. Руки и ноги стали ватными, чужими. И не осталось сил, чтобы прятать дрожь голоса.

— Степанида Андреевна, — с трудом сдерживая слезы, пробормотала Катя. — Вдова полковника Курочкина. Якова Алексеевича.

— Понятия не имею, кто это.

— Может, ваши родители знают?

— Мои родители живут в другом городе, — спокойно ответила женщина. — Вы ошиблись. Я не знаю никакой Степаниды Андреевны.

— Может, вы снимали у нее квартиру? Или комнату?

«Да вспомни же ты! Вспомни хоть что-нибудь! Откуда ты могла знать умершую старуху! Вспомни!»

Бесполезно.

— Я понимаю, вы расстроены смертью близкого человека, — мягко произнесла женщина. — Но поверьте: я не знаю никакой Степаниды Андреевны. До свидания.

На этот раз короткие гудки достались Кате.

Каждый телефонный разговор заканчивается короткими гудками.

Девушка медленно положила трубку на аппарат и ногой отодвинула от кресла журнальный столик.

«Будь все проклято!»

Плакать она не собиралась. Зачем? Говорят, слезы смывают с души горечь, делают легче навалившуюся тяжесть. В обычной жизни так и есть: мелкие обиды можно выплакать. Но тоску, что появляется после разговора с «ним», слезами не возьмешь. Ее вообще ничем не возьмешь. С нею можно только мириться.

Вздохнуть несколько раз, стиснуть зубы и проверить: не ошиблась ли? Взгляд в записную книжку: «Топоркова Маргарита Львовна, двести семьдесят два...» Нажать кнопку на телефонной трубке, вызвать на экран последний набранный номер.

Триста семьдесят шесть...

Катя знала, что это не ошибка — она всегда предельно внимательно набирала телефоны. Она звонила Топорковой, а дозвонилась до Маргариты Львовны с неизвестной фамилией.

Дозвонилась до «него».

Машинально записала номер на листок бумажки, оставила рядом с телефоном. Вернулась в кресло, уселась, подобрав под себя ноги, и сделала то, что позволяла себе крайне редко, в исключительных случаях: закурила в комнате.

Когда на душе плохо и пусто, можно попробовать заполнить ее дымом.

Он обманщик. Он вьется вокруг, рисуя причудливые образы, и никогда не остается таким же, каким был мгновение назад. В каждую секунду — он разный. И так до самой смерти. До того, как растворится в тебе или вокруг тебя.

Ты забудешься или задумаешься. Ты завороженно любуешься игрой проказника, не в силах отвести взгляд от призрачных образов. Ты успокаиваешься.

Но дым не может тебя спасти. Рано или поздно вы расстанетесь. Обманщик умрет, оставив после себя лишь горечь.

Звонок раздался в тот самый момент, когда Катя затянулась в последний раз.

Тлеющий огонек добрался до фильтра и слегка обжег пальцы. Дым тоже оказался горячим, резанул по губам, заставил инстинктивно облизнуться.

Звонок повторился.

Катя бросила окурок в чашку с остатками кофе, которую использовала в качестве пепельницы, и взялась за трубку.

— Алло?

Она старалась говорить как можно спокойнее. Не хотела, чтобы на том конце телефонного провода уловили ее слабость.

— С каждым разом у тебя получается все лучше и лучше.

Катя никогда не видела эту женщину с таким приятным, глубоким голосом. Никогда не встречалась и не хотела встречаться. Но она отчетливо представляла себе ее.

Высокая, довольно крупная, но при этом — изящная. Широкие бедра, тонкая талия, довольно большие плечи, не массивные, делающие ее похожей на метательницу молота, а просто кость такая. Лицо круглое, но не простоватое. Твердые скулы, узкие губы, небольшие, очень темные глаза, маленький нос. И брови вразлет черные, длинные. И пышная копна вьющихся черных волос.

— Пожалуйста, оставьте меня в покое, — прошептала девушка.

— Ты же знаешь, что не могу.

— Почему?

Сколько раз она задавала этот вопрос: пять? Десять? И поражалась терпению собеседницы: женщина всегда отвечала одними и теми же словами, с одной и той же интонацией — спокойно и немного грустно.

— У тебя талант, Катерина.

Нам нравится, когда нас хвалят.

Теплые слова заставляют улыбаться...

Иногда мы не в силах отличить похвалу от лести. Иногда цель нашего существования — жажда признания. Мы забываем обо всем и посвящаем свою жизнь поиску теплых слов. Неважно от кого — раз хвалят, значит, признают. Иногда слова заменяют мир. Становится не важным, кто ты на самом деле. Ты не видишь себя со стороны. Ты просто слушаешь слова и веришь им.

Становишься рабом теплоты.

Но бывают мгновения, когда хочется убить человека, признавшего твой талант.

И хочется убить себя.

— Как прошел день?

Мама сидела за маленьким столом на маленькой кухне и читала принесенные с работы бумаги. Видимо, завтра опять отчет. Или представление проекта. Или доклад. Или... Владелец небольшой частной фирмы, в которой работала мама, был помешан на бумагах. Ему бы следовало родиться в семье преуспевающего бюрократа, закончить престижный институт и до конца дней перебирать никому не нужные папки в каком-нибудь никому не нужном министерстве, надуваясь спесью от собственной важности. Но судьба распорядилась иначе. Вырос он в обычном московском дворе, дорогу наверх прогрыз себе сам, мужиком был хватким, деловым, и тяга к бумагомарательству оставалась едва ли не единственным его недостатком. Даже самый простой доклад он требовал оформить в письменном виде, и маме приходилось частенько брать документы домой.

— Ты выглядишь расстроенной.

— Устала, — слабо улыбнулась Катя, включая электрический чайник. — Сделать тебе чай?

— Да.

Мама снова погрузилась в бумаги.

Они до черточки, до жеста походили друг на друга: мать и дочь, сидящие за столом, над которым нависала дешевая люстра с пыльным пластиковым абажуром. Худые, стройные, у обеих прямые темные волосы, только мама стриглась довольно коротко, а у Кати каре до плеч. Обе узколицые, большеглазые. Только у мамы морщинки. И взгляд чаще всего усталый. Трудно одной тянуть семью.

— Как дела в школе?

— Нормально.

— Выпускной класс, — пробормотала мама, — надо хорошо учиться.

— Я помню, — ровно произнесла девушка.

О том, что начался последний школьный год, мама повторяла едва ли не каждый день. Начиная с июня. Все каникулы испортила. «Я не смогу платить за твое образование, надо стараться самой». А с началом занятий эта мантра стала основным законом.

«Ты совсем не занимаешься! Ты слишком много времени проводишь с друзьями! Пойми, конкурс на бесплатные места огромный!»

Катя не винила маму, понимала, что она заботится о ней, беспокоится о будущем дочери, но иногда, когда забота плавно перетекала в придирки, девушка не выдерживала.

— Где была?

— Гуляла.

Мама бросила взгляд на часы — половина десятого — нормально, как раз то время, о котором они договаривались.

— Уроки сделала?

— Конечно...

Тихий семейный разговор, венчающий тихий семейный вечер, оборвал телефонный звонок. Мама сняла трубку, заулыбалась:

— Геннадий, здравствуй. — Машинально поправила прическу. — Ты вернулся?

Катя молча взяла кружку с чаем и направилась в свою комнату.

Мама еще не старая, ей нужен друг. Лучше всего — постоянный друг. А лучше-лучше всего — муж. Маме плохо одной. Но при этом она никогда не приводила знакомых мужчин домой. Пообещала себе и Кате, что познакомит дочь только с «серьезным вариантом», и держала слово.

И за эту твердость Катя была маме бесконечно благодарна.

— Сегодня? Ну, дорогой, если ты заедешь...

Девушка закрыла дверь в комнату, сбросила тапочки, забралась с ногами на покрытый пледом диван, забилась в уголок, сделала маленький глоток обжигающе горячего чая. Посидела, бездумно глядя в темень за окном, протянула руку и щелкнула переключателем висящего над диваном ночника. Подождала пару секунд. Выключила.

Включила вновь.

Желтый свет падал на старый, оставшийся еще от деда письменный стол, на потертое кресло, отражался от зеркальной дверцы шкафа и монитора компьютера.

Очень хотелось курить.

* * *

Деда Катя совсем не помнила — бравый летчик умер, когда девочке не исполнилось и четырех. А вот бабушка ее, можно сказать, вырастила. Алевтина Васильевна научила внучку читать, считать и писать, за что первая учительница сильно хвалила родителей на собрании. Мама благодарно улыбалась, но признаваться, что ее заслуги в достижениях дочери нет, не спешила. Бабушка укладывала Катю спать, читала ей сказки, утешала после ссор с друзьями и учила готовить настоящий борщ. Алевтине Васильевне Катя доверяла все на свете. У нее были тайны от мамы, но не от бабушки.

И ей казалось, что бабушка останется с ней всегда.

Дети не задумываются о том, что часы отсчитывают время не только до ужина или следующего мультфильма.

Алевтина Васильевна умерла год назад, и ее смерть внучка переживала гораздо сильнее дочери.

Впрочем, в такие минуты кому-то приходится оставаться сильным: слишком много проблем наваливается, слишком много дел надо сделать, и за этой страшной текучкой не остается времени на слезы. Или их не хочется показывать. Мама занималась по-

хоронами, поминками, и все, о чем она попросила Катю, — оповестить знакомых Алевтины Васильевны о ее смерти.

Маленькая записная книжка в красном дерматиновом переплете до сих пор пряталась в выдвижном ящике письменного стола. И врезалось в память число тридцать шесть — столько раз девочке пришлось набирать телефонные номера и через силу произносить страшные слова: «Здравствуйте, Алевтина Васильевна умерла...»

В ту ночь Катя узнала, что такое нервный срыв.

* * *

— Доча, я уезжаю. — Мама впорхнула в комнату, подошла к дивану, присела, поцеловала Катю в щеку. — Будь умницей, веди себя хорошо. Хорошо?

— Постараюсь.

— Вот и хорошо.

Рассмеялась. От нее пахло любимыми духами, терпкий и сладкий аромат которых Катя терпеть не могла. Умело наложенный макияж, одно из «выходных» платьев, дорогие сережки в ушах. И глаза блестят.

— Я сразу на работу, так что увидимся завтра вечером.

— Хорошо.

— Все в порядке?

— Да.

Мама улыбнулась, снова поцеловала Катю в щеку, собралась подняться с дивана и вдруг остановилась, вновь потянулась к дочери:

— Прости меня. — И глаза на мгновение стали усталыми-усталыми, больными. Жалкими. — Не обижайся, ладно?

«Как же хочется курить!»

— Я все понимаю.

— Правда?

— Честное слово.

— Ты у меня умница.

И вновь веселые искры в карих глазах. Упорхнула. Щелкнул замок входной двери. Если выглянуть в окно, можно увидеть, что у подъезда остановилась машина. У Геннадия, кажется, «Форд»... или нет? Неважно.

Катя достала из нижнего ящика письменного стола пачку сигарет, зажигалку, открыла окно, вдохнула холодную сентябрьскую свежесть, закурила, подумала и вытащила мобильный телефон:

— Леша?

— Привет!

— Ты еще не дома?

— Нет, с пацанами гуляю.

Девушка помолчала.

— А у меня мама уехала.

Дым обманщик, дым шутник. Он не убьет пустоту в душе. Чтобы справиться с ней, нужно больше, гораздо больше. Нужно, чтобы кто-то оказался рядом. Взял за руку. Заглянул в глаза. Улыбнулся тебе, именно тебе, и никому больше.

Ничто другое не спасет от пустоты.

Потому что остальное — дым.

* * *

Беда не приходит одна. Эта противная тетка любит оставаться надолго. Вертится рядом, дышит в затылок, толкает под локоть, сжимает сердце. Жад-

но ищет повод, цепляется за любую возможность по-быть еще чуть-чуть. Еще минуточку. Еще часик. Еще неделю...

Беда не любит, когда о ней забывают слишком бы-стро.

Через два месяца после смерти Алевтины Василь-евны умер ее брат, Петр Васильевич. Инфаркт убил его на даче, как раз в те выходные, когда у старика гос-тили Катя с мамой. Сын Петра Васильевича помчался за врачом, его жена плакала на кухне, боясь заходить в дом, почерневшая мать — только тогда Катя поняла, как переживала она смерть бабушки, — сидела на ска-мейке в саду и курила одну сигарету за одной. А Катя...

Катя даже себе не могла объяснить, что побудило ее вернуться в дом.

Девушка торопливо, не глядя на диван, где лежало тело Петра Васильевича, миновала веранду, поднялась в комнату старика и, словно зная, что где лежит, уверенно нашла на одной из полок записную книжку. Потрепанный алфавитный указатель, с заполненными разноцветными чернилами страничками. Катя спря-тала его под рубашку и выбежала из дома в сад.

Вечером они вернулись в Москву.

А на следующий день, когда мать ушла на работу, девушка уселась в кресло, положила на колени телефон и раскрыла записную книжку умершего старика...

* * *

— Тебе пора.

— Не хочу, — буркнул Лешка, переворачиваясь на спину.

Худой, жилистый, самый высокий в классе. Бас-кетболист. Они знали друг друга еще с детского сада. Вместе пошли в школу, все одиннадцать лет сидели за одной партой. Случалось, ссорились — не без этого. Не разговаривали по неделе. Катя флиртовала с другими мальчишками, он приглашал на дискотеки других девчонок. Но с прошлой весны, когда они стали близки, на сторону никто из них не смотрел.

Хотя и планов на будущее не строили.

— Родители будут скандалить.

— Пусть.

— Какой ты смелый, — усмехнулась девушка.

— Я смелый, — подтвердил Лешка.

— Я знаю. — Катя потянулась и поцеловала друга в щеку. — Но лишние неприятности ни к чему. Иди домой.

Лешка погладил девушку по плечу.

— А твоя мать надолго уехала?

— Обещала завтра вечером быть.

— Жаль...

Катя рассмеялась:

— Успокойся. Геннадий из командировки вернулся, значит, на выходные они наверняка куда-нибудь смотаются. Или она у него зависнет.

— Классно!

Лешка попытался схватить девушку в объятия, но Катя вывернулась:

— Тебе пора.

Тепло любимого человека остается надолго. Пусть даже ты еще не знаешь, насколько серьезны отношения. Пусть сомневаешься. Пусть говоришь себе, что произошедшее «всего лишь секс». Пусть легкомысленно пожимаешь плечами при словах «твой парень».

Ваши минуты все равно наполнены нежностью и лаской.

Наполнены любовью.

Убей одиночество, и ты убьешь пустоту внутри.

* * *

Что заставило ее украсть записную книжку Петра Васильевича? Что заставило обзвонить друзей старика? Ответов на эти вопросы Катя не знала. Не звучал в ее голове властный, повелительный голос, не являлись демоны, не просил расстроенный дядя Гриша. Да и сама она не испытывала никаких странных чувств. Действовала так, словно совершала обыденные, вполне естественные поступки: проникла в комнату покойного, украла записную книжку, дождалась, когда останется дома одна, и принялась сообщать друзьям старика печальную новость. Она не была возбуждена, не находилась в приподнятом настроении, не получала удовольствия от происходящего — она просто делала это. Механическим голосом. Без эмоций. Спокойно и собранно. Она сообщала о смерти Петра Васильевича и сразу же клала трубку. Набирала следующий номер.

И не знала, что такое дрожь в душе.

Не знала до тех пор, пока не наткнулась на «него».

Так стала называть Катя этих людей независимо от пола.

«Он».

Наверное, потому, что первым оказался мужчина.

И первый разговор с «ним» девушка запомнила дословно.

«Позовите, пожалуйста, Николая Александровича».

«Это я».

«Петр Васильевич умер».

«Какой Петр Васильевич?»

«Горелов».

«Я не знаю такого».

Тогда Катя еще не знала, что нет смысла продолжать беседу, что надо бросать трубку, избавляя себя от лишних переживаний. Впрочем, она до сих пор пыталась заставить «их» вспомнить хоть какой-нибудь факт, связывающий «их» с покойными. До последнего надеялась, что произошла ошибка.

И никогда не ошибалась.

«Горелов Петр Васильевич, ваш номер был в его записной книжке. Мы обзваниваем друзей, чтобы...»

«Девушка, я не знаю никакого Петра Васильевича».

«Вы Николай Александрович Фомичев?»

«Шепталов, — поправил Катю мужчина. — Моя фамилия Шепталов».

«А-а... — Она решила, что в электрическом чреве телефонной станции щелкнул не тот тумблер и ее неправильно соединили. — Извините».

«Ничего страшного. Приношу свои соболезнования».

Мужчина положил трубку.

Удивленная девушка послушала короткие гудки, а затем посмотрела последний набранный номер: сто семьдесят два...

Ничего общего с телефоном Фомичева.

* * *

— Ты чего после школы делаешь? — поинтересовался Лешка на последней перемене.

— Что ты имеешь в виду?

— Давай сразу к тебе, а?

«Торопится, боится, что мать останется на выходные дома».

Катя улыбнулась:

— Сразу не получится, мне надо в одно место по делам съездить.

— Что за место? Хочешь, я с тобой прокачусь?

— Не надо, — покачала головой девушка. — Но за предложение спасибо.

— А что за место?

В голосе молодого человека послышались ревнивые нотки: Катя его девушка, какие могут быть секреты?

Она хорошо знала Лешку, чтобы понять: не отстанет. А врать не хотелось.

— Мне к отцу надо съездить.

— А-а... — Он понимающе кивнул: — Пока матери нет?

— Да.

Мама не одобряла ее визиты в чужой дом. Не скандалила, но Катя видела — ей это неприятно, и поэтому старалась видеться с отцом днем, когда мать на работе.

— Позвонишь, когда освободишься?

— Обязательно.

— И... — Лешка почесал в затылке. — Вечером увидимся?

— Посмотрим.

* * *

Катя записала телефон Шепталова. На маленьком клочке бумаги. Машинально. Подсознательно догадываясь, что рано или поздно он ей понадобится.

И забыла о нем.

Но друзьям Петра Васильевича девушка больше не звонила. Не тянуло ее к старым страницам, словно отрезало. Она сожгла записную книжку и почти на неделю выбросила произошедшее из головы. Будто бы ничего и не было. Будто странные ее действия — слу-

чайность. Нелепая прихоть, о которой несерьезно даже вспоминать.

Будто от этого можно избавиться.

А спустя шесть дней Катя вскочила среди ночи и принялась лихорадочно рыться в ящиках письменного стола, перетряхивать книги и тетради. Страшный сон, кошмарное видение, не оставившее после себя ясных образов — лишь ощущение дикого ужаса, — заставил ее искать телефонный номер Шепталова. Искать с таким отчаянием, словно от этого зависела вся ее жизнь.

Бумажка нашлась в записной книжке Кати, которую она сохранила, несмотря на то что все нужные телефоны давным-давно перекочевали в память мобильного телефона. Аккуратно сложенный клочок лежал на первой странице, терпеливо дожидаясь, когда хозяйка вспомнит о его существовании. Девушка внимательно прочитала номер — странно, но, когда она развернула сложенную пополам бумажку, дурное настроение, вызванное диким сном, пропало — и включила компьютер. Через сорок минут блужданий по всемирной информационной помойке Катя нашла базу МГТС за девяносто пятый год, а в ней — домашний адрес Николая Александровича Шепталова.

* * *

Бывает так, что маленькая душа маленького еще человека вдруг наполняется такой пустотой, что даже тепло одного любимого не способно ее заполнить.

Бывает так, что ты ищешь поддержки от всех, кто тебя любит. Или от всех, кто, как ты думаешь, тебя любит. Словно нищий, словно больной, ходишь ты между людьми и жадно собираешь их взгляды, их голоса, их прикосновения. Любое слово может стать главным, может стать той самой соломинкой, что переломит хребет верблюду пустоты. Может стать тем глотком воды, что утолит жажду.

В такие минуты не думаешь, как выглядишь со стороны. Ты ищешь тепла, ищешь любви и знаешь: случись любимым обратиться к тебе — не откажешь.

Новая квартира отца находилась недалеко от дома Кати: три остановки метро и десять минут пешком. Хотя какая новая? В двухкомнатной «хрущобе» отец жил восемь лет, с тех пор, как ушел от них с мамой.

— Катюха! Вот неожиданность! Заходи!

Как обычно, от отца попахивало коньяком. Сколько помнила себя Катя, от него всегда попахивало коньяком. Иногда вином, иногда водкой, но чаще всего именно коньяком. Отец считал этот напиток благородным и обязательно пропускал хотя бы рюмашку в день.

— Ларочка, у нас гости!

— Кто? — послышался жеманный голос из кухни.

— Катюха!

— Катенька? Ой, как здорово! — Крашеная Ларочка выскочила в коридор и расцеловала девушку в обе щеки. — Я так соскучилась!

Ее наивная уверенность в том, что Кате приятно целоваться с посторонними бабами, умиляла. И раздражала.

— Мы как раз обедать собирались. Покушаешь с нами?

— Конечно покушает! — провозгласил глава семьи. — Катюха, ты ведь прямо из школы, да?

Девушка кивнула.

— Значит, голодная!

— Папа, я хочу сказать...

Это был импульс. Внезапный, неосознанный. «Рассказать отцу о «них»! Прямо сейчас! Немедленно! Пусть даже при его дуре...»

— Катюха! — Он поднял вверх указательный палец. — Марш мыть руки! Потом поговорим!

Когда Катя вышла из ванной, стол уже накрыли: три тарелки куриного супа из пакетиков и бутылка белого вина. Готовить Ларочка не умела и даже гадость быстрого приготовления ухитрилась сварить комками. Иногда складывалось впечатление, что она портит все, к чему прикасается, все, что попадает ей в руки. Оказалась под руками Катина семья — и ее испортила. Проехала, как на бульдозере, разорвала. Когда-то, давным-давно, девушка ненавидела крашеную женщину, заходилась от злобы при одном упоминании ее имени, мечтала о ее смерти. Маленькой Кате казалось, что все случилось именно из-за нее, из-за хитрой, крашенной под блондинку Ларочки, из-за дешевой певички, подвизавшейся в недорогих кабаках. Кате казалось, что, не будь ее, отец никогда бы...

Двадцать лет назад он считался подающим надежды музыкантом, будущим Полом Маккартни или Андреем Макаревичем. На втором курсе Гнесинки у отца вышел дебютный альбом, и он бросил учебу — разве состоявшейся звезде нужно сидеть за партой? И завертелась карусель. Гастроли, пьянки, снова гастроли, похвальные вопли собутыльников: друзей-критиков и просто друзей — и опять гастроли. Через пять лет, когда Катя уже родилась, отец засел писать второй альбом — раньше времени не было. И через полгода работы выяснил, что его песни никому не нужны. Знаменитый продюсер, в свое время начинавший работать с группой, давно исчез с горизонта, и выпущенный карликовым тиражом диск остался пылиться на полках музыкальных магазинов. Даже пиратских копий не появилось. Громкие обещания собутыльников оказались мыльным пузырем, и жизнь, еще вчера такая красочная, повернулась спиной. Несколько месяцев они жили только на мамину зарплату. Отец ждал, что вот-вот ему предложат гастрольный тур, обеспечат переполненные стадионы и личный самолет, а затем, уступив требованиям матери, согласился петь в ресторанах и клубах средней руки.

Наверное, этого он ей и не простил.

Ларочка, в отличие от мамы, не говорила: «Если ты такой умный, то почему ты не богатый?» Ларочка шептала: «Милый, еще чуть-чуть, и о тебе снова заговорят. У нас все будет. Мир ляжет к твоим ногам». Стареющей певичке было страшно остаться одной. Отец оказался в ее постели, некоторое время жил на два дома, а потом съехал окончательно. И с матерью развелся.

С тех пор они с Ларочкой пытались стать знаменитыми.

А Катя с мамой пытались жить.

— Я звонил Иосифу, — со значением произнес отец, — он сказал, что сейчас пока рановато. Но месяцев через шесть он подумает насчет тура.

— Это все «Фабрика», — подала голос Ларочка. — Телемальчики клонированные. Оккупировали все приличные площадки в стране. Ужас!

— Бездарности!

— Тупицы!

Суп съеден, вина в бутылке осталось лишь на донышке, и покрасневший отец оседлал любимую тему.

— Все карты спутали, мерзавцы! Пипл тупой, хавает всякую дрянь. «Ла-ла-ла». «Уси-пуси». Тьфу! Концептуальная музыка никому не нужна! Смысл в текстах не ищут, уроды!

— Твой отец гений, — заявила Ларочка. — Как раз вчера он сочинил потрясающую песню.

Катя вежливо улыбнулась.

— Я еще не репетировала, но для тебя могу спеть.

— Это завистники! И бездарности! Лезут из всех щелей.

— Там такой припев...

— Конечно, у них деньги на раскрутку. По ящику — они. В рекламе — они. Конечно, их знают.

— Великие строчки! Гениальный текст!

— Песни, что на «Фабрике» поют, я за пять минут пишу! И выбрасываю! Потому что мне стыдно их показывать приличным людям. Я — художник...

* * *

Старый кирпичный дом, в котором жил Николай Александрович Шепталов, Катя нашла не сразу. Во-первых, она вообще с трудом ориентировалась в незнакомых местах, а во-вторых, шестой корпус Шепталова оказался довольно далеко от улицы, и девушке пришлось побродить по дворам, путаясь в лабиринте сквериков, детских площадок, гаражей, неожиданно появляющихся заборов и помоек. В какой-то момент она даже собралась плюнуть на все, но упрямство, а также неприятные воспоминания о ночном кошмаре заставили ее двигаться вперед. Катя понимала, что, если она бросит свою затею на полпути, страшное видение вернется. И это понимание помогло ей продолжить поиски спрятавшегося среди кленов и тополей шестого корпуса и в конце концов найти его.

И найти Шепталова.

Гроб как раз вынесли из подъезда и принялись грузить в автобус. За происходящим внимательно наблюдала небольшая группа' родственников в траурных одеждах. Одна из женщин плакала, лысый мужчина негромко руководил погрузкой, остальные собравшиеся молчали.

Приближаться к ним Катя не стала. Медленно прошла через детскую площадку и остановилась за спинами зевак.

— *Молодой совсем,* — *вздохнула старушка в черном платке.*

Традиционная фраза, обязательно звучащая при известии о смерти. Сколько бы ни было покойнику лет, найдется среди провожающих такой, кто сочтет своим долгом напомнить: «Молодой какой, ему бы еще жить да жить...»

— *Сорок девять,* — *добавила тетка в красном плаще.*

— *А что случилось?* — *Это другая тетка, с пакетом в руке. Шла из магазина и заинтересовалась.*

— *Рак у него был,* — *поведала старушка.* — *Неоперабельный, потому что нашли поздно. Мучился Коля, мучился да и помер. Кто-то даже говорит: облегчение ему вышло. Вот.*

— *Страшное дело,* — *вздохнула тетка.*

— *Кошмар,* — *согласно кивнула старушка и перекрестилась.*

Гроб погрузили, родственники заняли места в автобусе, и печальный кортеж выехал со двора.

— *В последний путь, так сказать...*

— *Ни детей, ни жены,* — *продолжила вздыхать старушка.* — *Был Коля Шепталов, и нет его.*

— *К нему вроде женщина какая-то ходила?*

— *Медсестра.*

— *А квартиру он приватизировать успел?*

— *Вряд ли,* — *подумав, бросила тетка в красном,* — *а то с чего бы это родственникам такими хмурыми быть? Теперь непонятно, кому жилплощадь достанется.*

— *Знамо кому: новому русскому какому-нибудь. Район у нас видный, сразу налетят, вороны...*

Слушать разворачивающуюся дискуссию о квартирах, бандитах и взяточниках из префектуры Катя не стала. Закурила, развернулась и побрела к метро.

«Я позвонила, и он умер».

«Я позвонила, и он умер».

Думать о чем-то другом девушка не могла.

«Я позвонила, и он умер».

А вечером она впервые услышала в телефонной трубке глубокий голос незнакомки:

«Катерина?»

«Да».

«Не стоит пугаться того, чего не изменить. Прими свой дар как должное».

«О чем вы говорите?»

«Ты знаешь, о чем».

«А если не знаю?»

«В таком случае я говорю о том, что ты видела сегодня возле шестого корпуса...»

Катя выключила все находящиеся в доме телефоны и, сжавшись в уголке дивана, просидела без сна почти до утра.

Включая и выключая ночник.

Изредка всхлипывая.

А на следующий день, вернувшись из школы, Катя нашла в почтовом ящике небольшую бандероль, отправленную на ее имя. В пакете, который она вскрыла прямо возле ящика, оказалась записная книжка и клочок бумажки с наспех нацарапанными словами: «Людмила Викторовна Засорова».

Судя по датам рождения и смерти, Людмила Викторовна скончалась накануне.

* * *

— Оба-на! Кого я вижу!

Черная «шестерка» с тонированными стеклами резко остановилась, преграждая Кате дорогу к дому.

— Кэт!

Виталик всегда называл ее так: «Кэт». С претензией на знание английского.

— Как дела, Кэт? Гуляешь?

— Домой иду.

— Прокатиться не хочешь?

Виталик покинул водительское сиденье и подошел ближе, почти вплотную. Крепкий, широкоплечий, на полголовы выше девушки. Его побаивались. Его и Сулеймана из седьмого дома, что раскатывал по дворам на подержанном «бумере». Эти двое были последними людьми, которых Катя хотела бы встретить на пустынной вечерней улице. И вот на тебе — повезло.

— Поехали?

— Не хочу.

— Почему?

— Кэт, чего ты мнешься? Поехали на шашлык, пока погода хорошая! Зима скоро!

Это Олег с переднего сиденья крикнул. И ухмыльнулся. А за его спиной, на заднем сиденье, Катя увидела улыбающуюся Зинку, держащую в руке банку с «Отверткой». И еще одного парня, Вовку, наверное, эти трое всегда вместе болтаются.

Одноклассннички, блин...

Виталька верховодил, потому что его папаша владел двумя магазинами, двумя автостоянками и дружил с местным депутатом. Отсюда у сыночка и наглость: хвастался даже, что его менты боятся трогать, потому что у папаши связи и родственники. Правда это или нет, но случай с Зинкой, которую Виталька с приятелями еще в том году затащили на чердак, показал, что доля истины в его словах была, во всяком случае, жаловаться Зинка побоялась. А им только этого и надо. Впрочем, с другой стороны, этот случай не показателен: у Зинки отец пьет, мать забитая, защитить девчонку некому, лакомая добыча для уродов вроде Виталика. А вот когда Сулейман попытался затащить на «загородную прогулку» Ольгу, у которой старший брат только-только из армии вернулся, закончилось все тем, чем и должно было: Сулейман неделю, пока синяки с лица не сошли, из дому не показывался, а гипс с левой руки ему сняли только через месяц. И папашка сулеймановский, хозяин трех крупных палаток на рынке, связи свои поостерегся использовать, понял, что брат Ольги весь район, если надо, поднимет, а рынок — место уязвимое, неподвижное, его в карман не положишь и в родные горы не увезешь. Папашка сказал, что он без претензий и уважает мнение уважаемого брата уважаемой девушки.

Сильных всегда уважают.

Бегала, правда, по подъездам журналистка какая-то, искала следы «межнациональных столкновений», но ей доходчиво объяснили, что стравливать людей не надо. А что подрались молодые, так это дело житейское, молодые часто дерутся, кровь у них горячая.

Кстати, о горячей крови, которая уже начинала закипать.

— Поедешь с нами? — поинтересовался Виталик.

— Нет.

— А если я тебя ОЧЕНЬ попрошу?

— Все равно не поеду.

— Не нравлюсь?

«Черт! Не зря, выходит, говорили, что он давно на Лешку зуб точит!»

На мгновение Кате стало страшно: стемнело, вокруг никого, только дружки из «шестерки» ухмыляются да Зинка пьет. Улыбаться перестала, пьет «Отвертку» не отрываясь. На Катю не смотрит. О чем думает?

А о чем Виталик думает? Затащит сейчас в машину, да на «шашлыки». Их трое, все друзья, забитая Зинка ничего не скажет или подтвердит, что Катя добровольно в «Жигули» села.

И вдруг накатила ярость. Бешеная ярость.

— Да, не нравишься! И что?!

— Почему не нравлюсь?

На его лице отразилось неподдельное удивление. Парень стал похож на обиженного ребенка — он не верил, что его можно вот так, открыто, «послать».

— Потому что ты скотина.

Виталик ударил Катю по лицу. Не кулаком — пятерней. Даже не ударил, наверное, резко и сильно оттолкнул, так, что девушка не устояла на ногах. Из машины выскочил Олег, схватил за правое плечо, рывком поднял. Виталик вцепился слева.

— Давай ее назад, к Вовке.

— А орать начнет?

— Он ей врежет.

Открылась задняя дверца. Шаг. Еще шаг.

И тут опомнившаяся Катя закричала.

А дальше — кутерьма. Слышались удары, хриплые возгласы, кто-то ругался, кто-то стонал. Звон разбитого стекла. Бешеные крики. И снова удары. Все это прошло мимо, осталось за границей восприятия. Ухнуло неприятным сном.

* * *

Записную книжку Людмилы Викторовны Засоровой Катя сожгла. Не заходя в квартиру, отправилась в небольшой парк, что находился рядом с домом, и там, в укромном уголке, страничку за страничкой превратила память о неизвестной женщине в пепел.

И долго сидела возле пятачка выжженной земли.

Не думала ни о чем. Просто сидела, глядя, как подхватывает ветер черные обломки страниц.

Через пять дней пришла еще одна бандероль, которую Катя сожгла, не раскрывая.

И следующую тоже.

А на четвертой сломалась. Не устала сопротивляться неизбежному, не поддалась упорному давлению неизвестного отправителя, а поняла, что должна звонить. Что не может не перебирать друзей умерших людей, не может не рассказывать им страшные новости.

Ведь кто-то должен это делать.

И кто-то должен выискивать «их»...

* * *

Она очнулась от собственного крика. Подскочила, запуталась в пледе, упала, вновь зашлась в крике — еще не поняла, где находится, перепугалась.

— Катя!

Слезы и бессвязные слова.

— Катя!!

Девушка согнула ноги в коленях, подтянула к груди, съежилась, словно ожидая удара, попыталась закрыться пледом.

— Катя...

Лешка встал на колени, наклонился к подруге.

— Не трогайте меня!

— Катя, это же я — Леша. Мы у тебя дома, Катя! Катя, все хорошо.

— Леша? — Она открыла глаза, с надеждой посмотрела на друга. — Леша?

— А кто же еще? — Он улыбнулся. — Мы у тебя дома. Все в порядке.

— Все в порядке? — Катя боялась посмотреть на себя — одета ли? — не сводила взгляд с глаз Лешки. — Правда?

— Все хорошо, — повторил парень. — Мы с пацанами гуляли неподалеку, успели.

Только сейчас она заметила ссадину на его скуле.

— В общем, все нормально. Виталик сказал, что он просто пошутил. И за стекло, сказал, не в обиде.

— За какое стекло?

— Ну, мы ему лобовуху разбили.

— Случайно?

— Нет, просто так.

— Хулиганы... — Катя вздохнула с притворной грустью. — Кругом одни хулиганы.

— Я не хотел тебя домой нести, чтобы мать не

волновать, — продолжил рассказ Лешка. — А потом позвонил — никто трубку не берет. В общем, пришел, а на кухне записка. Вот.

Девушка развернула бумажку: «Буду в воскресенье. Целую. Мама». Подозрительно покосилась на друга:

— Прочел?

Тот — по лицу видно — хотел соврать, но передумал, рассмеялся, кивнул:

— Ага! И родителям уже сказал, что у Пашки переночую.

— Правильно сказал, — улыбнулась Катя.

* * *

Бандероли с записными книжками приходили нечасто: один раз в два-три месяца. На следующий или прямо в день смерти владельца. Под обложкой всегда лежал листок бумаги с именем и датой.

И Катя садилась за телефон.

И всегда натыкалась на «него», на человека, который ничего не знал о покойном. На случайного человека, телефонный номер которого выскакивал на аппарате сам собой.

И проверки, которые несколько раз проводила Катя, показали, что «они» обязательно умирали в течение недели после ее звонка.

От естественных причин.

Потому что пришло их время.

* * *

Эта мысль оказалась настолько простой и ясной, что Катя удивилась, как не додумалась до нее раньше. Ведь все так просто. Конечно, получится ли ее замысел, предсказать невозможно, узнать это можно только опытным путем, но попробовать стоило.

Обязательно!

Дождавшись, когда Лешка крепко уснет — его дыхание стало ровным и спокойным, Катя выскользнула из-под одеяла, осторожно, стараясь не шуметь, отыскала свой мобильный и нашла в памяти номер Виталика. Звонить девушка решила со стационарного аппарата — на нем стоял подавитель запроса, мешающий определению номера. Переминаясь босыми ногами — на полу кухни лежала плитка, холодно — Катя быстро нажала на кнопки и, услышав длинные гудки вызова, затаила дыхание.

«Еще не поздно все отменить!»

Но вспомнилась пятерня, грубо ткнувшаяся в лицо, вспомнились приближающиеся «Жигули» с распахнутой дверцей. И Зинка вспомнилась, безучастно пьющая «Отвертку». Забитая Зинка, промолчавшая, даже когда Виталик показывал в школе ее фотографии.

«Еще не поздно все отменить!»

«Не хочу!»

Девушка крепко сдавила трубку.

«Еще не поздно...»

— Алло! — Заспанный голос Виталика.

«Не поздно!!»

— Я хочу вам сообщить, что Степанида Андреевна Курочкина умерла, — громко произнесла Катя.

Странно, но голос не дрожал. И пальцы не дрожали. И на душе было спокойно.

— Какая еще Курочка? Ты кому звонишь, дура?

Она положила трубку. Улыбнулась. Вернулась в комнату и всем телом прижалась к Лешке. Согрелась — топить еще не начали, и по ночам в квартире было прохладно, — заснула.

И улыбалась во сне до самого утра.

* * *

Катя не поняла, почему Лешка не проснулся. Почему не сбежались соседи.

Почему никто не услышал ее крик.

Такой громкий, что, казалось, мог перебудить весь район.

Наполненный таким ужасом, что любой услышавший его человек должен был или поспешить на помощь, или броситься прочь, как можно дальше от наполненного невозможным горем вопля.

Девушка резко поднялась и пару мгновений озиралась, пытаясь понять, где она и что происходит.

Ночь.

Глубокая ночь.

У стены посапывает Лешка. На его скуле свежая ссадина. Дыхание ровное, спокойное.

«Я не могла ТАК поступить!»

Катя встала с дивана, подошла к столу и вытащила из сумочки мобильный. Посмотрела дату на экране. Время.

С облегчением вздохнула:

«Приснилось!»

— Конечно, приснилось. Ты ведь не могла ТАК поступить.

Глубокий женский голос.

Очень приятный. Знакомый. Страшный.

Голос беды.

Катя не вздрогнула. Не удивилась. Набросила на плечи халатик, застегнула пару пуговиц и устроилась на диване напротив сидящей в кресле незнакомки.

— Привет.

— Доброй ночи, Катерина.

Она выглядела именно так, как представляла себе девушка. Довольно крупная, но при этом — изящная. Длинная темная юбка облегает широкие бедра. Сверху вязаная кофта. Когда затягивалась, огонек сигареты освещал лицо — круглое, но не простоватое. Твердые скулы, твердые, узкие губы, небольшие, очень темные глаза, маленький нос. И брови вразлет черные, длинные. И пышная копна вьющихся черных волос.

— Это был сон? — тихо спросила Катя.

— Сон, — эхом подтвердила женщина.

— А сейчас? Сейчас тоже сон?

— Если тебе проще так думать, то да — сон.

— А если я хочу знать правду?

— Правду ты знаешь.

Катя дотянулась до своих сигарет, прикурила, выпустила облако дыма.

— Кто ты?

— Такая же, как ты.

— Имя у тебя есть?

— Зачем оно тебе?

Обманщик-дым строил между ними призрачную стену. Извивался, играл. Дым торопился жить, ему недосуг заниматься чужими проблемами.

— Это ты присылаешь мне записные книжки?

— Нет, — покачала головой женщина. — Не я.

— Кто?

— Те, кому нужна твоя помощь.

— Моя помощь? — не поняла Катя. — Но в чем? Что я могу сделать?

— Бывает так, — негромко ответила гостья, — что чьи-то часы нужно остановить раньше срока.

Редко, но бывает. Даже те, кто присылает нам записные книжки, не могут предусмотреть всего. Мы помогаем...

— Чем помогаем?!

— У тебя талант, Катерина, ты безошибочно находишь людей, чье время пришло.

— И убиваю их!

Пауза, длиной в несколько затяжек. Катя не мешала женщине курить. Молчала.

— Помнишь Шепталова?

Первый из «них».

— Помню, — кивнула девушка.

— У него был неоперабельный рак. Но Николай Александрович оказался крепким мужчиной, он бы протянул еще год. На постоянных уколах. Сходя с ума от дикой боли. Ненавидя всех и вся.

— То есть мы...

Но женщина не позволила себя перебить.

— Григорий Семенович Штыль, которому ты дозвонилась два месяца назад. Банкир. Его сына должны были похитить. Штыль заплатил бы выкуп, но мальчика бы все равно убили. Григорий Семенович застрелился бы. А так — инфаркт. Планы бандитов сорваны, мать увезла ребенка в Швейцарию. Вчера ты дозвонилась до Маргариты Львовны Петровской. Завтра днем она попадет в автокатастрофу, мгновенная смерть. Если бы не это, то через два дня она бы обварилась кипятком и мучилась в течение суток.

— То есть я для них что-то вроде эвтаназии?

— Не все заслуживают того, что им уготовано по первоначальному плану. Своими поступками человек способен изменить будущее, и, если это происходит, мы ему звоним.

И снова тишина.

— А если... я не хочу? Если я не хочу звонить?

Слезы, те, что появились после страшного сна, она давно вытерла. Но пришли новые.

Горько.

Или обманщик-дым пошутил, забрался в глаза, защипал?

— Хочешь ты того или нет, тебе с этим жить. — Женщина вздохнула. — Сейчас тебе предлагают честный вариант. Тебе рассказали правду и обеспечили такие условия, при которых ты не видишь «их». Безликие голоса в телефонной трубке. Поверь, это очень хорошие условия. Ведь избавиться от своего таланта ты не можешь. И если откажешься от предложения, то останавливать часы тебе придется лицом к лицу с «ними». Ты будешь смотреть в «их» глаза, будешь знать «их» биографию, будешь чувствовать боль «их» родных и близких. Ты станешь очень жестокой. Или сойдешь с ума. А люди станут избегать тебя и шептаться за твоей спиной.

— Прекрати!

— Люди никогда не поверят, что ты не виновата.

В молчании они докурили сигареты. Затем гостья снова щелкнула зажигалкой, а Катя, справившаяся с подкатившим к горлу комком, глухо спросила:

— А мой сон?

— Последний? — уточнила женщина.

— Да.

— Если захочешь, он станет явью. — В глубоком голосе появился холодок. — Тебе надо просто позвонить. И очень сильно захотеть.

— И я смогу остановить его часы?

— Сможешь.

— И часы любого человека?

— Любого.

— Но это неправильно, — помолчав, произнесла девушка. — Ты говорила, что я... мы... Что мы помогаем. Не решаем.

— Рассматривай данную возможность как небольшую премию от тех, кому мы помогаем, — улыбнулась гостья. Холодно улыбнулась. — Авиакомпании предоставляют сотрудникам бесплатные билеты, провайдеры — время в Интернете, мясокомбинаты — колбасу по льготным ценам. Мы с тобой тоже своего рода сотрудники и имеем определенные привилегии.

— Выбирать тех, кого пожелаем?

— Не каждый день, разумеется. Есть ограничения.

— Они будут указаны в контракте?

Женщина рассмеялась.

— Ты молодец. Ты можешь шутить.

— Я уже все пережила, — сказала Катя. — Все передумала. Все поняла. — Пауза. — Перебоялась.

— Значит, я пришла вовремя.

Остановить часы любого человека. Указать, что его время пришло. Просто позвонить. Просто...

Вспомнился сон, вспомнились пустые глаза Зинки и раскрытая дверца «шестерки». Набрать номер Виталика? И что? И почему Виталика? На его месте мог оказаться и Сулейман, не меньший любитель «шашлыков». Ему тоже звонить? Или Ларочке? Ненавистной крашеной певичке, сломавшей Кате жизнь. А сломавшей ли? Не будь Ларочки, нашлась бы Машенька или Светочка. Какая разница? Дело не в женщине. Дело в так и не повзрослевшем, зацикленном на самом себе отце. Ему тоже позвонить? Отомстить за слезы в подушку, хихиканье одноклассников и щемящую тоску, пронзающую сердце, когда Лешка говорил: «Сегодня мы с отцом...»

Позвонить?

Даже в шестнадцать лет можно найти много людей, чей номер хочется набрать.

«Ты станешь жестокой. Или сойдешь с ума...»

И маленькая привилегия — первый шаг к беспощадному безумию. К пустым глазам, глядящим поверх голов. К холоду в душе. К нежеланию жить.

— Не думаю, что я буду кому-нибудь специально звонить, — тихо сказала Катя.

Женщина понимающе улыбнулась:

— Я за двадцать лет тоже не собралась. Все по-другому решалось. Или сама справлялась, или помогали. — Она глубоко затянулась. — Я принесла тебе кое-что. — На письменном столе лежала потертая записная книжка. — Позвонишь?

Катя помолчала, затем кивнула:

— Позвоню.

— Вот и хорошо.

Гостья поднялась с кресла, вдавила окурок в пепельницу, сделала шаг к дверям комнаты, но задержалась и, не глядя на Катю, произнесла:

— Будь счастлива, горевестница.

ДИКАЯ СТАЯ

На столе передо мной лежит овальный золотой медальон размером с детскую ладошку. Он тусклый и потертый, он истончается к краям, словно прошедшая через сотни рук и кошельков монета, что странно, ибо, несмотря на то что нет цепочки, — я оборвал ее и не стал искать — медальон всегда носили на груди. И еще на нем появились шрамы: несколько глубоких царапин и сотни маленьких. Он потерял блеск.

Этот медальон не мог остаться гладеньким и блестящим — он слишком много видел.

В самом центре золотого овала изображен человек с копьем. Не воин, если вы вдруг подумали — охотник. Об этом говорит его костюм, в котором не нашлось места рыцарским доспехам или еще какому-нибудь боевому снаряжению: обычная суконная одежда и шапка. По современным меркам картинка выполнена весьма грубо, но медальон делали почти полторы тысячи лет назад, и в те времена он наверняка считался образцом тончайшей ювелирной работы.

В нижней части медальона надпись: «Facta sunt potentiora verbis»[1]. Символ же, который находился

---

[1] Дела сильнее слов (*лат.*).

над фигуркой охотника, стёрся окончательно, но я знаю точно, что это был не крест. И не полумесяц. И уж тем более не одна из звёзд: ни пятилучевая, ни шести-, ни восьми-. Я знаю, что знак был другим.

Иначе бы он не исчез.

Медальон лежит на столе, и я не свожу с него глаз. Я не любуюсь — он не настолько совершенен. Не прикидываю, сколько он может стоить, — я не продам раритет даже в случае крайней нужды. Я просто смотрю на человека с копьём.

О чём я думаю в эти мгновения?

Ни о чём.

Ни о чём...

* * *

Возможно, некоторые из вас сочтут, что я не самый лучший кандидат на должность рассказчика этой истории. И в чём-то они окажутся правы. Вышло так, что я принимал участие далеко не во всех описываемых событиях, поэтому половина моего рассказа — выдумана, а половина оставшегося — смоделирована. Размышляя над тем, что произошло тогда в Москве, и составляя из известных фактов связную историю, мне пришлось опираться не только на свои воспоминания, но и на оговорки, замечания и пересказы некоторых других участников событий, на их ответы на мои вопросы. В то же время, учитывая обстоятельства, я не могу быть уверен в искренности всех собеседников. Динке доверять можно, а вот Вурц и Артур, возможно, утаили от меня истинную суть происходящего, скрыли мотивы, которыми они руководствовались в действительности.

Но винить их не следует.

Вполне вероятно, что им самим известно ненамного больше.

Но сия предательская мысль посетила меня уже после всех событий. А в те часы, о которых пойдет речь, я смотрел на происходящее совсем другими глазами. И потому хочу сказать: что бы вы обо мне ни думали, сколь бы ни морщились оттого, что именно я расскажу вам эту историю, главное заключается в том, что я верю в свой рассказ.

Я видел немного, но я видел.

* * *

Дождь мыл город второй день подряд. За грязным оконным стеклом — холодные капли почистили лишь внешнюю его сторону — едва угадывались неприветливые дома. Чужие дома. Неродные. Некрасивые линии угрюмых коробок сами по себе могли вогнать в депрессию, а тут еще и дождь. Непрекращающийся. Льющий как из ведра.

Осень, черт бы ее побрал. Снова осень.

И опять нелюбимое время года застало его в чужом городе.

Вурц отчаянно ненавидел осень: умирающие, тускнеющие краски, падающие на голову листья, налетающий из ниоткуда ветер, злой, пронзающий насквозь, и холод, от которого невозможно укрыться. Зима — другое дело. С ней все понятно: она белая. Мир спит, набирается сил, и зимнюю стужу Вурц принимал как должное. Весна радостная, дарующая новые надежды, заставляющая улыбаться даже закостенелого скептика. Лето — веселье. Все вокруг дышит полной грудью. А вот осеннее безвременье угнетало. С приближением сентября Вурц всегда старался оказаться в каких-нибудь теплых краях, чтобы переждать тоскливую пору в странах вечных пальм и ласкового солнца. К сожалению, он не был себе хозяином, и здравый смысл частенько требовал от Вурца избегать теплых земель.

И приходилось мириться с проклятой осенью.

И смотреть на чужие города через грязные оконные стекла.

А если еще и сам город не вызывал ничего, кроме глухого раздражения, то Вурцу становилось совсем плохо.

Как сейчас, например.

> В этом городе мрачнеют даже сны,
> Неспособные избавить от тоски,
> Тяжелее они каменных темниц,
> Нет надежды, нет спасенья, падай ниц...

Из подъезда стоящего напротив дома выскочили две девушки, сразу же раскрыли яркие зонты и со всех ног побежали к автобусной остановке. Шлепали по лужицам, осыпая друг друга брызгами грязной воды. Возможно — смеялись. Нет, вряд ли. В этом городе нечасто смеются. Жители его по большей части сердиты и сосредоточенны, они не радуются каждому новому дню, а принимают его с угрюмой обреченностью.

Словно кто-то заставляет их жить.

— Москва, — громко произнес Вурц. Подумал и сказал чуть иначе: — Масква.

Именно так, «Масква», говорят аборигены. Особенности местного диалекта и без того непростого языка. Пишется «Москва», произносится «Масква», иначе поймут, что ты чужак, закроются в раковине души и примутся изучать тебя с холодной подозрительностью. И тогда не будет контакта, а лишь недоверие. «Масква!» А ведь есть еще окончания, приставки, суффиксы... Безумие! При всех своих колоссальных способностях к изучению новых языков Вурц с трудом продирался сквозь правила русского. Сколько раз он бывал в этой стране? Десять? Четырнадцать? И всякий приезд начинался с мучительных попыток вспомнить проклятый язык, которые обязательно заканчивались ноющей головной болью. «Масква!» Но Вурц не мог себе позволить отличаться от туземцев.

— Масква. — Пауза. — Малако. — Пауза. — Иди суда.

Какие муки приходится испытывать, чтобы оставаться незаметным! Идиотский язык, чудовищные люди, мрачный город...

И недовольный Сурн за стеной.

Тот почувствовал, что Вурц подумал о нем, и зарычал. Негромко, едва слышно, однако густой звук легко преодолел каменную преграду и добрался до самой души Вурца.

На мгновение стало холодно. Рычание недовольного Сурна всегда заставляло Вурца дрожать, словно от озноба. Не от страха, нет, он слишком давно был рядом с Сурном, именно от озноба. Голос походил на неожиданный порыв пронзительного ветра: он так же приносил злой холод.

Может, именно поэтому Вурц ненавидел осень?

— Потерпи, — прошептал Вурц. — Осталось недолго.

Сурн ответил рычанием. На этот раз оно звучало мягче, дружелюбнее, но все равно холодило душу. И в нем по-прежнему ощущалось недовольство. Сурн был голоден, а в такие минуты он плохо понимал, как следует себя вести. Сурн требовал: «Найди!», и его не волновало ничего больше.

«Найди пищу!»

Сурн забывал об осторожности.

И давно бы погиб, не будь рядом старого друга.

Вурц заставил себя не думать о голодном Сурне, потер озябшие руки, медленно отошел от окна и вернулся к письменному столу, на котором в рабочем беспорядке были разбросаны астрологические таблицы, несколько старых книг и пергаментных свитков.

«Найди пищу!!»

«Не волнуйся, Сурн, я все сделаю...»

* * *

Этот эпизод показался вам реалистичным? Напрасно. Вот он-то как раз из тех, что я выдумал от первого до последнего слова. Да и как иначе? Я ведь никогда не был знаком с Вурцем, он не откровенничал со мной и уж тем более не приглашал в свой дом. Точнее: в свой очередной дом. Образ жизни Вурца не позволял ему подолгу засиживаться на одном месте. Сорванным с ветки листом катился он по странам и континентам, оставляя за собой страшные следы. Смуглая кожа Вурца, черные густые волосы и темные глаза навели меня на мысль, что он выходец из теплых стран, а потому вряд ли ему нравилось в холодном климате северных земель. И пара фраз, которые Вурц обронил в разговорах со мной, подтвердила мою правоту.

Зато следующего участника событий, Артура Горюнова, я могу описать гораздо точнее. Так получилось, что с ним мы провели куда больше времени.

* * *

— Вы можете не беспокоиться, Артур, если девушка действительно находится в городе, мы ее найдем.

— Поверьте, Илья Константинович, я полностью доверяю вам и не раз убеждался в ваших профессиональных качествах, — негромко ответил хозяин дома. — Но нынешняя просьба необычайно важна для меня... Это во-первых. А во вторых, она кажется мне весьма сложной. Отыскать человека в десятимиллионном городе... Я волнуюсь.

— Напрасно, — спокойно произнес сидящий в кресле мужчина. — Учитывая сумму, которую вы готовы потратить на поиски, нахождение девушки — вопрос времени. Ее будут искать все. — И веское окончание: — Я гарантирую результат.

Мужчина, которого хозяин дома назвал Ильей Константиновичем, говорил очень уверенно. Он явно привык, что его словам доверяют с первого раза, а потому собеседник счел нужным извиниться:

— Прошу вас, не обижайтесь. Я действительно волнуюсь.

Илья Константинович позволил себе легкую улыбку:

— Ничего страшного, Артур, я понимаю, что человек, далекий от нашей кухни, не способен представить возможности спецслужб. Вы дали фоторобот и серьезные средства. Этого вполне достаточно. Вот уже два часа девушку ищут по всем компьютерным базам данных, в архивах институтов и предприятий. К полуночи фотография окажется у каждого участкового милиционера, у каждого патрульного, у охранников каждого ночного клуба. Помимо государственных структур, я подключил два крупных детективных бюро, через которые информация поступит...

— Можете не продолжать, — кивнул хозяин дома.

Артур понимал, что Илья Константинович не скажет вслух о том, что его связи позволяют обратиться за помощью к уголовному сообществу. Положение, которое занимал седой мужчина, заставляло его следить за своей речью.

— Я удивлюсь, если мы не найдем девушку к завтрашнему полудню.

— Еще раз прошу меня простить за выказанное недоверие.

— Спите спокойно, Артур, завтра вы обязательно встретитесь со своей ненаглядной.

Иногда Илья Константинович позволял себе пошутить.

Проводив гостя до машины, Артур вернулся в дом, но направился не в гостиную, где принимал Илью Константиновича и где теперь накрывали легкий ужин, а в расположенный на втором этаже кабинет. Стальная дверь в комнату запиралась на электронный замок, настроенный на отпечаток пальца хозяина. Окна в помещении отсутствовали. Стены покрывали резные дубовые панели, под которыми скрывались стальные листы: кабинет Артура был полностью изолирован от внешнего мира.

— Полдень... Не слишком ли поздно?

Артур подошел к письменному столу и задумчиво перебрал лежащие на нем таблицы.

Три дня корпел он над ними, стараясь вычислить очередную жертву Сурна. Три дня расчетов и поисков, во время которых ему удалось поспать не более двенадцати часов. Три дня напряженной работы, и, наконец, последний ритуал, позволивший ему увидеть лицо девушки. Затем последовала встреча с художником, создание, со слов Артура, портрета незнакомки и обращение к Илье Константиновичу, к человеку, способному заглянуть в самые темные московские закоулки.

Все сделано правильно, ошибки быть не может, но... Время.

Время!

Сурн почувствовал голод почти сутки назад, и Вурц сразу же начал поиск. А его способности значительно превосходят умение Артура. Вурцу достаточно нескольких часов, чтобы понять, кто нужен Сурну на этот раз, а значит, он ищет девчонку на двенадцать, а то и на восемнадцать часов дольше. К тому же его подгоняет впадающий в бешенство Сурн.

Время!!

На стороне Артура Илья Константинович и поднятые им на ноги люди. Вурц никогда не обращается за помощью, он осторожен, он ищет сам. Кто успеет первым?

Что может быть хуже томительного ожидания? Особенно когда знаешь, что от тебя уже мало что зависит? Ничего. Только горечь поражения.

Проигрывать Артур не собирался. Не имел права. А чтобы победить, нужно быть в форме. Илья Константинович сказал: «Завтра». Значит, есть время на отдых. Артур положил в карман пузырек со снотворным, вышел из кабинета и направился в гостиную. Ужинать и спать. Завтра надо быть в форме.

* * *

Теперь, как мне кажется, пришло время рассказать о том, кого искали Вурц и Артур, — о Динке. Возможно, я покажусь вам излишне многословным и вы решите, что я напрасно уделяю столько внимания этой девушке, но по-другому я не могу. Наша с Динкой история проста и незамысловата, подобных ей — тысячи, но для меня она важна, поскольку является частью моей жизни.

И еще. Если о Динке не расскажу я, то о ней не расскажет никто, и она навсегда останется просто девушкой, которую искали Вурц и Артур. Безымянной, безликой и невезучей девчонкой. Я не могу этого допустить.

А потому — слушайте.

Мы с Динкой выросли в одном городе. Каком? А не все ли вам равно? Не самом большом, но и не самом маленьком. В меру красивом, в меру провинциальном. Достаточно крупном, чтобы не знать никого из тех, кто живет в соседнем микрорайоне, но не настолько большом, чтобы удовлетворить амбиции молодых. Чистый воздух, размеренная жизнь и огромная река, в которой можно купаться в любом месте, хороши только в детстве, пока ты еще не задумываешься над тем, что будет дальше. А потом начинает казаться, что настоящая жизнь идет вдали от знакомых улиц, что твой талант может раскрыться исключительно в столице, что только в Москве можно получить все. Ты оканчиваешь школу, собираешь вещи, получаешь от родителей немного денег на первое время и садишься в поезд, отправляясь навстречу судьбе.

В плацкартном вагоне мы с Динкой и познакомились. Я ехал на верхней боковой полке, она — на нижней в купе. И я спрятал к ней свой рюкзак, пошутив, что доверяю ей самое ценное, что у меня есть. Динка рассмеялась. Ей не удавались улыбки — получались какими-то скованными, нерешительными, зато смеяться Динка умела, как никто: весело, заразительно, от души. От всей наивной и светлой души семнадцатилетней девчонки. Глупой и дерзкой.

Она рассмеялась, протянула мне руку, и я впервые прикоснулся к ней.

К Динке.

Вспыхнула ли между нами искра? Не знаю. Сейчас я понимаю, что мы потянулись друг к другу машинально, каждый из нас готовился пробиваться в одиночку и вдруг в самом начале пути встретил такого же искателя счастья. Мы проговорили весь вечер, а потом — почти всю ночь. Мы пили чай, шутили с соседями по купе, бегали курить в тамбур и там, оставаясь наедине друг с другом, постепенно становились все откровеннее и откровеннее. Несколько раз Динка повторила, что боится экзаменов и не хочет возвращаться домой ни с чем. Я уверенно отвечал, что нам повезет и мы обязательно станем студентами. Она вздыхала. Я настаивал. И кажется, мне удалось ее немного успокоить, во всяком случае, засыпала Динка с улыбкой на губах.

На следующий день я уговорил Динку не расставаться, упирая на то, что у меня, в отличие от нее, были кое-какие связи: армейский друг отца помог недорого снять комнату на первое время. Поколебавшись, Динка согласилась с моими доводами.

Я был счастлив.

В тот вечер мы пили вино с пирожными, строили самые невероятные планы на будущее и постоянно выглядывали в окно, чтобы убедиться, что вокруг нас действительно Москва. А потом Динка распустила волосы, потянулась и поцеловала меня в губы...

Возможно, сейчас вы улыбнетесь, но та ночь стала первой и для меня, и для нее.

Следующая пара месяцев оказалась непростой. Мы сидели за учебниками, ходили на консультации, нервничали, срывались, тряслись от страха, ожидая результатов, и бесились от радости, получив хорошие оценки. Умница Динка сдала все экзамены на пять, я получил одну четверку, но это не помешало мне стать студентом. Списки поступивших в наших институтах вывесили в один день, и он стал нашим общим праздником.

Нашим единственным общим праздником.

Который постепенно забылся.

Мы переехали в общежития — каждый в свое, ведь глупо платить за комнату, когда институт предлагает бесплатное жилье, — но продолжали встречаться еще полгода. А потом у Динки появился новый кавалер, и мы расстались. Впрочем, я не сильно переживал. Тогда мне казалось, что в одиночку пробиваться легче.

Я был глуп.

Тем не менее мы созванивались, периодически встречались, делились новостями, планами. Однажды даже снова сошлись на пару недель: съездили вместе в Крым. На третьем курсе Динка выскочила замуж. За москвича, разумеется, но не сложилось — диплом она писала, вернувшись в общагу.

Первый год после института получился для меня неплохим. Я продолжал работать на крупной фирме, в которую устроился еще на четвертом курсе, а весной меня повысили, назначили начальником одного из отделов юридического департамента. Работать, конечно, приходилось много, но я не жаловался: бизнес есть биз-

нес, или ты напрягаешься двенадцать часов в сутки и возвращаешься в свою квартиру на своем «Мерседесе», или бьешь баклуши, считая минуты до пятницы, и путешествуешь по городу на метро.

О Динке в то время я почти забыл, вспоминал о ней, расставаясь с очередной любовницей. Вспоминал и думал о том, каким был кретином.

Но это быстро проходило.

А потом она позвонила и сказала, что ей нужна помощь. Я поинтересовался, в чем дело, и Динка ответила, что ее преследует человек по имени Вурц.

* * *

Выглядела она великолепно. Длинные волосы заколоты с элегантной небрежностью, неброский макияж подчеркивает большие голубые глаза и изящные губы, дорогие джинсы, короткая кожаная куртка, модная сумочка...

И страх в глубине глаз.

Молодая, красивая львица.

Кем-то сильно напуганная.

Мы встретились неподалеку от офиса моей компании, в небольшом итальянском ресторанчике. Я чуть задержался, и, когда пришел, Динка уже потягивала вино. Увидев меня, она вскочила — это было неожиданно — и вновь, как тогда, протянула руку:

— Вит, мне нужна помощь.

— Что случилось?

— Я... меня... — Динка сбилась и вернулась к вину. — Я...

— Допей, успокойся и рассказывай.

Я закурил, знаком показал официанту, что не собираюсь пока ничего заказывать, и вновь обернулся к Динке.

— Вчера вечером ко мне подошел человек по имени Вурц.

— На улице?

— Нет, в клубе. Стас торчал за покером, а я в баре. Там Вурц ко мне и подкатил.

О Стасе мне доводилось слышать: Динка сошлась с ним вскоре после неудачного замужества. Сообщила, что он бизнесмен средней руки. В детали я не вдавался.

— В общем, Вурц подкатил и спросил, как меня зовут. Я его послала. Он засмеялся и сказал, что уже выяснил у бармена мое имя. Я спросила, зачем? Он сказал, что давно наблюдает за мной и хотел бы стать моим другом. — Динка выразительно посмотрела мне в глаза: — Прикинь? Будто проститутку снимал!

Я сочувственно улыбнулся.

— Короче, я говорю: ни хрена, дед, тут тебе не обломится.

— Он старый?

— Не мальчик. Но и не развалина. Лет пятьдесят. Но какой-то блеклый.

Я вспомнил, что Стас, помимо всего прочего, поразил Динку мужественным видом и двухметровым ростом, и промолчал.

— Короче, я его снова послала, а он опять ржать. «Никуда, говорит, не денешься. Лучше соглашайся — озолочу».

— Он богатый?

— На вид не очень. — Динка презрительно поджала губы: — Галстук за двадцать долларов, а все туда же: «Озолочу»! Курам на смех!

В галстуках Динку научил разбираться муж, выходец из интеллигентной семьи столичных снобов. До встречи с ним она (да и я тоже!) и представить себе не могли, как много может сказать о своем обладателе свисающая с шеи тряпочка. Прослушав пару его лекций и проверив их на собственном опыте, я убедился, что костюм у делового мужчины может быть и один, но галстуков — как можно больше. И экономить на них не следует.

— Короче, я говорю: проваливай, пока я Стасу не пожаловалась. Вурц спрашивает: что он мне сделает? Я говорю: ноги оторвет, понял? Вурц хихикает и уходит куда-то. Я тоже уехала — от гада этого настроение испортилось. — Динка помолчала. — Возвращаюсь домой, ложусь спать, Стас является под утро, это у нас нормально, и тоже, сволочь, ложится... — Снова пауза, Динка явно не знала, рассказывать мне всю правду или нет. Подумав, решила говорить как есть: — Стас ложится и начинает меня лапать, ну, сам понимаешь. Короче, мы с ним это делаем, потом идем завтракать, я готовлю этому гаду сок, чтобы его не так колбасило после бессонной ночи, а он и говорит: извини, дорогая, я тебя проиграл.

До меня не сразу дошел смысл ее слов.

— Проиграл?

— Угу, — подтвердила Динка.

— Это как? Он что, покупал тебя?

— Ну... — Динка замялась. — Я у него живу.

— И что с того?

— Что, что?! — вдруг взорвалась она. — Ничего! Вурцу он меня проиграл, понял?! Сначала бабла ему просадил почти сотню штук, а потом тот предложил на меня сыграть, выиграл, отдал Стасу все бабки, но ко мне велел не приближаться. Вот так!

Динка обмякла, опустила голову на руки и разрыдалась. Ее крики и плач привлекли внимание посетителей, на нас стали оглядываться, а потому я поспешил увести Динку из ресторана, и дальнейший разговор проходил на улице:

— То есть Вурц попросил Стаса отказаться от тебя?

— Да.

— Тогда чего ты боишься? Если Вурц снова явится, пошли его на три буквы, и привет. Ты никому ничего не должна.

— А кто меня защитит, если Вурц не отстанет?

— Почему он не отстанет?

— Разве нормальный человек стал бы играть на другого человека в карты?

Я обдумал Динкины слова и понял, что она права. Дело оказалось не столь безобидным, как выглядело на первый взгляд. Странному Вурцу требовалась именно Динка, и никто иной. Для чего? Хотелось, конечно, надеяться, что он ее полюбил с первого взгляда — охладить влюбленного мужчину трудно, но вполне реально.

Однако уже в тот момент у меня появилось предчувствие надвигающейся беды.

* * *

Разумеется, я не мог не помочь Динке.

Мы решили, что нужно выиграть время, отсидеться в каком-нибудь тихом месте, подождать и посмотреть, что произойдет. Если эту ублюдочную шутку затеял какой-нибудь взбалмошный миллионер, обалдевший от собственного всемогущества, то недели ему вполне хватит, чтобы позабыть о Динке. Если дело серьезнее, то спрятаться тем более не помешает.

Я позвонил на работу, сказал, что задержусь, поймал такси и отвез Динку на Люсиновскую, в квартиру институтского приятеля, умотавшего с женой в теплый Таиланд. Я строго-настрого запретил Динке пользоваться мобильным телефоном. Потом подумал и вообще отобрал игрушку — от греха. Велел никуда не выходить, ждать меня и вернулся в офис.

Не хочу хвастаться проницательностью, но я сразу понял, что будет дальше. Динка никогда не скрывала наше знакомство, я знал почти всех ее приятелей, знал главных подруг и прекрасно понимал, что в случае исчезновения Динки ко мне придут к одному из первых.

Я не ошибся.

Около четырех часов дня в офисе появился Вурц.

* * *

Он не забыл постучаться — прежде чем дверь отворилась, по ней прозвучало несколько ударов костяшками пальцев, — он просунул в щель голову, уныло оглядел мой кабинет и только после этого вошел внутрь. Прикрыл дверь, остановился и громко чихнул.

— Виталий Андреевич?

Я молча кивнул.

Он достал платок, шумно высморкался, без приглашения уселся в кресло и коротко представился:

— Вурц.

У него был измученный голос сильно простуженного человека.

— Очень приятно, — соврал я.

Вурц снова высморкался, повертел в руке платок, после чего негромко произнес:

— А ведь вы меня узнали.

— Мы встречались?

Он хмыкнул. Потом поморщился. Потом опять чихнул и угрюмо сообщил:

— Осень, черт бы ее побрал.

Когда Динка упоминала Вурца, в ее голосе чувствовался тщательно скрываемый страх. Она говорила о нем с высокомерным презрением, но я улавливал нотки ужаса и паники. Я слишком хорошо знал Динку, чтобы ей удалось скрыть от меня свое истинное состояние. Тогда я решил, что все дело в сложившейся ситуации: когда тебя проигрывают в карты, поневоле начнешь с опаской относиться к виновному в этом человеку. Однако, встретившись с Вурцем лично, я понял, что ошибся: ситуация ни при чем. Блеклый мужчина в галстуке за двадцать долларов одним своим присутствием наводил тоску. Гнетущую тоску, хорошо знакомую тем, кто хоть раз пребывал в депрессии. А уж когда Вурц открывал рот, находиться в его присутствии становилось просто невыносимо. Хотелось вскочить на ноги и уйти, а то и убежать. И ведь не скажешь, что голос у Вурца был каким-то странным: обычный голос. И интонации довольно вежливые. И вид вполне обычный. А сложилось все вместе, и отчего-то стало неуютно.

— Виталий Андреевич, я к вам по поводу Дины.

— Что у нее случилось?

— Она пропала. Ушла из дома и не вернулась.

— Давно?

— Сегодня утром.

— Вы шутите? — Мне хотелось выть, но я выдавил из себя смешок. — Девушка отправилась по магазинам...

— Ее телефон не отвечает.

— Забыла зарядить.

— Я беспокоюсь.

— А вы, простите, кто?

— Вурц.

Я покачал головой:

— Впервые слышу.

— Странно...

Он улыбнулся. Меня чуть не вырвало.

— Я новый хозяин Дины.

— Хозяин?

Он улыбнулся еще шире. Я откинулся на спинку кресла и с силой сжал кулаки.

— Образно говоря, конечно. Вы ведь знаете, что Дина не работает, живет за счет богатых мужчин. Предыдущему любовнику, кажется, Стасу, она наскучила, и сейчас ею пользуюсь я. — Вурц помолчал. — Хорошая девочка. Не очень, может, умелая, но послушная, делает все, что скажешь. И еще свежая. — Он посмотрел мне в глаза. Впервые за весь разговор: — Вы ее пробовали, Виталий Андреевич?

Трудно оставаться спокойным, когда на необъяснимо откуда появившуюся тоску накладываются ядовитые слова. Вурц пытался выбить меня из колеи. Я держался из последних сил.

— Я знаю, что Дина обратилась к вам. Ей не к кому больше идти. А вы ее старый друг, бывший любовник...

Голос Вурца становился все тише и тише, как будто блеклый мужчина удалялся от меня, но тем не менее каждое слово звучало очень отчетливо и било точно в цель. В мою душу.

— Скажите, она предлагала вам любовь втроем? Или вчетвером? Дине нравится развлекаться с несколькими партнерами...

— Замолчите!

— Особенно после пары дорожек...

Вурц победил. Вывел меня. Достал.

Я вскочил на ноги, перегнулся через стол и с наслаждением ударил его кулаком в лицо. Блеклый мужчина хрюкнул и съежился, попытался закрыться ладонями. Драться он не собирался, и этот факт окончательно привел меня в бешенство. Жалкая пародия на человека! Он мог только гадить, только болтать! Трусливое ничтожество!

Я схватил Вурца за шиворот и выволок из кабинета. Кажется, ударил его еще несколько раз, не помню, но теперь, вспоминая ошарашенные лица сотрудников, думаю, что ударил. Вурц по-прежнему не сопротивлялся. Я протащил его до холла — мой кабинет находился на первом этаже, — затем, прорычав удивленным охранникам какое-то ругательство, вышел с ним на улицу.

— Убирайся! И если ты еще раз...

И вот тут Вурц неожиданно продемонстрировал мне свою истинную силу.

Он ловко вывернулся из захвата и так сдавил мою руку, что казалось, вот-вот переломит ее. Я согнулся от боли.

— Решил со мной поиграть, щенок? — Вурц ударил меня по голове. — Что ты о себе возомнил?

Мне было больно и страшно. Согнувшись пополам, стоял я перед блеклым мужчиной в дешевом галстуке и мечтал о том, чтобы на помощь пришли охранники. Ведь мы удалились от дверей офиса всего на пару шагов! Они должны видеть, что происходит! Должны!!

— Где твоя машина, урод? Быстро отвези меня к девке! Быстро!! Если хочешь жить...

Вурц вскрикнул, и его хватка ослабла. Затем я услышал глухие удары. Затем чьи-то руки подхватили меня за плечи, протащили несколько шагов и впихнули в какую-то машину.

* * *

Рассказывая нашу с Динкой историю, я совсем забыл об одной маленькой детали, о странном разговоре, случившемся тогда в поезде. Он казался незначительным, непонятным, а потому вспомнил я о нем только сейчас, после того, как все произошло.

В числе наших попутчиков по плацкартному вагону оказалась группа цыган, обычная для этого народа толпа: выводок грязных детишек, молодухи с золотыми зубами, несколько теток и четверо молчаливых мужчин, которые всю дорогу негромко беседовали о чем-то в своем купе. Женщины же и дети наполнили гомоном весь вагон. Визг и ругань, громкие голоса и смех, в общем, пока табор не заснул, поездка протекала довольно весело. Женщины, невзирая на несколько раз сделанные проводником замечания, пытались заработать для семьи лишнюю копеечку. То там, то здесь слышалось: «...погадаю...» и «...шелк, настоящий шелк, красавица, посмотри, как переливается...». Дети же слонялись по вагону и клянчили у пассажиров еду и мелочь. К нам с Динкой цыгане не приставали, понимали, что взять с искателей счастья нечего. Только одна из них, встретив меня у туалета, предложила травки, но легко смирилась с отказом. А вот на долю Динки достался совсем другой разговор. Незадолго до прибытия в Москву к ней подошла самая старая из цыганок, жирная неопрятная старуха с грязными седыми волосами, и, схватив Динку за руку, быстро сказала:

«Возвращайся домой, красавица, спрячься. Может, тогда они тебя не найдут».

* * *

Мы ехали довольно долго, почти час. Машина, в которую меня затолкали, оказалась лимузином. От водителя нас отгораживала непрозрачная черная панель, а поскольку окна закрывали плотные шторы, определить, куда меня везут, не представлялось возможным. Впрочем, по времени пути я догадался, что окажусь за городом, и не ошибся: когда дверца открылась, я увидел парадный подъезд двухэтажного особняка кремового цвета и высоченные сосны.

— Вы будете разговаривать с хозяином один на один, — негромко произнес мой сопровождающий. — Но не рекомендую делать глупости: мы рядом.

Честно говоря, я и не собирался. Да и какие глупости я мог совершить? Захватить в заложники хозяина дома, прорваться к гаражу и уехать в Москву? Шутить изволите? Мне очень хотелось, чтобы все происходящее закончилось как можно быстрее, мне было страшно, но... вряд ли вы мне поверите, но я все равно не жалел, что решил помочь Динке. Не жалел.

И сейчас не жалею.

Он встретил меня в гостиной. Сидел на диване, таращился в телевизор, а когда меня ввели, выключил ящик, поднялся и несколько мгновений пристально изучал меня. А я — его.

Хозяином дома оказался высокий поджарым мужчина лет сорока — сорока пяти. Короткие темные волосы аккуратно разделены косым пробором, лицо узкое, чуть вытянутое, глаза посажены близко, нос великоват, на подбородке — маленькая ямочка. Он был одет по-домашнему: темные джинсы, мягкая рубашка и вязаный жакет. А на ногах — тапочки. Тапочки! Честно говоря, я был настолько удивлен, что, увидев их, долго не мог отвести взгляд.

— Называйте меня Артуром.

— Виталий...

— Я знаю.

Он ободряюще улыбнулся и подошел к столику.

— Вино? Виски? Коньяк? Или кофе? Чай?

Я прочистил горло, неловко дернул плечом — мне было неуютно в этом доме — и решился:

— Коньяк.

— Правильно, — одобрил Артур. — Вам нужно немного расслабиться.

Мы выпили, после чего хозяин дома вернулся на диван и знаком предложил мне присесть. Я выбрал кресло напротив.

— Мои люди чуть не опоздали. Еще немного, и вы бы оказались в лапах Вурца.

Я вздрогнул, вспомнив стальной захват блеклого.

— Кто он?

— Об этом позже. — Артур помолчал. — Вурцу нужна Дина. Вы ее спрятали, что весьма благородно с вашей стороны. Но, к сожалению, через несколько часов Вурц ее найдет.

— Каким образом?

— Таким же, как и в первый раз. — Очередная пауза. — Сурн подскажет.

Так я впервые услышал это имя: Сурн.

— А это еще кто?

Артур сделал вид, что не расслышал.

— Вы выиграли время, но и только-то. Спасти Дину вы не сможете.

— А вы?

— Могу.

Я потер лоб. Очень хотелось выпить еще, но я понимал, что следует оставаться трезвым, и заставил себя не думать о спиртном.

— Зачем вам спасать Дину?

— Чтобы выйти на Сурна.

Он ответил с легкой улыбкой, так, словно удивлялся моей непроходимой тупости: неужели непонятно, для чего понадобилось спасать девушку? Мне, разумеется, было непонятно.

— Кто такой Сурн?

— Я его ищу.

— Этого недостаточно.

Артур снова улыбнулся, задумчиво побарабанил пальцами по подлокотнику дивана.

— Я могу предложить вам деньги.

— Много?

— Договоримся.

Теперь помолчал я.

Следующая фраза далась мне нелегко. Я догадывался, какая будет альтернатива деньгам, но все равно ответил так, как должен был:

— Динка не продается.

— Хорошие слова, — кивнул Артур. — Вы ее любите?

— Не ваше дело.

— Вы ее любите... — Он потер ладонью подбородок. — Вы ее любите, вы мне не верите и тем ее убиваете. Вы оставляете ее Вурцу и Сурну.

Артур поднялся с дивана, дошел до столика и плеснул себе коньяк. Только себе.

— Не ждите, что я стану угрожать. Возможно, мои слова прозвучат нелепо, но я законопослушный гражданин. Я плачу налоги и не совершил ни одного умышленного преступления.

Однако размеры особняка и внутреннее его убранство заставили меня скептически отнестись к сообщению Артура. Судя по всему, мысли отразились на моем лице, потому что хозяин дома счел необходимым пояснить:

— Я заработал капитал в самом начале перестройки: ввозил в страну всякую бытовую технику. За два года стал миллионером. А потом, когда начался хаос девяностых и оставаться честным купцом стало практически невозможно, уехал на Запад. С тех пор основные мои активы находятся там. — Он сделал маленький глоток коньяка. — Я рассказываю об этом для того, чтобы вы поняли: пытать вас никто не собирается. Не скажете, где спрятали Дину, я огорчусь, но вас отпущу. Вот только молчание не принесет вам пользы — сегодня ночью ее обязательно убьют.

Профессия юриста научила меня разбираться в людях, я видел, что Артур не лжет.

— Вурц?

Мой голос прозвучал хрипло.

— Сурн.

— Артур, вы понимаете, что мне трудно вам верить? Меня похитили...

— Вас спасли.

Я вспомнил захват Вурца.

— Могли бы просто помочь. Зачем вталкивать в машину и везти неизвестно куда?

— Я должен был с вами поговорить.

— Да, да... конечно...

«Эх, коньячку бы!» Но я держался.

— А рассеять ваше недоверие несложно, — вдруг сказал Артур. — Пойдемте, Виталий, вы должны увидеть кое-что.

Он называл эту комнату «кабинетом». По моим же меркам она тянула на зал: обширное помещение, обшитое дубовыми панелями, вход в которое преграждала массивная стальная дверь, открывающаяся отпечатком пальца. У дальней стены действительно находились письменный стол, кресло и два высоких книжных шкафа, которые, видимо, и позволяли Артуру называть комнату «кабинетом». На полу лежал ворсистый ковер, а на стенах и вдоль них...

Я очень долго не мог заставить себя поверить, что все это — настоящее.

Голова сказочного дракона на длинной изящной шее. Рогов нет, но их с лихвой заменяют длиннющие клыки.

— Эту тварь убили в Шотландии еще в середине девятнадцатого века. А хитрые туземцы до сих пор делают на ней деньги.

Жуткий трехметровый мутант, похожий одновременно и на крокодила, и на морскую змею, и на акулу.

— Вани. Ее добыли только с третьей попытки, шесть месяцев болтались в Тихом океане.

Далее следовал огромный петух с костяным гребнем, напоминающим диадему, и перепончатыми крыльями.

— Василиск, жемчужина коллекции. Его прикончили во время второго крестового похода.

А еще там была женщина с головой льва и хвостом змеи. Лошадиная морда, украшенная тонким витым рогом. Безголовая собака и семиглавая змея. Маленькая тварь, у которой глаза торчали по всему телу, и четырехпалая когтистая лапа, столь огромная, что я с трудом представлял себе размеры ее бывшего обладателя.

Трофеи Артура навалились на меня со всех сторон. Куда ни повернись, взгляд натыкается на харю или клык, чешую и рога, на мертвые, но необыкновенно злые глаза.

Не скрою — у меня закружилась голова. Я не стыжусь проявленной слабости: любопытно было бы посмотреть на вас, окажись вы в том кабинете. Артур подвел меня к креслу, помог опуститься в него и сунул в руку бокал с коньяком. Сам же присел на столешницу и принялся что-то говорить. Его слова стали доходить до меня лишь через три глотка коньяка.

— Я всегда любил настоящую охоту. Без скорострельных карабинов, без загонщиков, без егерей, что страхуют тебя со всех сторон. Это убийство. А вот один на один с хищником, противопоставляя ум и ловкость силе и скорости, — это охота. Или бой. Называй как хочешь. Это честно. Ты когда-нибудь ходил на медведя с рогатиной?

Я помотал головой. Артур рассмеялся:

— Я просто так спросил. Поверь: ощущения самые невероятные. Ты поднимаешь над собой разъяренную тварь, молишься, чтобы хрупкая палка выдержала колоссальную массу медведя, а потом вонзаешь кинжал в самое сердце. Один раз гризли порвал мне спину. Но я все равно его добил.

— Из ружья?

Как видите, ко мне стали потихоньку возвращаться силы.

— Нет, кинжалом. Во второй раз я не промахнулся, не имел права, ведь на кону стояла моя жизнь.

В этот момент передо мной сидел настоящий Артур: не лощеный, идеально воспитанный миллионер, а дикарь, раздувающий ноздри при воспоминании о пролитой крови.

— Путешествуя по Европе, я свел тесное знакомство со многими интересными людьми. Среди них были и артисты, и ученые, и скоробогатеи, и потомки древних дворянских родов, благородные люди и требуха, летящая на запах моих денег. Открытый образ жизни способствовал тому, что я нашел единомышленника, человека, у которого загорелись глаза при рассказе о моих охотничьих подвигах. Мы отправились с ним на Камчатку, и я поднял на рогатину двух медведей, убедив барона Лесеньяка, что не лгун, и получив взамен его безграничное уважение.

Артур внимательно посмотрел на меня, убедился, что я слушаю, и продолжил:

— Барон и рассказал мне о самой большой охоте, которая ведется людьми уже несколько тысяч лет. Об охоте на Дикую Стаю.

Он поднялся на ноги, неспешно прошелся вдоль трофеев, задумчиво прикоснулся к драконьему клыку.

— Никто не знает, откуда взялись эти твари. Одни охотники считали, что Дикая Стая была всегда, появилась на Земле вместе с людьми, дабы мы, так сказать, не расслаблялись. Другие думали, что Стая пришла позже и ее вожаки решили завладеть нашим миром. Мишель Лесеньяк, мой приемный отец и учитель, придерживался мнения, что твари проникают к нам постоянно, что иногда открывается некая дверь и на Землю сваливается очередная группа уродов. Которых надо найти и убить.

Я завороженно молчал.

— Коллекция, которую ты видишь, собрана Лесеньяками за много-много веков, наш род охотился на Дикую Стаю со времен Крестовых походов, после того, как Карл Лесеньяк зарубил в Палестине василиска. — Артур повернулся ко мне. — Ты не ослышался, я сказал: наш род. Мишель не мог иметь детей, а потому усыновил меня. Передал титул и семейную обязанность. Мишель научил меня многому, но не всему. Не успел.

Артур наклонился ко мне, в его глазах вспыхнули сумасшедшие огоньки.

— Год назад в Калькутте Сурн убил моего приемного отца.

Последние слова и сумасшедшие огоньки сказали мне, что Артур лукавил: будет он выбивать из меня информацию, будет. Еще некоторое время, тридцать минут, час, и он не сможет противиться сидящему внутри дикарю.

— Кто такой Сурн?

— Один из вожаков Дикой Стаи.

— А Вурц?

— Человек. Слуга.

— Человек?

— Ну... — Артур замялся. — Мишель говорил, что Вурц не так уж и далеко отошел от нас. Сурн его переделал, но не сильно.

— Зачем нужна Дина?

— Пища. Примерно раз в три месяца Сурн испытывает голод. Но есть что попало он не может, нужна определенная жертва, женщина или мужчина — неважно, чьи астрологические данные впишутся в нынешнюю таблицу. Мне жаль, но твоя девчонка родилась не в то время и не в том месте.

У откровенного разговора свои законы. Мы смотрели в глаза друг другу, и я изо всех сил старался не уступать Артуру в крепости и силе. Получалось не очень, но я, по крайней мере, старался.

— Как ты ей поможешь?

— Убью Сурна.

Я выдержал паузу, наблюдая, как огоньки превращаются в пламя.

— А ты справишься?

Я видел, что мои сомнения разозлили охотника, но, к чести своей, Артур не позволил бешенству овладеть собой.

— Виталий, мы теряем время. Вурц не способен определить местонахождение Дины с точностью до метра, но он гораздо более сведущ в астрологии, и зона поиска у него получается значительно меньше, чем у меня. К тому же... — Артур прищурился. — У тебя не болела голова во время разговора с Вурцем?

— Нет, — подумав, ответил я.

— Вурц умеет читать мысли. Но его вторжения ощутимы, и, судя по всему, с тобой он не успел провернуть свой любимый фокус.

— А если бы успел?

Артур пожал плечами:

— Насытившись, Сурн уезжает из города, прячется, затаивается. Его можно нащупать только перед наступлением голода, и мне придется ждать еще три месяца...

* * *

Можно ли сказать, что я предал Динку?

Почему нет? Вы, знакомящиеся с моей историей сидя в мягких креслах, вполне можете решить, что я испугался и сдал Динку, дабы избежать гнева сума-

сшедшего охотника. Или подумаете, что я взял у него деньги.

Я вас не виню.

Клянусь, рассказывая Артуру, где спрятал Динку, я испытывал неприятные чувства. Я ненавидел себя за то, что поверил этому человеку.

Да — поверил.

Вы снова улыбнетесь и подумаете, насколько же легко провести провинциала. Но вы не были в кабинете Артура, вы не видели трофеи французских аристократов, вы не прикасались к зубастым чучелам, а потому не знаете, какие чувства обрушиваются на тебя при одном только виде василиска. Не знаете, как давит взгляд мертвого дракона, как машинально делаешь шаг назад, стараясь оказаться подальше от лапы йети.

В кабинете Артура не было ни одной подделки.

Я поверил в его рассказ.

* * *

Мы отправились на Люсиновскую вместе. Артур не возражал. Сухо кивнул: «Понимаю» — и пошел переодеваться. К ожидающей нас машине он вышел в костюме охотника: кожаные жилет и штаны, достаточно свободные, чтобы не сковывать движения, легкая рубашка, мягкие, тщательно зашнурованные ботинки.

А на груди, поверх жилета, висел овальный золотой медальон.

— Оберег, — бросил Артур, заметив мой взгляд. — Есть у каждого охотника. Передается по наследству.

Отвечать я не стал: что я мог сказать? Кивнул и забрался на заднее сиденье джипа — ехать на охоту в лимузине было бы, мягко говоря, неразумно. Компанию нам составили два телохранителя Артура, люди, как я понял, особо доверенные, которых не смущали ни странная одежда хозяина, ни то, о чем он говорил.

— Сурн умен, но прямолинеен. Когда он голоден, то не способен думать ни о чем больше. Он хочет жертву и забывает об осторожности. Именно для этого нужен Вурц — заботиться о нем во время периодов голода.

— А сколько Вурцу лет?

— Мишель считал, что не меньше трехсот. Во всяком случае, один из предков барона рассказывал, что ему удалось убить предыдущего слугу Сурна.

— За ним так долго охотятся?

— Семьсот лет, — после паузы ответил Артур. — Я же говорил, что Сурн один из вожаков Дикой Стаи.

И отвернулся.

Когда мы оказались у нужного дома, тихий московский двор был погружен в непроглядную тьму. Горело всего два фонаря, и они не были способны осветить даже половину пространства.

Я почувствовал себя неуютно. Артура же, наоборот, сей факт необычайно обрадовал.

— Меньше света — меньше свидетелей, — пробормотал он, после чего отправил одного из телохранителей разбить дальний от подъезда фонарь, а сам вышел из машины и снял с багажника джипа длинную — не менее трех метров — палку, завернутую в темную тряпку. Я выбрался следом.

— Твое оружие?

— Угадал.

Палка оказалась копьем. Длинное древко, которое венчал внушительных размеров наконечник. Сначала он показался мне блестящим, но, когда погас дальний фонарь и света стало еще меньше, я понял, что ошибся: наконечник не был блестящим, он просто светился.

— Сурну понравится, — усмехнулся Артур. — Лунное серебро, усиленное рунами, фамильное оружие Лесеньяков.

Я не стал говорить, что Мишелю оно не помогло. Впрочем, я ведь не знал, как Сурн добрался до приемного отца Артура. Вместо этого я заметил:

— В квартире будет непросто управляться с копьем.

— Мы не пойдем в квартиру, — коротко ответил Артур.

— Подождем здесь?

— Да.

Что-то в его тоне мне не понравилось. Но что? Я лихорадочно обдумывал ситуацию.

— Мы позовем Динку сюда?

— Нет, пусть сидит в квартире.

— Но почему ты думаешь, что Сурн выйдет во двор?

— У него не будет выбора, — тихонько рассмеялся Артур. — Когда он наедается, то несколько часов не может летать. Клод проверил: выхода на чердак из этого подъезда нет, значит, Сурну придется спускаться во двор.

«Клод проверил...» Телохранитель, посланный разбить фонарь, действительно вернулся не сразу, а я, увлеченный изучением копья, не заметил, куда он ходил.

«Проверять, есть ли ход на чердак...»

Хода нет, и потерявшему способность летать Сурну придется выходить на улицу...

Вы должны меня простить: до сих пор мне не доводилось принимать участие в охоте на демонов, а потому соображал я туго. К тому же некоторые вещи, обыденные для Артура, казались мне настолько дикими, что я не мог, просто не мог догадаться о них.

— А в квартиру Сурн прилетит?

— Да.

— Поест, после чего не сможет летать...

— Да.

— Ты хочешь убить Динку?!!

Кажется, я попытался броситься на Артура, попытался ударить его, вырвать из рук копье. Кажется, я кричал еще что-то. Ругался? Не помню.

Я был в шоке.

Но, как вы понимаете, ни черта у меня не вышло. Клод с напарником перехватили меня в сантиметрах от хозяина, отвесили пару тумаков, положили на асфальт и не позволяли подняться до тех пор, пока я не прохрипел:

— Все. Больше не буду.

— Опомнился? — поинтересовался Артур.

— Угу.

— Поднимите его.

Он не сказал: «Отпустите», а потому меня продолжали держать за руки.

— Ты, Виталька, можешь думать обо мне все, что хочешь, но поймать Сурна иначе, как на живца, невозможно. — Артур говорил спокойно, уверенно, но в глаза мне не смотрел. Руны разглядывал. Поганые свои руны на поганом своем лунном серебре. — Сурн сильный зверь, очень опасный, очень быстрый. Глупый, только когда голодный. Слабый, только когда сытый. Не скормим ему Дину — не возьмем. Все ляжем.

— Ты сволочь, — тихо сказал я.

Отрицать этот факт Артур не стал. Даже не поморщился. Продолжил ровным голосом:

— Для всех будет лучше, если Сурн умрет. Не я виноват в том, что звезды указали на твою Дину. Такова судьба. Но я обязан воспользоваться ситуацией. Сурн должен умереть. И больше никаких жертв.

Моя Динка заплатит за жизнь незнакомых людей.

Мне стало горько.

— Самое страшное даже не в том, что тварь живет и убивает. В конце концов, Сурн не виноват ни в том, что уродился таким, ни в том, что попал в наш мир. Самое страшное в ауре зла, которую он распространяет. Пока он жив, от него исходит такая энергетика, что ломаются самые сильные люди. Ты говорил с Вурцем?

Я кивнул.

— Ты почувствовал?

Я не мог отрицать.

— Да.

— А Вурц лишь слабенькое отражение Сурна. Поднабрался за триста лет. Теперь ты понимаешь, какую дрянь тащит эта тварь в наш мир?

Я не сдержал вздох, покачал головой, на несколько мгновений задержал взгляд на светящемся наконечнике копья.

— Артур, ты не думал о том, что Сурн всего лишь одна из частей целого? Что его аура призвана компенсировать кого-то другого, кто живет среди нас и...

— Распространяет добро?

— Да.

Дурацкая тема для разговора, но в тот момент я не мог говорить о чем-то другом. Умолять спасти Динку? Напрасная трата времени. Молчать? Мне было слишком плохо. Я должен был высказаться.

— Возможно, это так, — подумав, ответил Артур. — Но сути дела это не меняет: я охотник. И даже если Сурн всего лишь симметричный ответ, я буду преследовать его, пока не убью. В нас и без того достаточно зла, чтобы получать дополнительную инъекцию.

— А как ты отнесешься к мысли, что кто-то охотится на добрых тварей?

— С пониманием, — усмехнулся Артур. — Мы должны оставаться такими, какие есть. Мы должны сами решать, когда и как поступать. Мы должны совершать ошибки и идти вперед своей дорогой. А наставники любой масти могут отправляться ко всем чертям.

* * *

Такая вот философия.

Поверьте, еще до того, как Артур ответил на мой вопрос, я знал, что именно он скажет. К тому моменту я уже достаточно разобрался в охотнике, чтобы понять ход его мыслей. Но мне было важно услышать это от него.

Я услышал и замолчал.

Телохранители продолжали держать меня за руки. Артур, обращаясь к светящемуся наконечнику, шептал какие-то заклинания. Темный двор оставался пустынен и тих.

Все терпеливо ждали, когда Сурн убьет мою Динку.

А потом скрипнула подъездная дверь, и она вышла из дома.

* * *

— Динка!

Я машинально дернулся, попытался вырваться, но куда там! Меня прижали лицом к джипу.

— Это она? — спросил Артур.

— Да, — прохрипел я.

— Почему она вышла?

— Не знаю. Может, устала сидеть и бояться?

— Или он ее позвал...

Артур огляделся, нехорошо улыбнулся, взял копье в обе руки и тихо велел:

— Оставаться здесь.

А сам направился к Динке. Осторожно и очень мягко, готовый в любой момент отбить или нанести удар. Направился походкой умелого охотника. Направился без страха и сомнений.

Он был почти неразличим в темноте, но светящийся наконечник отчетливо указывал нам его путь. И выдавал Артура Сурну.

Впрочем, тварь с самого начала знала, где ее враг.

Сурн вышел из тела Динки за мгновение до того, как наконечник прикоснулся к девушке. Черное, гораздо чернее осенней тьмы облако на мгновение окутало голову Артура и тут же отпрянуло, потянулось к неосвещенной части двора, скрылось.

Секунду они продолжали стоять: Артур и Динка. А потом упали. Сначала она. Затем он. Рухнули как подкошенные.

В тот же миг я почувствовал, что свободен. Но обрадоваться не успел: накатило знакомое ощущение непроглядной тоски.

— Глупый охотник, — хихикнул Вурц. — Молодой и глупый. Думал, Сурна завалить легко. Наивный.

Он вытер кинжалы, которыми заколол телохранителей, о мою одежду, прищурился и пробурчал:

— Сурн сказал, ты можешь жить.

— За что такая милость?

— Сурн не режет больше овец, чем ему надо.

* * *

Вот и вся история о Дикой Стае.

О звере по имени Сурн, о звере по имени Вурц, о звере по имени Артур и о несчастливой девчонке, что так некстати оказалась между ними. О моей Динке.

Странная все-таки штука — Судьба. Никогда не знаешь, куда заведут тебя звезды и какая тварь, прячущаяся до поры в темном углу, заинтересуется тобой.

* * *

А напоследок я поведаю о том, что побудило меня рассказать вам эту историю.

Случилось так, что через несколько месяцев после смерти Артура и Динки дела привели меня в Париж. В город-легенду, в город-сказку. Разумеется, я использовал любую возможность, чтобы посетить знаменитые достопримечательности. Я поднимался на Эйфелеву башню и побывал в Доме инвалидов, я просиживал в кафешках на Монмартре и гулял по Булонскому лесу, сходил в оперу и в «Мулен Руж», глазел на арку и собор. Предпоследний же перед отъездом день я посвятил Лувру и там, в одном из дальних залов, я наткнулся на НЕЕ.

На коллекцию овальных золотых медальонов.

Вот охотник с луком, а вот — со связкой дротиков. Вот человек, на руке которого сидит сокол, а вот — в окружении своры собак. Вот мужчина на лошади, и вот другой, с сетью и кинжалом. И снизу каждую фигурку обрамляла фраза: «Facta sunt potentiora verbis», а сверху виднелись следы стершегося символа.

Золотые медальоны лежали за стеклом.

Они казались могильными плитами.

БЕРЕГ ПАДАЮЩИХ ЗВЕЗД

— Не может быть!!
— Что случилось?
— Дерьмо!
— Не ори! Люди смотрят!
— Люди в той же заднице, что и мы!

Яростные вопли доносились от деревянной, немного покосившейся и требующей покраски кассы причала. На ее стене висело расписание движения катеров — два листа бумаги под грязным стеклом. Слева — катера вверх по Оке, справа — вниз. Мелким шрифтом набраны расположенные на реке села и деревни, а крупным строго добавлено, что «высадка пассажиров осуществляется только на оборудованных причалах». Впрочем, грозный пункт никого не смущал: приезжающие на Оку рыбаки и туристы прекрасно знали, что за небольшое вознаграждение капитан высадит, где попросишь, главное, чтобы глубина позволяла катеру подойти к берегу.

— Да случилось что?
— Расписание смотри!
— Дерьмо!
— А я что сказал?
— Не повезло.
— При чем тут везение?
— Ты опять за свое?

— А ты не видишь, что происходит?!

— Яшка, не ори. Придумаем что-нибудь.

— Что?!

Возмущение мужчин вызвал маленький, вырванный из школьной тетрадки в клеточку листок бумаги. Неровные края, неровные буквы, написанные ярко-красным карандашом. «Изменения в расписании». Очень печальные изменения. Сухой текст, выполненный праздничным цветом, сообщал, что катер отправился вниз по Оке десять минут назад, ровно за шестьсот секунд до прихода московской электрички, а остальные рейсы «по техническим причинам» отменены. Какие именно причины вызвали столь катастрофические последствия, узнать не представлялось возможным: касса закрыта, причал пуст.

Несколько женщин с той же электрички подошли к причалу одновременно с мужчинами. Они тоже выразили возмущение, правда, потише и после короткого совещания двинулись по змеящейся вдоль берега тропинке. С их уходом на причале остались лишь серая дворняга, спящая в тени кассы, да две компании: студенческая — три парня и три девушки — и четверо мужиков постарше, посолиднее, судя по снаряжению — рыбаки. Верховодил у них самый высокий — черноволосый Яша, может, конечно, умный и авторитетный, но необычайно шумный.

— Дерьмо!

— Сколько можно ругаться?

— Гера, ты сам не видишь, что происходит?

— Что?

.— Этот катер привязан к электричке, понимаешь? Расписание так составлено: приходит московская электричка и через десять минут уходит катер. Все довольны. Если бы они просто отменили рейсы, я бы не возмущался, но зачем отправлять катер ПЕРЕД электричкой?

— Зачем? — Герман непонимающе уставился на приятеля.

— Август, — коротко бросил еще один мужик. — Мы знали, что будет нелегко.

— Вовка понимает, — горько усмехнулся Яша. — А ты, Гера, еще не допетрил.

— Август, — пробурчал Герман. — Ну да, август.

И все трое как по команде принялись стаскивать камуфляжные куртки, столь любимые выбирающимися на природу горожанами. Впрочем, острить по поводу амуниции не следовало: плотные комбинезоны со множеством карманов, в меру разношенные туристические ботинки, аккуратно подогнанные рюкзаки: чувствовалось, что мужчины не новички, собравшиеся на рыбалку, чтобы выпить водки в приятной компании, а опытные походники, легко меняющие комфортабельную квартиру на туристическую палатку.

— Что будем делать?

— Хрен его знает.

— Я же говорил: надо ехать на машине, — к разговору присоединился четвертый товарищ. — Два часа дороги.

— В том году ездили, — отрезал длинный. — И что толку? Заблудились, и привет. Надеюсь, все помнят, как до ночи по лесу шастали?

— Яшка, не ори! — попросил Володя.

— Он первый начал! На фига о машине говорить, когда всем ясно, что на мыс можно только по реке попасть?

— Ничего не ясно! Ошиблись один раз. С кем не бывает?

— Ни хрена себе ошибка! Там от шоссе меньше пяти километров идти, даже компас не нужен! А мы двенадцать часов шатались. Двенадцать, б...!! Ты что, забыл?

— В этот раз вышли бы на берег и...

— Б..., Димка, заткнись или я тебя убью!

— Яшка, воплями не поможешь! — Володя потер лоб. — Но в чем-то Димон прав.

— В чем?

— Надо вдоль берега идти, — проворчал Герман.

— Двадцать километров?

— К вечеру дойдем. Даже раньше. — Герман посмотрел на часы. — Восемь... Спорю на ящик пива, что к пятнадцати ноль-ноль выйдем на точку. Или мы девочки по вызову?

— Мы не девочки, — рассмеялся Володя и перевел взгляд на Яшу: — Я с Герой согласен. Если ты говоришь, что на мыс можно только по реке выйти, а я тебе верю, то в наших обстоятельствах надо идти вдоль берега.

— Может, машину поймаем? — проканючил Дима.

— На машине нам не добраться.

— Блин, да почему вы так уперлись?

Успокоившийся Яша покачал головой:

— Забудь, Димка, на машине мы два раза до мыса пытались добраться. В первый раз тачка посреди дороги сломалась, во второй заблудились. Даже такой упертый поц, как ты, должен понять, что надо менять тактику.

— Может, лодку украдем?

— Ночь мы должны провести на мысу, а не в обезьяннике.

— Давайте купим лодку. Или наймем.

— Хорошая мысль, — согласился Герман. — Надо людишек местных найти и поговорить: наверняка у кого-нибудь есть моторка. За сотню баксов они нас хоть до Волги отвезут.

— А вот и первый кандидат на получение денег, — пробурчал Яша, глядя на приближающийся к причалу белоснежный катер.

— Дерьмо! — Длинноволосый парень огорченно пнул ногой валяющийся на земле камень, вызвав заодно небольшое облачко пыли. — Что за невезуха?

Подбородок молодого человека украшала подстриженная клинышком бородка, наличие которой делало понятной кличку, которую дали парню в компании.

— Борода, заканчивай орать, а? — Женька, второй студент, худой, веснушчатый, одетый в серый спортивный костюм, зевнул. — Что толку беситься?

— Но ведь чуть-чуть не успели! Приехали бы на полчаса раньше...

— Мы и собирались ехать на предыдущей электричке, — ответил веснушчатый. — Ты опоздал.

— Из-за Лены.

— Какая разница из-за кого? Сначала вас на вокзале ждали, а теперь тут пасемся.

Света, белокурая подружка Женьки, прыснула.

— Ничего смешного, — буркнул Борода.

— Андрюша, а что мне, плакать? — Девушка выразительно посмотрела на бородатого и передернула плечиками. — В конце концов, ты нас сюда привез, ты и соображай, как выпутаться.

Она уселась на рюкзак и демонстративно нацепила наушники mp3-плеера, отгородившись от мира плотной завесой хауса. И глаза закрыла, не желая видеть парней, тупо уставившихся на ее ноги. Весьма симпатичные, надо сказать, ноги — длинные и стройные.

Гарик и Сашка самозабвенно целовались на краю причала, до них, похоже, еще не дошло, какие проблемы встали перед туристами. Или им было плевать на такую мелочь. Лена — последняя участница похода, приглашенная Андреем, — по ее словам, «пошла побродить вокруг». Так что решение предстояло принимать Бороде и Женьке.

Они переглянулись.

— Слышь, Андрюх, — неуверенно протянул веснушчатый, — может, ближе какое место есть, а? Чего тебе этот мыс дался?

— Это самое классное на Оке место, — отрезал Борода. — Несколько полян, родник, пляж песчаный.

— Ну и что?

— До ближайшей деревни почти шесть километров, местные не шастают, рыбаков на мысу не бывает, никто не ругается, что рыбу пугаем, купаться пойдем — в донке не запутаемся. В общем, Жека, если ехать, то только на мыс.

— Так ехать не получается.

— Что предлагаешь?

— Пошли вдоль берега. Найдем какую-нибудь поляну, на ней и остановимся.

— А воду где брать будем?

— Наверняка по Оке полно туристов стоит. Поговорим с ними, подскажут, где еще родники есть. Не только ведь на мысу...

— Кое-кто обещал мне прогулку на катере, — не открывая глаз, напомнила Света.

— Вернемся в Москву, прокачу тебя на трамвай-чике, — пообещал Женя.

— Пешком не пойду, — грозно взмахнула ресни-цами девушка. — Даже не мечтайте.

— А что будешь делать?

— Сяду на электричку и вернусь домой.

— Светлячок, ты же видишь, как все получи-лось. — Женя присел перед подругой на корточки и, положив руки ей на бедра, заглянул в глаза. — Катер ушел...

— Плевать.

— И мы не можем...

— Найдите лодку.

— Мы с Андрюхой посмотрели: у причала только маленькие моторки. Нас ведь шестеро, Светлячок, и шмоток полно...

— Наймите две лодки.

— Так нет никого! Хозяев не видно.

— Найдите.

— Света!

— Вот с этим мужиком договоритесь, — предло-жила девушка. — В его посудину мы точно помес-тимся.

Парни обернулись к реке и замерли, изучая вы-нырнувший из-под моста белоснежный катер. Даже Гарик и Сашка перестали целоваться, завороженные плавными очертаниями и быстрым ходом дорогого суденышка.

— Речной «Мерседес», — пробурчал Женька. — Представляю, что у него за хозяин.

Борода скривился и согласно кивнул.

— Договоритесь, пока вон те хмыри вас не обска-кали, — Света указала пальчиком на четверку возбужденно галдящих рыбаков. — Всей толпой не влезем.

Женька и Андрей посмотрели на конкурентов и вновь переглянулись.

— Не думаю, что он вообще кого-нибудь возьмет, — протянул Борода.

— Даже разговаривать не станет, — поддержал друга Женька.

— А вы попробуйте.

— Попробуем, попробуем...

Но уверенности в голосе ребят не слышалось.

— Или Лену попросите, — улыбнулась Света. — У нее с богатыми мужиками хорошо получается.

Андрей вспыхнул, резко обернулся к девушке, открыл было рот, но промолчал. Света спокойно выдержала бешеный взгляд парня и снова надела наушники.

— Почему вы не хотите помочь?!

Пронзительный голос вывел Лену из задумчивости и заставил обернуться. Хотя, говоря откровенно, ничего особенно интересного девушка не увидела. Возглас издал длинный как жердь черноволосый мужик в камуфляжном комбинезоне, туристических ботинках и черной футболке. Он кипарисом нависал над приземистым владельцем красивого катера и размахивал руками. Оживленно, возбужденно, немного агрессивно. К сожалению для рыбака, его напор не произвел на собеседника никакого впечатления. Хозяин катера невозмутимо поправил шорты, вздохнул и нехотя выдавил из себя пару слов.

— Но почему?! Мы ведь заплатим! Хорошо заплатим!!

Невысокий ответил очень тихо, Лена, находящаяся шагах в десяти от говорящих, не разобрала слов, но по реакции длинного поняла, что ответ его не удовлетворил.

— Здесь больше нет лодок! И неизвестно, появятся ли!

Очередная фраза невысокого. И опять предназначенная только для рыбака. Как ни старалась Лена, ей не удалось услышать ни слова. Отказал? По всей видимости. Внезапно ей захотелось услышать голос хозяина катера. Не слова, а именно голос, нормальный мужской голос, потому что визгливые нотки длинного начали действовать на нервы. Что за манера: настаивать на своем? Сказано: нет. Неужели непонятно, что, продолжая давление, можно только ухудшить ситуацию? Смени тему, уйди, в конце концов, пусть попытается приятель — остальные рыбаки стояли неподалеку, напряженно прислушиваясь к разговору, — наверняка среди них есть более рассудительные люди. Давно ясно, что длинному хозяин катера обязательно откажет.

И хорошо, что откажет. Обе компании белоснежный красавец не увезет. Боливар вынесет только одного.

— Хорошо, хорошо: не лодка — катер. Вы удовлетворены? Теперь вы нас довезете?

Жертва расписания не терял надежды и не позволял никому из друзей принять участие в разговоре. Он дурак или просто завелся?

— Почему нет?

Повторять ответ невысокий не стал. Отрицательно покачал головой и, обойдя длинного, не спеша направился к лестнице, всем своим видом давая понять, что разговор окончен.

— Но ведь это неправильно! Помогите нам! Будьте человеком!!

В голосе длинного зазвучала ярость. Казалось, еще миг, и он забудет, что только что умолял коротышку о помощи, готов был валяться в пыли и предлагал любые деньги. Просьба отвергнута, и длинный возненавидел неуступчивого собеседника. К счастью, приятели несдержанного рыбака не собирались доводить дело до драки. Во взглядах, которыми они награждали хозяина катера, любви, конечно, не было, но дружка они оттащили. А один даже бросился за коротышкой.

— Подождите! Прошу вас!

Невысокий не реагировал.

Рыбак сплюнул и процедил короткое ругательство.

Лена посмотрела на катер, прищурилась и улыбнулась.

Рюкзак шлепнулся под ноги.

Не очень большой и не очень тяжелый, как понял Михаил. В противном случае девчонка вряд ли бы добросила свою поклажу до палубы катера. Мужчина хмыкнул, осторожно переступил через прилетевший рюкзак и вопросительно поднял брови, изучая незваную гостью.

— Меня зовут Лена, я еду с вами. — Она прыгнула на палубу, чуть покачнулась, на мгновение потеряв равновесие, но справилась, устояла на ногах и с вызовом посмотрела на мужчину. — Договорились?

Та самая брюнетка, что наблюдала за его беседой с длинным Яшей. Стройная и большеглазая. Длинные волосы заплетены в косу, на губах улыбка, а в глазах — упрямство. Все понятно: на штурм катера пошла вторая компания.

Михаил вздохнул:

— Красавица...

— Меня зовут Лена, — перебила его девушка. И присела на диванчик на корме. — Я же говорила.

Мужчина вздохнул, поднял рюкзак и, сделав несколько шагов, положил его рядом с хозяйкой:

— Красавица, к сожалению для вас, мне нравится ходить по Оке в одиночку. Я не беру пассажиров.

— А я не собираюсь платить. Значит, не пассажир, а попутчик. — Лена посмотрела мужчине прямо в глаза. — Есть разница.

— Не вижу.

— Вас как зовут?

— Михаил.

— Миша... — Девушка улыбнулась. — Вам подходит.

— Неужели?

— Вы сами знаете, что подходит.

И действительно — имя удивительно подходило владельцу катера. Еще на берегу Лена заметила, что, несмотря на невеликий рост — метр семьдесят шесть, не больше, во всяком случае, ее сто восемьдесят позволяли смотреть на собеседника свысока, — мужчина кряжист, крепок и широк в плечах. Голова круглая, лобастая, короткая толстая шея, и в движениях чувствуется нечто, характерное скорее для массивного увальня, чем для малыша: легкая расслабленность привыкшего к своей силе человека. Михаил действительно напоминал медведя.

— При чем здесь мое имя?

— Не могу же я обращаться: «Эй, зы».

— Не надо ко мне никак обращаться. Берите вещи...

— А потом я заметила, что имя вам очень подходит. Разве вы так не думаете?

— Лена...

Мужчина покачал головой, бросил быстрый взгляд на берег — приятели нахальной девчонки заинтересованно следили за происходящим, — вздохнул:

— Лена, вы понимаете русский язык?

— Только когда мне это надо.

— А английский?

— А вы говорите?

— И неплохо.

— Если вы такой образованный, то почему такой невоспитанный?

Простоватое лицо хозяина катера стало растерянным.

Увалень, как есть увалень. Лена уже поняла, что мужик силен: его невысокая фигура дышала настоящей, природной, а не накачанной в зале мощью. Девушка не сомневалась, что он с легкостью забросит рюкзак, да и саму ее, если потребуется, до платформы, а то и до Серпухова. И он готов был так поступить. В начале разговора. Но потерял время на ненужные слова и теперь, не зная, что сказать, в замешательстве переминался с ноги на ногу.

— Что значит невоспитанный?

— Зажигалка есть?

— На катере нельзя курить.

Лена повертела в руке пачку сигарет, улыбнулась и дружески поведала:

— Меня заманили в поход.

— Сочувствую.

— Мне обещали веселое путешествие на катере, высадку на берег и несколько романтических дней на лоне природы.

— Звучит заманчиво.

— Теперь же выяснилось, что катер то ли поломался, то ли застрял и нам придется идти пешком несколько километров. Вы представляете меня идущей пешком несколько километров?

— Мы не столь хорошо знакомы, чтобы...

— У меня ОЧЕНЬ тяжелый рюкзак и никакого желания тащить его на себе. В какую сторону вы плывете?

— Вниз по реке, — машинально ответил Михаил.

— Подойдет, — кивнула Лена. — Сейчас мои друзья принесут вещи, и можем отправляться.

— Разве я сказал «да»?

— Разве у вас есть желание сказать «нет»?

— Есть.

— Миша, — устало вздохнула девушка, — вы ведете себя как мальчишка. «Да», «нет», что за сомнения? А потом, я всю жизнь мечтала научиться водить катер. Вы покажете, как это делается?

Лена грациозно поднялась с дивана, махнула друзьям рукой: «Тащите вещи» — и проскользнула к мостику, не забыв слегка коснуться бедром ошарашенного Михаила.

— Какую скорость развивает ваш красавец?

— Э-э...

«Сейчас я улечу в Серпухов...» Она замерла в ожидании приступа ярости.

Но увалень и есть увалень. Мужчина беспомощно оглядел изучающую приборы девушку, перевел взгляд на ее друзей, выстроившихся на берегу, подумал, махнул рукой, подтверждая призыв Лены, и, подойдя к девушке, негромко сказал:

— Есть места, где я не смогу вас высадить.

«Сдался!»

Лена поздравила себя с очередной победой, одарила Михаила лучезарной улыбкой и мило напомнила:

— Мы собирались плыть на рейсовом катере. У него ведь осадка больше?

— Больше.

— Значит, все в порядке.

Михаил почесал в затылке, без восторга посмотрел, как размещаются на корме притихшие студенты, кисло предупредил их, чтобы не курили, велел Бороде отцепить канат и оттолкнуть катер от причала, вернулся на мостик и завел двигатель.

— Тихо работает, — похвалила машину Лена. — Дорогая игрушка?

— Дорогая, — буркнул Михаил. — Но дешевле, чем женщины.

— Зато с нами не соскучишься.

— Это точно.

Катер неспешно пошел вниз по реке.

— Где вас высадить?

— Точно не знаю, — протянула девушка. — Борода говорил о каком-то левом мысе.

— Вы идете на Левый мыс?!

— Надо было Аллочку с собой взять, — пробурчал Димон, провожая взглядом удаляющийся катер. — И самим веселее, и плыли бы сейчас на мыс.

— Аллочку мы в первый раз с собой брали, — угрюмо ответил Герман. — Было весело, конечно, но что толку? Дело-то не сделали.

— Какой ты суеверный.

— А ты не такой?

— Тогда скажи, кто еще из нас лишний?

— Что ты имеешь в виду?

— То самое, Гера, то самое. Сколько мы штурмуем мыс вчетвером? А? И все зря.

Герман отвернулся.

— Б..., хотел же я коротышке морду набить, — процедил Яша. — На хрена вы меня оттащили?

— Что бы изменилось?

— Не было бы так противно.

— Правильно сделали, что оттащили, — рассудительно произнес Володя. — Катер его видел? То-то. У него наверняка с собой или пушка, или дробовик. А если и нет, то друзей бы пригнал, и пришлось бы нам первым поездом в Москву возвращаться.

Яша сжал кулаки, но промолчал.

— Ладно... — Володя вытер платком шею, хмуро посмотрел на палящее солнце и бросил: — Пошли местных искать. Лодка нужна.

* * *

Если подходить к вопросу с научной точки зрения, то мы с удивлением выясним, что с неба падают отнюдь не звезды, а мельчайшие твердые тела. Малюсенькие метеориты, сгорающие в верхних слоях атмосферы. Таким образом, мы наблюдаем в ночном небе смерть в огне, маленькое подобие случившегося в незапамятные времена Большого Взрыва. По-научному эти тела называются метеорами.

Но разве это знание мешает нам верить, что с неба падают настоящие звезды?

* * *

— Я же говорила, что у нее получится, — негромко произнесла Света. — Ленка любого мужика окрутит.

— Чем ты недовольна? — поинтересовался Гарик. — Если бы не она, сидели бы до сих пор на причале. Или пешком тащились бы.

— Вот и я говорю: молодец наша Лена. Интересно, что она коротышке пообещала?

— Светка, перестань, — попросила Саша.

— А что я такого сказала? — Блондинка с отлично сыгранным удивлением посмотрела на друга: — Женя, что я сказала?

— Поскольку мы разговора не слышали, обсуждать нечего, — дипломатично отозвался веснушчатый. — А Ленка на самом деле молодец.

— Интересно, возьмет коротышка с нас деньгами или...

— Все хорошо, но курить очень хочется, — громко сказал Гарик. — Может, попросим капитана на пару минут пристать к берегу?

Ребята ответили несколько деланым смехом.

Женька откинулся на спинку дивана и привлек к себе Свету, Сашка погладила Гарика по плечу и одобрительно кивнула, и только Борода, до сих пор не проронивший ни слова, не изменился в лице и не посмеялся шутке. Он сидел на палубе, упершись спиной в борт, и не сводил глаз с двух фигур на мостике.

— Чуть правее возьмите.

Лена повернула руль, и катер послушно изменил курс.

— Так?

— Теперь прямо.

— У меня получается?

— Баранку крутить много ума не надо.

Девушка насупилась:

— Вы всегда такой злой?

— Нет, — односложно ответил Михаил.

— Значит, вы сердитесь на меня. За что?

Мужчина опешил. Несколько секунд он молча смотрел в зеленые глаза Лены, затем недоуменно покрутил головой и рассмеялся:

— Вы серьезно спросили?

— Разумеется.

— Вы просто чудо...

— Спасибо. Как вы думаете, я не обгорю?

Михаил мгновенно перевел взгляд на обнаженные плечи девушки. В этом году июльская жара затянулась, переползла на август, и, несмотря на то что до осени осталось всего две недели, пекло стояло страшное. Вот и сейчас: десяти утра нет, а солнце жарит беспощадно. Ничего удивительного в том, что Лена сбросила футболку, оставшись в легких брючках и лифе купальника, и не упустила возможность в очередной раз привлечь внимание к своей фигуре.

— Вы достаточно загорелая, чтобы не задумываться об этом, — медленно ответил Михаил и отвернулся.

— Тогда я спокойна. — Лена поправила волосы. — А вы местный?

— Да. Живу ниже по реке...

— В деревне?

— Можно сказать и так.

— На самом берегу?

— Ага.

— И целыми днями катаетесь на катере?

— Ну... случается.

— Хорошая жизнь.

— Э-э... — Мужчина почесал в затылке.

«Увалень!»

Лена вдруг подумала, какой же он забавный — Михаил, похожий на медведя. Вряд ли в обычной жизни его легко сбить с толку: на таких катерах лопухи не катаются. Зато в ее компании он явно чувствует себя не в своей тарелке. Мямлит слова, отводит глаза... Девушка понимала, что понравилась владельцу катера, и как же хорошо, что он оказался таким увальнем: никаких сальных взглядов, двусмысленных фраз, попыток невзначай провести рукой по попке.

— Вы в отпуске?

— ДА! — Мужчина с радостью ухватился за подкинутое слово: отпуск! — Я приезжаю сюда на месяц. Отдыхаю.

— А почему не едете под пальмы? На острова какие-нибудь?

— Э-э... — Но на этот раз подсказки не потребовалось, сам вспомнил: — Я местный. В смысле, вырос здесь... На родину тянет.

— К маме с папой?

— Родители умерли, — негромко ответил Михаил.

— Извините.

— Это случилось давно. Возьмите левее, пожалуйста.

Катер прошел небольшой изгиб Оки и вновь оказался перед длинной прямой.

— Скажите, а зачем вам на Левый мыс?

Лена удивленно посмотрела на мужчину:

— Я же говорила: там отличное место для лагеря.

— Ах да... — Михаил почесал кончик носа. — Я забыл.

— А что не так с мысом?

— Почему вы решили, что с ним...

— Я заметила, как вы изменились в лице, когда я сказала о нем в первый раз. И теперь вы снова...

— С мысом все в порядке, — мужчина поспешил успокоить девушку. — Замечательное место. Очень красивое. Особенно в августе.

— Расцветают орхидеи?

— Нет, — медленно ответил Михаил. — Звезды падают.

— Четыреста баксов?! — возмущенно повторил Яша. — Степан Семенович, вы обалдели?

— Ты за языком-то следи, пацан, — сварливо ответил старик.

Яша опомнился:

— Извините, Степан Семенович.

— То-то же.

— Но согласитесь: четыреста баксов за поездку на мыс...

— Двадцать километров, — поучительным тоном сообщил старик. — Двадцать километров туда, двадцать, стало быть, обратно. А движок у меня старый. И лодка старая. А вас четверо. И вещей...

— Двести, — предложил Яша.

— Четыреста, — отрезал Степан Семенович. — И не забывай, пацан, что август.

Длинный рыбак усмехнулся, прищурился, погрозил старику пальцем:

— Знаете, на что намекать.

— А я не намекаю, я как есть говорю: август.

— Да нет у нас таких денег!

— Обманывать нехорошо, — строго заметил Степан Семенович. — Был бы ты обычным рыбаком, я бы поверил. Но ты, пацан, не в поход собрался, не на отдых, а на Левый мыс. И снаряжение у тебя крутое. Есть у тебя деньги, есть. Так что четыреста баксов, и деньги вперед.

Длинный насупился, покачал головой, сдался:

— На месте отдам. Когда доберемся.

— Нет, Яша, деньги плати вперед, — не согласился старик. — Ты, выходит, не простой рыбак, и знать должен, что раз август, то доберемся мы до Левого мыса или нет, один бог ведает. Поэтому не спорь — денежки давай. Я их старухе отдам, а сам с вами пойду.

— А если не доберемся до места? Что тогда?

— Не моя забота, — пожал плечами старик. — Ты сам все знаешь.

— А деньги? — нехорошо улыбнулся Яша.

— Половину верну, — пообещал Степан Семенович. — А половину за беспокойство.

— Не многовато?

— Так ведь я могу вообще не ходить, — улыбнулся старик. — Сам знаешь — август. Мне на Левом мысу делать нечего.

— Так уж и нечего? — с сомнением протянул длинный. — Все, кто знает...

— Не все, — твердо произнес Степан Семенович. — Дело ведь должно быть, Яша, дело. А если дела нет, то и делать на мысу нечего. Ужель не понимаешь.

И по-стариковски закашлялся. И вытащил из кармана смятую пачку дешевых сигарет, спички. И закурил.

— Вот так-то.

Яша молча раскрыл бумажник и протянул Степану Семеновичу четыре банкноты.

— Готовь лодку, старик. Время дорого.

Михаил не обманул: Левый мыс на самом деле оказался необычайно красивым местом. Ока расширялась, не поворачивала, не изгибалась, а становилась шире для того, чтобы позволить земле врезаться в русло. Высокий берег покрывали вековые сосны, молчаливые гиганты, поскрипывающие под тяжестью неба, а песчаный пляж на западной стороне мыса вызывал непреодолимое желание искупаться. С восточной стороны было гораздо глубже, и поэтому здесь давным-давно построили небольшой деревянный причал, короткий мостик, к которому и пристал катер. Михаил, проведший последнюю треть пути в молчании, терпеливо подождал, пока ребята выгрузят вещи, и сразу же подал назад. Вышел на середину реки и поплыл дальше вниз. Даже не бросил Лене прощальное «Пока».

Впрочем, она и не ждала.

В глубине мыса действительно оказался родник с прозрачной и холодной до ломоты в зубах водой. Нашли четыре подходящие для лагеря поляны со следами кострищ и бревнами вокруг них. Людей вот только не было, но ребят это обстоятельство лишь порадовало. Без соседей проще.

Борода и Женька предложили немедленно отметить прибытие на место, извлекли из рюкзака бутылку теплой водки и попросили девчонок порезать бутерброды. Но встретили решительный отпор. Лена заявила, что прекрасно знает, чем закончится «отмечание», и не хочет ночевать в перекошенной палатке, а то и вовсе под открытым небом. «Сначала лагерь, потом все остальное». В том числе и горячий ужин. В результате Борода и Гарик принялись ставить палатки, Женька отправился создавать запас дров, а девушки, дабы не мешать парням трудиться, переместились на пляж, где и провели за ленивыми разговорами время до вечера.

И лишь когда на поляне возникли разноцветные домики, запылал костер и лагерь принял обжитой вид, хозяйки вернулись к очагу, чтобы приготовить ужин. Не самый, конечно, изысканный в мире, зато на костре, с дымком. И свежие огурчики с помидорами, и бутылка водки — «для мужиков», и бутылка красного вина — «для дам», и медленно темнеющее небо над шапками сосен, и потрескивание поленьев, и... Разве может быть что-нибудь лучше?

— Михаил сказал, что в августе сюда падают звезды, — негромко произнесла Лена.

— Что за Михаил? — осведомился Женька.

— Ну, этот, с катера.

— А... твой мужик, — протянула Света.

Борода зло вцепился зубами в бутерброд с колбасой.

— Почему мой? — холодно осведомилась Лена.

— А чей? Ты ведь с ним...

— В августе всегда звездопад, — громко сказала Сашка. — Земля через какой-то пояс проходит, вот они и падают. Мы на даче часто видим.

— И выпиваем за это! — рассмеялся Женька. — Еще по одной?

— Давай. — Гарик протянул кружку.

Андрей взялся за бутылку, вытряхнул последние капли приятелю, хмыкнул и потянул из рюкзака следующую.

— Мальчики, может, не стоит торопиться? Куда вы спешите?

— У нас этого добра полно, — махнул рукой Женька.

— Это и пугает, — буркнула Сашка.

— Мы по чуть-чуть.

— Вы уже целую бутылку офигачили.

— За то, чтобы наш отдых прошел в обстановке любви и взаимопонимания.

Женька попытался поцеловать Свету в щеку, но промахнулся. Или девушка отклонилась? В общем, потерял равновесие, вызвав дружный хохот. Потом столкнулись железные кружки. Потом послышалось: «Хорошо пошла!» и «Как можно пить такую гадость?». Кто-то закусил, кто-то запил газировкой, Гарик подбросил в костер еще пару поленьев, все закурили, Борода достал гитару и лениво провел пальцами по струнам.

Андрей хорошо играл, и голос у него был приятный, завораживающий. Но Лена не хотела слушать песни. Несмотря на язвительное замечание Светы, она решила продолжить начатую несколько минут назад тему. Ей казалось, что это очень интересно.

— Михаил так сказал... я только сейчас поняла. Он сказал: «На мыс падают звезды». Понимаете? На мыс. Не в том смысле, что их отсюда видно, а...

— Оговорился небось, — пробурчал Гарик. — Местные за речью не следят. Говорят как получится.

Женька, подтверждая слова друга, качнул головой. И уронил ее еще ниже. Последняя доза явно оказалась для него лишней, и Света бросила на приятеля преисполненный презрения взгляд.

— А если не оговорился?

> Звезды с неба падают бисером,
> Я сижу на окне под звездами,
> Жду удачу, удача близится,
> Нависает удача гроздьями... —

промурлыкал Борода.

— Андрей, перестань!

— Зачем? — возмутилась Света. — Пусть поет.

Сашка улыбнулась, прижалась к Гарику и повторила вопрос подруги:

— А если не оговорился?

— Тебе нужна звезда? — громко спросил Борода, глядя прямо на Лену.

Девушка не отвела взгляд.

— Мне нужна, — мягко поведала Сашка. — Гарик, ты достанешь?

— Одну? — поинтересовался парень, заключая девушку в объятия.

Они были занятной парой: Гарик высокий, довольно упитанный, но не толстый, толстым ему еще предстояло стать, плотный, широкий в кости. А Сашка, не уступающая ему в росте, — худая, тощая, как палка.

— Зачем мне одна? — улыбнулась девушка. — Две в ушки, несколько на пальчики и россыпь на ожерелье. Главное, чтобы блестели поярче и карат побольше.

— Как в том анекдоте, — пробормотала Света. — Леопард на плечах, «Ягуар» в гараже и козел, который за все это платит.

— Точно! — согласилась Сашка.

— Какая ты меркантильная! — Гарик поцеловал подругу в губы. — Не буду тебе ничего доставать! Никаких звезд.

— Но ведь ты не козел. — Сашка нежно провела ладонью по щеке парня.

— Правда?

— Правда, правда, — вклинилась в разговор Света. — По козлам у нас другие специалисты есть.

Только в этот момент Лена и Борода перестали смотреть друг на друга. Обернулись к блондинке.

— Предлагаю больше не пить, — буркнул Андрей. — Пока, по крайней мере.

— Купаться! — взвизгнула Сашка. — Надо освежиться!

— Там правда хороший пляж? — поинтересовался Гарик.

— Отличный!

Света уныло посмотрела на то, как Борода помогает Лене подняться на ноги, на довольную Сашку, шмыгнувшую в палатку за купальником, на дремлющего Женьку, перевела взгляд на почти почерневшее небо и вытащила из кармана свой любимый mp3-плеер:

— Я не пойду. Холодно.

Белоснежный красавец катер мерно покачивался у причала, к которому от дома вела аккуратная дорожка. Волны тихонько били в борт, игриво приглашая в гости: промчаться по реке, вздымая фонтаны брызг, разорвать сонное движение Оки стремительными виражами, рассмеяться, подставляя лицо встречному ветру...

Но Михаил не слышал нашептывания волн. Он вообще ничего не слышал. Он даже дома еще не был: привязал катер, сошел на берег да и присел прямо на землю. Задумчиво жевал травинки, иногда курил и не отрываясь смотрел на реку.

А когда солнце наполовину скрылось за лежащим через Оку полем, Михаил поднялся на ноги и спокойной, уверенной походкой направился вдоль реки обратно, в ту сторону, откуда приехал.

Идти предстояло долго, мыс находился километрах в десяти от дома, но Михаил знал, что успеет. Бывают моменты, когда время и расстояние не имеют значения.

— Лена... — протянул Борода.

И замолчал, не сводя глаз с сидящей рядом девушки.

Они так и не добрались до пляжа. Гарик с Сашкой умчались вперед, при этом Гарик заговорщицким шепотом попросил приятеля «не торопиться», вызвав у Бороды легкую зависть: конечно, у них все давно понятно. А тут... Лена к предложению прогуляться по берегу отнеслась с пониманием. Улыбнулась — в последнее время Андрей часто видел на ее губах эту улыбку: то ли грустную, то ли задумчивую, *закрытую* улыбку — и медленно направилась в противоположную от пляжа сторону. Борода следом. Перебрасываясь ничего не значащими словами, они вышли к берегу, уселись на землю и вот уже десять минут смотрели на горизонт, еще окрашенный зашедшим солнцем. Скоро появятся звезды.

«Они падают на мыс...»

— Лена...

Девушка глубоко затянулась, бросила окурок в реку и только после этого, не глядя на лежащего на спине парня, спросила:

— Что?

Короткое слово, три буквы, но голос прозвучал **настолько безразлично, что Андрей вздрогнул.**

— Тебе не холодно?

— Нет.

На ней лишь легкая майка и тонкие брюки. Лена взяла с собой толстовку, но так и не надела ее — вечер был очень теплым, совершенно не августовским.

Борода привстал и положил руку на плечи девушки. Чуть помедлил, склонил голову и прикоснулся губами к прохладной нежной коже.

— Обманываешь.

— Пойдем в лагерь, — негромко предложила Лена.

— Нет, хочу побыть с тобой.

— Да, здесь красиво.

Девушка опять улыбнулась. И опять: задумчиво или грустно? Если грустит, то о чем? Если думает, то о чем? Откуда у жизнерадостной девчонки, которую Андрей знал три года, такая печаль? С чем она связана?

— Река, небо, заходящее солнце и мы с тобой вдвоем.

— Нет, — покачала головой Лена. — Мы с тобой на берегу.

— Я думал, мы приехали вместе, — тихо сказал Борода.

— Тогда не торопись, пожалуйста. — Девушка посмотрела парню в глаза. — Хорошо? Не надо торопиться. — И прикоснулась рукой к его плечу. — Пожалуйста.

— Да я, кажется, не тороплюсь.

Их первое свидание состоялось месяц назад. До этого у Андрея — он знал — шансов не было. Дальше шуток и легкого флирта дело не заходило. И вот случилось. Слухи о Лене ходили разные, но Борода не обращал на них внимания: что было, то было. Месяц назад он узнал, что Лена вернулась с моря. Позвонил, предложил встретиться. Сходили в кино. Через пару дней подтянулись в Москву Гарик и Женька — обычная компания, съездили на пляж. Удивились, конечно, увидев Лену с Андреем, но вида не подали. Светка только злится, но это мелочи. Зато Сашка к Лене хорошо относится. Потом еще встречались, развлекались, веселились, но и только. Целоваться начали две недели назад. А когда Лена согласилась пойти в поход, Борода понял: время пришло.

И вот: «Не торопись». В глубине души нарастало раздражение. Ехидные замечания Светки, водка, выпитая за ужином, холодность Лены... К сожалению, поглощенная собственными мыслями девушка не поняла, что творится с другом.

— Как ты думаешь, это правда?

— Ты о чем?

— Что на мыс падают звезды?

«Хозяин катера!» Приземистый, уверенный в себе, богатый здоровяк. Они ворковали всю дорогу!

— Хочешь узнать, что я думаю?

— Да. — Лена с удивлением посмотрела на парня: ей совершенно не понравился его тон.

— Я думаю, что он тебя клеил, понятно? Увидел красивую девчонку и принялся сказки рассказывать...

— Ты не...

— А ты уши развесила! «Поверни направо! Поверни налево! Посмотри, сюда по ночам звезды падают!» Запала на него, да?

— Не говори ерунды, — поморщилась девушка.

— Конечно, он коротышка, зато с деньгами. Катер крутой. Тачка небось крутая! Дом на Оке!

— При чем здесь это? При чем здесь Михаил?

Я его видела один раз и больше никогда не увижу! Андрей, опомнись! Что ты говоришь?!

Но Борода слышал только себя.

— Дура ты, дура самая настоящая! Все миллионеров ищешь. Не хватило тебе, да? Одного раза мало? Не поняла, для чего ты им нужна?

— О чем ты... — Вспыхнула. — Заткнись!

— Я тебе нужен, поняла? Я! Лена, я ведь люблю тебя.

Девушка отстранилась.

— Андрей, давай поговорим завтра, хорошо? Ты устал, выпил...

— Но не напился!

— Мне так не кажется!

Надоело! Лена попыталась подняться, но Борода ухватил ее за плечи, рывком вернул на землю, попытался навалиться:

— Я ведь люблю тебя... больше всего на свете люблю... звезду для тебя достану... ты моя единственная... я только о тебе думал...

— Пусти!

Он покрывал лицо и шею девушки поцелуями, шептал ласковые слова, признавался в любви и лез под майку.

— Лена...

— Андрей, не смей! Не надо.

— Почему не надо? Почему? Я все время думаю о тебе...

Она ударила его по лицу.

И сама вскрикнула от неожиданности. Или от страха. Или от отвращения.

Но цели своей достигла: Борода опомнился, медленно разжал руки. Потер щеку. Опустил глаза.

— Лена, я не знаю, что нашло...

— Не подходи ко мне! Слышишь? Не подходи!

Она вскочила и бросилась в лес, не обращая внимания на бьющий в спину крик:

— Лена!!

— Где мы находимся?

— В двадцати пяти километрах от стартовой точки, — ответил Герман, изучающий картинку на экране спутникового навигатора. — Если прибор не врет, мы проскочили мыс.

Яша обернулся к старику:

— Как это объяснить, Степан Семенович?

— Август, — пожал плечами тот.

— И все? — Длинный начал звереть. — Просто «август»?!

— Ты, пацан, глаз с берега не сводил, — напомнил старик. — Каждое дерево изучал. Пропустил мыс? Пропустил. Кто виноват?

— Ты сказал, что довезешь, — набычился Яша.

— Я ничего не обещал.

— Неужели?

Длинный сделал движение рукой, словно хотел ударить старика по лицу, но Володя успел дернуть приятеля за плечо.

— Оставь!

— Он нас обманул!

— Он ничего не обещал!

— Он... — У Яши поникли плечи. Не глядя на старика, длинный выскочил из лодки на берег, сделал пару шагов и остановился. Спиной к реке. — Все напрасно.

— Пойдем пешком, — принял решение Володя. — По берегу пойдем. Так мы его точно не пропустим. Выгружайте вещи.

— Зря, — едва слышно произнес Степан Семенович. — Давно надо было понять, что зря. Даже если дойдете, что делать-то будете? На что надеетесь?

— Чего смурной? — Света присела рядом с Бородой. — Где Лена?

— В лесу, — коротко ответил Андрей.

Достал из рюкзака початую бутылку, налил водки в кружку, выпил. Плюнул в костер. Света медленно сняла плеер и убрала его в карман.

— В лесу? Одна?

— Да.

— Жива? — после короткого раздумья поинтересовалась девушка.

— Я ее убил и съел, — буркнул Борода.

— С тебя станется.

Она игриво толкнула Андрея в бок.

— Неужели?

— Поругались?

— Да.

Света подвинулась ближе, прижалась бедром.

— Из-за чего?

— А тебе не все равно?

— Интересно все-таки. Вы вместе приехали. И вроде все у вас нормально было. В электричке она на твоем плече спала...

— Заметила?

— Это все видели.

— Но ты заметила, — подчеркнул Андрей.

— Я все, что с тобой связано, замечаю.

Он не услышал намека, таящегося в последних словах: слишком был поглощен своими проблемами.

— Это мне казалось, что у нас с Леной все нормально.

— А на самом деле?

— А на самом деле ей на меня плевать. Ей папик с деньгами нужен. Тачка, прикид и все дела. Привыкла, блин.

— Она так сказала? — тихо спросила Света.

— Разве вы так говорите?

Девушка понимающе улыбнулась:

— Сам догадался.

Борода промолчал.

— Тогда все очень плохо.

— Почему?

— Слова лгут, — протянула Света, глядя на огонь. — Слово — воробей, вылетело, и забыл на фиг. А если сердцем чувствуешь, что ей на тебя плевать, то...

— Блин, не хотел ведь об этом!

Андрей снова потянулся за бутылкой, передумал, вернул водку в рюкзак и собрался подняться. Но Света его удержала:

— Не уходи.

— Не понял?

— Чего непонятного? — огрызнулась девушка. — Пусть Ленка по ночному лесу шастает, раз ей нравится. А мне тут страшно.

Борода огляделся.

— В лагере?

Привыкший к походам парень не понимал, как может быть страшно у костра.

— Какая, к чертям, разница: лагерь или нет? Лес вокруг!

— А Женька где?

— В палатке дрыхнет, не добудишься.

— До сих пор спит?!

— Так он не такой крутой, как вы с Гариком. Вы

вон прочихались и как огурчики. А этот... — Света скривилась. — Отрубился как маленький. Наверняка до самого утра продрыхнет.

— А Гарик с Сашкой где?

— Угадай с трех раз.

— Еще не вернулись?

— А чего им возвращаться? Им весело.

Андрей провел рукой по лбу. И вновь легкая зависть при упоминании о Гарике: понятно, чем он сейчас занимается. Подумал. Протянул:

— Купаться ночью — это надолго.

— Вот и я о том же.

Борода внимательно посмотрел на девушку:

— Получается, Светка, мы с тобой одни? Ночью. У костра.

— Какой ты быстрый, — усмехнулась она. — У костра...

— А что не так?

— У костра не буду. В палатке.

— В твоей?

— В моей Женька спит.

— Точно! А я и забыл о нем.

— Я тоже.

Они рассмеялись. Поцеловались. А потом Борода помог Свете подняться на ноги и, обняв девушку за талию, повел к своей палатке.

Странно, но зла не было. Ненависть, что душила Лену еще двадцать минут назад, исчезла. Испарилась, уступив место опустошенности. Горькой опустошенности. Понимание, какой видят ее окружающие, безжалостное понимание, давным-давно загнанное в самый дальний уголок души, вдруг всплыло с пугающей отчетливостью. Вынырнуло, словно утопленник из черной воды, повернуло к девушке разлагающееся лицо, усмехнулось безгубым ртом. Протянуло корявые руки. Холодные, жадные руки. Похожие на те, что тискали ее тело несколько минут назад.

Стало тошно.

Кто она? Шлюха, раздвигающая ноги перед богатыми мужиками. Девочка без комплексов, которую можно пригласить «на природу» и там же, «на природе», впервые трахнуть. Без ухаживаний и цветов, наспех прошептав пару-тройку комплиментов, налив стакан водки. А что церемонии разводить? Раз пошла, значит, согласна.

«Первого ее помните? На «Мерседесе» за ней приезжал, по ночным кабакам водил, брюлики дарил...»

«А чего ушел? Посадили?»

«Говорят, она как-то напилась в сауне и всех его дружков удовлетворила. Прямо при нем».

«Шлюха!»

«Ага. Да и не первым он у нее был. Девчонки рассказывали, она хвасталась, что еще в школе с физруком переспала...»

Забавные все-таки звери — люди.

Раз Сергей на «Мерседесе» приезжал, значит, бандит. А есть, между прочим, еще одно слово на букву «б» — бизнесмен. Удачливый бизнесмен. Но чтобы таким стать, надо не пиво по вечерам в парке жрать, а книжки умные читать. Два высших образования получить, два языка в совершенстве знать и работать по двенадцать часов в сутки. И ушел он потому, что за два года, которые они прожили вместе, Лена так и не забеременела. Как ни старалась. Сергей на одних только врачей больше тридцати тысяч баксов потратил, а еще к знахаркам ее водил, к «ведьмам», к экстрасенсам. Все без толку. А потом, на корпоративной вечеринке, он по пьяной лавочке переспал с собственной секретаршей, и она тут же залетела. А ребенок для Сергея — святое. Вот и вся история. Глупая. Как всегда.

Он предлагал сохранить отношения. Умолял остаться с ним. Как раз в положении содержанки. Но ведь это совсем не то, о чем мечтала Лена.

— Горько тебе, доченька?

Девушка вскрикнула и обернулась.

— Напугала? Извини, доченька, не подумала я, что ты шагов моих не услышишь. Извини.

— Ни-ичего, — пробормотала Лена. — Я... да, я не услышала. Испугалась.

Пальцы слегка дрожали, но девушка уже пришла в себя. Успокоилась и даже рассмотрела неожиданную гостью. Женщине за пятьдесят, но осанку еще не потеряла, фигура крепкая, статная. Одежда темная, сливается с лесными тенями. Юбка до пят, закрытая кофта с длинными рукавами, на голове платок. И черная полоса на глазах. В первый момент Лене показалось, что на женщине солнцезащитные очки, — едва не рассмеялась, но уже через мгновение девушка поняла: не очки — повязка. Именно повязка.

Гостья оказалось слепой.

— Вы...

— Да, доченька, да. Как летучая мышь.

— Но как же вы по лесу?

— Привыкла. Да и лес мне этот родной. Каждое деревце, почитай, знаю. На слух здесь хожу, на ощупь, сердцем смотрю. К тебе вот сердце привело. Горечь твою услышало и привело.

Лене стало стыдно. Неужели она что-то произнесла вслух?

— Нет, ты молчала, всхлипывала только.

— Тогда откуда вы знаете?

— А я, доченька, калека. — Женщина присела рядом и дотронулась пальцами до повязки. — Я, доченька, не вижу ничего, во тьме живу. И господь меня за это другим наделил. Чтобы, значит, не пропала я в темноте, понимаешь?

— Что же вы обо мне знаете?

— Я, доченька, много о тебе знаю. Но хочу, чтобы ты сама мне все сказала.

— Что сказала?

— Что захочешь. А ничего не захочешь — и ладно. Молча посидим.

— Я не знаю, что рассказывать, — после длительной паузы произнесла девушка.

Лена вытащила из кармана пачку сигарет, но передумала, поняла, что женщине вряд ли понравится, если она закурит. Спрятала пачку обратно, но зажигалку оставила — в пальцах вертеть.

— Я...

— Начни с главного, — предложила слепая. — Главное скажи, а остальное само вспомнится.

С главного? А что главное? Что ушел Сергей? Что рассыпалась похожая на сказку жизнь? Что завистливые взгляды за спиной сменились на торжествующие? Рассказать, как поступил с ней Борода? Какие истории рассказывают о ней прыщавые однокурсники? Что главное?

Лена поднесла к губам руку, сильно, очень сильно, так, что пошла кровь, укусила себя за запястье и, чувствуя, что вот-вот разрыдается, прошептала:

— Я ненавижу себя.

Ноги по щиколотку утонули в дне. К счастью, под слоем скользкого, неприятного ила оказалась твердая земля, и Гарику не составляло труда удерживать равновесие, поддерживая Сашку за бедра.

— Как хорошо...

Тонкие руки девушки скользили по шее Гарика, горячее дыхание обжигало ухо, а упругие груди с твердыми капельками сосков то и дело скользили по лицу, горяча и без того возбужденного парня. С каждым мгновением Сашкины движения становились все более и более резкими, жадными. Она ощущала приближение восхитительного финала, чарующего взрыва и действовала все требовательнее и требовательнее.

И не сдержала длинный стон, водомеркой помчавшийся по гладкой поверхности Оки.

И несколько коротких выдохов, что издал Гарик, не смогли соперничать с ее возгласом ни в громкости, ни в протяженности.

— Как же хорошо...

Сашка прильнула к нему всем телом, Гарик ощутил торопливое биение сердца девушки, затем повернула голову и наградила друга долгим, очень нежным поцелуем.

— Ты — лучший, Гарик!

— Я знаю.

Девушка рассмеялась, разжала объятия, откинулась назад.

— Ты самый лучший!

— Самая лучшая на свете — это ты. Я просто рядом.

— И звезду достанешь?

— У меня уже есть.

Сашка счастливо улыбнулась, мягко освободилась от объятий и отплыла к середине реки. Перевернулась на спину и обратила довольный, умиротворенный взгляд в звездное небо.

Гарик вытащил ноги из илистого дна, несколько секунд руками стирал ил со ступней, вновь перевел взгляд на подругу и неожиданно для самого себя улыбнулся.

«Моя!»

Девушка оказалась прямо на лунной дорожке, и мягкий свет аккуратно подчеркивал высокие скулы, тонкую шею и линию груди, изредка показывающуюся из воды.

Парень подплыл к Сашке и нежно поцеловал подругу в щеку.

— Какая же ты красавица!

Она улыбнулась, но не оторвалась от созерцания звезд. Гарик помялся.

— Саша... я хотел спросить...

— О чем?

— Давай жить вместе, а?

Девушка помолчала.

— Просто жить?

— Ну... да.

— Где?

— Можно у меня. Можно у тебя. Какая разница? Мы и так почти... Ну... Мы много времени вместе проводим. Как бы...

— И что?

— Я сказал что, — буркнул Гарик.

— Просто так я жить вместе не буду, — спокойно произнесла Сашка. — Ни с тобой, ни с кем-нибудь другим.

— А как будешь?

— Догадайся. — Она перевернулась на живот, улыбнулась и поплыла к берегу: — Я замерзла!

Гарик вздохнул.

«Просто так жить не буду!» А ночевать у меня оставалась. И дома оставалась, и на даче! На даче у нас вообще жила неделю! И на море вместе ездили! И я у нее ночевать оставался! Блин, тетя Надя меня...

«Просто так жить не буду!»

Понятное дело, чего она хочет. — Парень медленно поплыл за подругой. — А если не просто так?..»

Но вспомнились слова Бороды: «В нашем возрасте женятся только по залету». А это образованным ребятам не грозит. Во-первых, презервативы — таблетки Сашка глотать отказывалась. Во-вторых, анонимные и вполне доступные по деньгам медицинские услуги. Весной, когда они вернулись с Эльбруса, Сашке пришлось делать аборт. То ли резинка порвалась в неподходящий момент, то ли еще чего, но... Короче, один день, и все в порядке. Правда, Сашка какая-то задумчивая ходила почти месяц, да и сам Гарик, говоря откровенно, чувствовал себя неуютно. Все-таки одно дело презерватив, и совсем другое — операция. Пусть даже «мини». Все равно ощущение не из приятных. При воспоминании до сих пор царапало в душе. И лозунг этот, про узаконенное убийство... В свое время Гарик не обращал на плакаты социальной рекламы никакого внимания. Но потом вспомнил. Когда Сашкины глаза после операции увидел — вспомнил. Когда она целый месяц не улыбалась — помнил. Они не винили друг друга, не выясняли, кто «не успел», а кто «не предупредил», но Гарик чувствовал: что-то изменилось. И вот сейчас снова царапнуло. Хотя казалось бы: такой вечер классный, луна, звезды...

— Блин, а где луна?

Огромный диск, только что висевший едва ли не над самой головой, неожиданно исчез, пропал, и тьма стала непроглядной.

«Тучи?»

И тут тишину разрезал истошный Сашкин вопль.

— Что? Кто?! Что за крик?

Взлохмаченный Женька выскочил из палатки, замер, соображая, где находится, прикидывая, откуда кричали, и вдруг издал невнятный возглас.

На шум выскочил не только он.

Света. В распахнутой рубашке. На ходу застегивает джинсы. За ней Борода. Полуголый. Оба босиком.

— Кто кричал? — это Андрей. Он еще не сообразил, что перед палаткой стоит Женька. — Вроде женский голос?

— Женский, — угрюмо подтвердил Женька и изо всех сил ударил приятеля ногой.

Света, разумеется, растащить мужиков в одиночку не могла.

Впрочем, не женское это дело — дерущихся мужиков растаскивать. Женщина способна не дать драке начаться. Одним словом, ледяным взглядом, высокомерием, презрением остудить самых разгоряченных мужчин. Заставить их почувствовать себя маленькими детьми, опустить глаза и разжать кулаки. Но когда драка началась, когда соперники стараются даже не ударить — убить друг друга, тогда женщина может только наблюдать. Или визжать.

Что, собственно, Света и делала.

— Андрей! Женя! Не надо! Помогите! Помогите нам!!

Первой из чащи вынырнула Лена. Увидела дерущихся парней, вскрикнула.

— Светка, что случилось?

— Они убьют друг друга!

К счастью, топор Гарик оставил на куче дров в противоположном конце лагеря, ножи девчонки помыли и убрали, так что парням оставалось выяснять отношения на кулаках. Но бой все равно выглядел страшно. Не по-детски — по-взрослому. Женька боксер, Борода занимался карате. И оба охвачены бешеной ненавистью, оба не помнят себя.

Более массивный Андрей сумел повалить Женьку на землю, прижал своим телом, принялся молотить кулаками по голове. За мгновение до этого на поляну вышел Гарик, хотел рвануться разнимать, но понявшая, что происходит, Сашка повисла на руке:

— Стой! Не лезь!

— Сашка, опомнись!

— Не лезь!

— Гарик, разними их!

Это Света и Лена, в унисон. А как разнять? Надо сначала Сашку отцепить...

Выручил Михаил.

Невысокий, но быстрый и, как оказалось, действительно сильный. Вылетел на поляну, схватил Бороду за шкирку и одним движением отбросил на пару метров от соперника. Гаркнул попытавшемуся подняться Женьке:

— Лежать!

Развернулся к ослепленному яростью Андрею — тот успел вскочить и вновь броситься в драку — и встретил его очень аккуратным ударом в скулу. Борода мешком повалился на землю. Гарик, так и не оторвавший намертво вцепившуюся в него Сашку, только крякнул. Света и Лена затихли.

Михаил оглядел поляну, поправил шорты и негромко буркнул:

— Добрый вечер.

Как это частенько бывает, неловкость, вызванная потасовкой, быстро исчезла под натиском неотложных дел.

Костер почти погас, к тому же драчуны выбили из него несколько поленьев, и Гарику пришлось отправиться за новой порцией дров. В прихваченной с собой аптечке отыскались и зеленка, и бинты, и пластырь; Света с Сашкой принялись приводить Андрея и Женьку в порядок. Андреем занималась Света. Разумеется, не обошлось без бородатой шутки насчет «фонарей», от которых на поляне стало светлее, и смех, что выдавили из себя девчонки, тоже способствовал разряжению обстановки. Впрочем, друг на друга Женька и Борода старались не смотреть.

— Кстати, — поинтересовалась Лена, закуривая сигарету, — Сашка, почему ты кричала?

— Так неприятно, — поморщилась девушка.

— Она корову дохлую на берегу нашла, — весело поведал Гарик. — Стала выходить из воды и наткнулась.

— Меня чуть не вырвало, — передернулась Сашка. — Я так испугалась.

— Я решил, по меньшей мере — волки.

— И стал ржать как сумасшедший.

— Так ведь всего-то — корова.

— Дохлая!

— Ну и что?

— Мы там купались!

Михаил, присевший на бревно рядом с Леной, тихонько рассмеялся.

— А вы здесь как оказались? — поинтересовалась Света, не забыв многозначительно посмотреть на Сашку.

— Пришел посмотреть, как вы устроились. Все-таки места здесь довольно дикие, от деревни далеко...

— Ни фига себе — далеко! — жизнерадостно воскликнул Гарик. — А как же корова?

— Дикое животное, — мягко улыбнулся Михаил.

Ребята заулыбались.

— На катере приплыли? — не унималась Света.

— Пешком пришел.

— А говорили, что живете далеко.

— Ну... я люблю гулять по вечерам.

Лена, внимательно изучающая тлеющий кончик сигареты, едва слышно спросила:

— А все-таки: зачем?

— За тобой, — так же тихо ответил Михаил.

— Вот так просто: за мной?

— Хотя бы за твоим телефоном.

— То есть ты готов к трудностям? — Девушка бросила недокуренную сигарету в огонь и внимательно посмотрела в глаза Михаила.

— Ты имеешь в виду красивые слова, любовные письма и нескончаемые корзины цветов?

— Это тоже.

— Такие трудности меня не смущают, — улыбнулся Михаил. — А ты готова?

— К чему?

— К тому, что не отвертишься от меня?

Лена ответила на улыбку, позволила взять себя за руку. Едва заметно кивнула, но сказать сначала решила о другом:

— Сегодня в лесу я встретила необычную женщину. Слепую.

— Блаженная Лукерья, — помолчав, произнес Михаил.

— Ты ее знаешь?

— Ее все знали.

— Она не показалась мне сумасшедшей.

— Лукерья не сумасшедшая, — поправил девушку Михаил. — Блаженная.

— Да. — Лена улыбнулась. — Есть разница.

И вдруг поняла, что Миша сказал о Лукерье в прошедшем времени.

— Почему «знали»?

— Она умерла семь лет назад.

Короткая пауза, чтобы осознать смысл его слов.

— Ты шутишь?

— Нет.

— И ты так спокойно мне об этом говоришь?

— Мы на Левом мысу, Лена, — улыбнулся Михаил. — Как я должен был тебе об этом сказать?

Действительно — как?

«Сюда падают звезды...»

— И ты веришь, что я с ней говорила?

— Верю.

Спокойный, очень теплый взгляд. Никакой усмешки, никакого ехидства.

— Она мне помогла, — тихо произнесла Лена. — Она мне очень помогла.

— Лукерья всем помогала.

— И тебе?

— И мне.

Девушка подвинулась чуть ближе, их лица едва не касались друг друга.

— Как?

— Она обещала мне звезду.

Ребята притихли, старались не мешать Лене и Михаилу. Правда, Света пыталась привлечь их внимание громким вопросом, но Борода так на нее посмотрел, что девушка почла за благо замолчать. Уселась между Андреем и Женькой и не сводила глаз с огня. А с другой стороны, обнявшись, сидели Гарик и Сашка.

И лишь когда все поняли, что безмолвный диалог Лены и Михаила закончился, Женька вдруг спросил:

— А это правда, что в августе на мыс падают звезды?

— Да, — кивнул Михаил.

И все машинально посмотрели вверх, попытались разглядеть огненный хвост сквозь кроны вековых сосен, но тщетно. Ночное небо, по всей видимости, плотно затянуло облаками, скрывшими от глаз и луну, и звезды. Черная, непроглядная тьма.

Только костер вдруг вспыхнул, ярко осветив поляну и лица ребят.

— Мы опять промахнулись!

— Не может быть!

— Может! — заорал Герман. — Может, б...! На, убедись!

Яша дрожащими руками вырвал у приятеля прибор, вцепился взглядом в светящийся экран, закусил губу.

— Где мы?

— Вот эта точка.

Судя по карте, Левый мыс остался в километре позади.

— Это невозможно! Невозможно!!

— Смотрите, — глухо произнес Володя.

Вопреки всем рассказам, она не падала. Не чертила по ясному, усыпанному звездами небу красивую огненную дорожку. Она просто повисла над выступившим далеко в реку мысом и окутала вековые сосны величественным, царственным светом. Мерцала земля, обрамленная лазурными волнами, важно переливались янтарем толстенные стволы, нежным изумрудом светились кроны.

День, наступивший в ночи.

Свет, разогнавший мрак.

Яшка швырнул навигатор на землю и тоскливо завыл.

— Прости меня, — тихо сказал Борода.

Лена опустила глаза:

— Хорошо. Но больше об этом не будем.

И прижалась к Михаилу. Тот спокойно положил руку на плечи девушки. Вдохнул запах волос.

Андрей кивнул, поднялся, побрел к своей палатке. Света осталась. Тихонько шептала что-то, слушая плеер, и не сводила глаз с огня. Как и хмурый Женька.

— А у нас скоро свадьба, — вдруг сказал Гарик.

— Давно пора, — весело буркнула Лена.

Сашка рассмеялась, ткнулась лицом в плечо своего мужчины. Ей было тепло.

— Спасибо, — прошептал Михаил.

Стоявшая у деревьев Лукерья улыбнулась, кивнула и медленно скрылась среди деревьев.

* * *

Говорят, когда падает звезда, нужно успеть загадать желание. Проследить за огненной дорожкой, что рисует она в ночном небе, и поверить.

Поверить.

И тогда все получится. Все, что захочешь, — получится.

Но ведь звезды только освещают то, что видят на земле. На одно короткое мгновение рассекают они тьму, дарят тебе свой свет.

Свет...

И смотреть надо не на них, а на тех, кто рядом.

БОНСАЙ

Путь Самурая — это смерть.

В ситуации «или — или» без колебаний выбирай смерть. Это нетрудно. Исполнись решимости и действуй. Только малодушные оправдывают себя рассуждениями о том, что умереть, не достигнув цели, означает умереть собачьей смертью. Все мы желаем жить, и поэтому неудивительно, что каждый пытается найти оправдание тому, чтобы не умирать. Но если человек не достиг цели и продолжает жить, он проявляет малодушие. Он поступает недостойно. Если же он не достиг цели и умер, в этом нет ничего постыдного. Такая смерть есть Путь Самурая. Если каждое утро и каждый вечер ты будешь готовить себя к смерти и сможешь жить так, словно твое тело уже умерло, ты станешь подлинным самураем.

Тогда вся твоя жизнь будет безупречной.

* * *

— Знаешь, я все-таки возьму эту лилию.

— Непрактично, — заметила Галка. — Здесь одна луковица, а стоит она почти столько же, сколько три вот этих.

Ольга задумчиво повертела в руке пакет — действительно, один корень, посмотрела на картинку, изображавшую роскошный золотисто-красный цветок, и покачала головой:

— Он красивый.

— Непрактично, — повторила подруга.

— Красота стоит денег.

Галка хмыкнула, но ничего не сказала, лишь выразительно посмотрела на подругу. И было непонятно, что именно вызвало усмешку: упрямство молодой женщины или забитая до отказа тележка, в которой вперемешку лежали будущие лилии и хризантемы, георгины, гладиолусы и розы. Корешки, семена, рассада — создавалось впечатление, что Ольга собирается открыть оранжерею, что, впрочем, было не так уж далеко от истины. Три месяца назад она стала мамой, предстоящее лето планировала провести на даче, вот и решила приукрасить участок цветами.

— Ты хотела взять траву для газона, — напомнила Галка.

— Да. — Ольга в последний раз окинула взглядом полки и толкнула тележку: — Пойдем.

Огромный супермаркет сети «Мир садовода» был подлинным раем для любителей покопаться в навозе. Здесь они могли отыскать любую мелочь для услады души: саженцы, газонокосилки, удобрения, горшки, семена, шланги — в общем, все, что могло расти, и все, с помощью чего за растущим ухаживали.

— Какие красивые! — восхитилась Ольга, останавливаясь у полок с карликовыми деревцами. — Прелесть! Это бонсай?

— Ага, — со знанием дела подтвердила Галка. — Красивые, но дорогие, заразы!

— Они не вырастают?

— Нет. — Галка оставила свою тележку и подошла к полкам. — Комнатные растения.

— Фикусы.

— Да, тоже деревья.

— И тоже маленькие.

— Не в размере счастье.

Женщины переглянулись и одновременно прыснули.

— Мне Гера подарил бонсай на Восьмое марта.

— И как?

— Растет. — Галка медленно прошла вдоль полки. — Красивый.

— Осенью листья сбросит?

— Через полгода узнаем.

Женщины снова рассмеялись.

Галка, в отличие от подруги, садоводством болела по-настоящему, и новые растения в ее квартире появлялись не реже раза в месяц. Она-то и подсказала Ольге, как приукрасить дачный участок.

— А это что?

— Где? — Галка подошла к деревцу, на которое указала подруга. — Это? — Прищурилась. — Впервые вижу.

Понравившееся Ольге деревце не было красивым, скорее — изящным. Основательный ствол, крепкие ветви — оно твердо стояло на земле, и весь его вид говорил о надежности и спокойствии. Ольга вдруг подумала, что налети сейчас ураган — не шелохнется бонсай, не вздрогнет, останется стоять, как стоял. И в то же самое время при взгляде на деревце не возникало ощущения простоты или грубости. Перед женщиной был не бункер, а замок — крепкий, неприступный, но элегантный. Изящный. А длинные узкие листья напоминали знамена, развевающиеся над башнями и зубчатыми стенами.

— Красота какая! — Галка восхищенно улыбнулась и прочитала надпись на ценнике: — «Сердце Самурая»! Никогда не слышала.

— Оно мне нравится, — зачарованно произнесла Ольга.

— Бонсай на открытый грунт не высаживают, — торопливо поведала знающая подруга. — Это комнатное растение.

— Ты говорила, — кивнула Ольга. Взгляд ее стал решительным и упрямым. — Беру! Будет стоять в доме.

— Зачем? У тебя даже кактуса нет. Колыванов твой надо мной смеется постоянно, цветы травой называет. Он ведь не любит домашние растения, да?

— Не любит.

Володя, муж Ольги, к цветам на подоконнике относился, мягко говоря, без энтузиазма и с удовольствием потешался над зеленым хобби друзей.

— Вот и чудненько. — Галка взглянула на цену, тихо ойкнула и открыла кошелек. — Не хватит... не хватит... — Посмотрела на свою тележку. — Ладно, удобрения не возьму и горшки... и лилии... В следующий раз заеду. — Перевела взгляд на подругу: — Одолжи...

— Я тебе его не отдам, — отрезала Ольга и взяла деревце в руки. — Не обижайся, Галка, но я его первая увидела.

— А Колыванов?

— Разберусь.

— Да ты знаешь, какого ухода требует бонсай? Это ведь целая наука!

— Справлюсь. Книжку куплю.

— А еще подруга называется. — На мгновение Галка насупилась, но тут же улыбнулась: — Ладно, огородница, подожди меня здесь, а я с продавцами поговорю. Может, у них еще один такой на складе завалялся?

И умчалась. И долго требовала от работников «Мира садовода» провести инвентаризацию, проверить запасники и поискать в других супермаркетах сети. Требовала, настаивала, даже ругалась, но все напрасно: к разочарованию Галки и удивлению менеджеров магазина, выяснилось, что бонсай «Сердце Самурая» прибыл в Москву в единственном экземпляре.

* * *

Быть слугой означает не что иное, как оказывать поддержку господину, вверяя ему все свои чаяния и отрекаясь от личной выгоды. Если посмотреть на мир, в котором все идет своим чередом, мы увидим многих людей, вкравшихся в доверие, надев личину преданности, мудрости и жизненного опыта. Но стоит господину уйти в отставку, как сразу же найдутся слуги, которые отвернутся от него и будут искать расположения нового повелителя. Об этом неприятно даже вспоминать.

Говорят, что для слуги в отношениях с хозяином главное — преданность. Хотя преданность может поначалу казаться тебе недоступной, в действительности она у тебя перед глазами. Если ты однажды решишь довериться ей, в то же самое мгновение ты станешь безупречным слугой.

* * *

— Как Мишка?

— Нормально. — Ольга улыбнулась. — Выбрасывает погремушки из кроватки.

— В смысле, они у него падают? — уточнил Володя.

— Нет. В смысле: привлекает к себе внимание.

— Здорово.

Муж усмехнулся, но Ольга видела, что веселья в его глазах нет. Да и вопросы о сыне Колыванов задавал, что называется, «на автомате», ответы выслушивал, но мыслями пребывал далеко-далеко. Где-то в бухгалтерских отчетах, деловых переговорах и проектах. В бизнесе.

Принадлежащая Володе фирма занималась поставками специфического железнодорожного оборудования, уверенно стояла на ногах, легко преодолев, а точнее, почти не заметив кризис девяносто восьмого года. В свое время Колыванов вычислил товар, спрос на который не зависел ни от времени года, ни от биржевых сводок, поднял дело с нуля и сумел занять нишу на рынке. Однако с недавних пор идеально отлаженная машина начала давать сбои: конкуренты действовали все более и более дерзко, активно теснили Колыванова с давно занятых позиций, и жизнь Володи стала походить на затянувшийся триллер. Жену Колыванов в подробности не посвящал, ограждал от проблем, но Ольга видела, что у него неприятности.

— Я с Галкой сегодня в «Мир садовода» ездила! Цветов набрала кучу, траву для газона. А то у нас на даче как-то нерадостно.

— Цветы? Правильно. Только грядок никаких не надо.

— Грядок не будет, — пообещала Ольга. — Зато представь: прямо возле дома розы растут, хризантемы, лилии...

— Представляю, — кивнул Колыванов. — Я это, после ужина поработаю в кабинете, лады? Надо кое-что просчитать.

— Договорились. — Ольга прижалась щекой к щеке мужа. — Вовка, у нас все в порядке?

— У нас все будет в порядке, — уточнил он. — Все будет хорошо.

— А ты не обидишься?

— На что?

— Я еще кое-что купила. Пойдем. — Она увлекла мужа на кухню и с гордостью показала на подоконник: — Смотри!

Володя уставился на деревце.

— Не нравится?

Колыванов не ответил. И Ольга неожиданно увидела, что взгляд Володи стал куда более внимательным и сосредоточенным, чем во время разговора за столом. Колыванов не просто смотрел на деревце, а разглядывал его — знакомился. Таким взглядом смотрят на человека.

— Бонсай, — произнес наконец Володя.

— Называется «Сердце Самурая».

— Красивое название, — кивнул после паузы муж. — И, кажется, правильное.

— Только не спрашивай, сколько он стоит, — попыталась пошутить Ольга.

— Неважно, — отрывисто ответил Колыванов. — Ты правильно сделала, что принесла его домой.

— Ты же не любишь комнатные растения, — улыбнулась Ольга. — Я думала...

— Он мне нравится, — тихо сказал Володя. — Он настоящий.

Ей показалось, или ветви действительно чуть склонились, словно завершая церемонию представления? Наверное, показалось: форточка приоткрылась, легкий ветерок заставил шевелиться листья.

Что и создало эффект поклона...

Так в доме Володи и Ольги поселился зеленый самурай. Молчаливый. Знающий себе цену. Неброский.

Надежный.

И в то же время — трогательный. Его окно выходило на южную сторону, и, когда весеннее солнце начинало припекать, деревце приходило в движение. Листья приподнимались, тянулись вверх, навстречу теплу и свету, крона становилась похожей на распущенную ветром копну сена и вызывала непроизвольную улыбку. Бонсай же, казалось, улыбался в ответ. Ближе к вечеру он успокаивался, как будто готовящийся ко сну человек, ночью затихал, а утром все начиналось сначала.

И кухня, бывшая до тех пор простым хозяйственным помещением — Ольга и Володя предпочитали обедать и ужинать в гостиной, — преобразилась. Она стала уютнее, домашнее, в ней хотелось задержаться, посидеть, помолчать, подумать. Ольга попросила Володю переставить стол к окну и частенько пила кофе или кормила сына, то и дело поглядывая на стоящее на подоконнике деревце, наслаждаясь ощущением покоя. Тем редким ощущением, что появляется, когда рядом с тобой друг.

А самое удивительное, что маленький Мишка, дотянувшийся однажды до деревца, не попытался, как это принято у детей, оторвать лист, а только погладил бонсай. Погладил — и весело засмеялся, словно ощутив ответное прикосновение.

— Что скажешь, Олег?

— Все плохо.

— Черт бы побрал твою честность.

— Хотел услышать ложь?

— Нет, не хотел. — Колыванов угрюмо посмотрел на коммерческого директора своей фирмы. — Еще кофе?

— Давай.

Олег только что прилетел из Екатеринбурга, с важных деловых переговоров, и сразу же примчался к шефу, дабы лично донести плохие новости: к конкурентам уплывал крупный контракт. Была поздняя ночь, а потому мужчины, не желая беспокоить домашних, расположились на кухне. Полусонная Ольга сварила кофе и немедленно вернулась в кровать: времени на сон у молодой мамы не очень много.

— «Yellow Road» скинула еще десять процентов и дает гарантию на три года.

— Нам будет трудно предложить такие же условия.

— Исходя из того, что я знаю, — почти невозможно. — Олег размешал сахар в чашке с кофе. — Я думаю, «Yellow Road» не получит прибыль от этой сделки. Они предложили столь щедрые условия только для того, чтобы вышибить нас с рынка.

— Если потеряем контракт с Уральской дорогой, будет нелегко, — буркнул Володя.

— Угу. — Олег отхлебнул кофе. — Красивый бонсай.

— Ольга купила.

— Моя тоже просит. — Еще один глоток кофе, и Олег вернулся мыслями к текущим проблемам: — Такие, Володя, дела...

Но при этом продолжал смотреть на деревце.

Колыванов тоже перевел взгляд на «Самурая», на уверенную фигуру, возвышающуюся на подоконнике, напоминая воина, стоящего на крепостной стене. На маленькое растение, всем своим видом демонстрирующее, что следует оставаться твердым и сохранять спокойствие в любых обстоятельствах.

«Это просто дерево!»

Показалось или листья затрепетали? Пришли в движение, словно от прикосновения несильного ветерка. Сквозняк? Вряд ли. Вчера вечером погода испортилась, стало холодно, и Ольга плотно закрыла форточку. Сквозняка быть не может, но... листья волновались, а теперь к ним присоединились и ветви! Чуть вверх, чуть вниз, чуть в сторону... ветви задавали темп, направление, а листья формировали причудливый узор танца, увлекающего взгляд наблюдателя плавностью и изяществом.

«Дерево живет своей жизнью? Что за черт? От усталости мерещится?»

Колыванов усмехнулся, отвел взгляд от «Самурая» и пару мгновений разглядывал кофейную гущу на дне чашки.

«Погадать, что ли? В моих обстоятельствах остается только гадать, как «Yellow Road» умудряется действовать с такой потрясающей точностью...»

Тяжело вздохнул:

— Такое впечатление, будто в «Yellow Road» знают обо всех наших замыслах.

— Это я им рассказываю.

Сначала он даже не понял, ЧТО услышал. Мозг отказался принять признание всерьез. «Только не Олег!» Поэтому реакция запоздала почти на две секунды.

— Что ты сказал? Что?!

Олег молчал. Не шевелился. Не моргал. Смотрел на бонсай пустыми-пустыми глазами.

«Он что, принял наркотик? Нет, не может быть! Олег нормальный мужик, дрянью не балуется!»

А Олег все смотрел на деревце. На танцующие ветви. На затягивающий сознание узор, который рисовали листья. Смотрел и не шевелился, будто загипнотизированный.

Володя взял себя в руки. Как получилось, что бонсай загипнотизировал Олега, можно выяснить позже. Сейчас же следовало воспользоваться неожиданно возникшей ситуацией.

— Что ты сказал?

Молчание.

«Нужен правильный вопрос, — понял Колыванов. — Попробуем сначала».

— Такое впечатление, будто в «Yellow Road» знают обо всех наших замыслах.

— Это я им рассказываю.

— Давно?

— Два месяца.

«Как раз тогда и начались проблемы! Какой же я идиот! Даже не задумывался о возможности предательства!»

Неподвижный Олег терпеливо ожидал следующего вопроса, его глаза не отрывались от танцующих листьев. Володя потер лоб. «Скорее! Скорее!! Надо узнать самое важное! Понять, как глубоко они влезли в дела фирмы!»

— Они спрашивали о наших взаимоотношениях с поставщиками?

— Спрашивали. Я рассказал все, что знал.

«А знал ты, голубчик, не так уж и много». Колыванов похвалил себя за предусмотрительность: переговоры с производителями редкого оборудования он вел самостоятельно, не подпускал к ним даже самых близких помощников, и, как выясняется, не зря. Купив Олега, «Yellow Road» не получила доступ к основной информации и не узнала, что Колыванов может сделать уральцам еще более выгодное предложение.

Что ж, предатель выявлен, что делать дальше — понятно.

— Олег, почему ты это сделал?

— Мне предложили должность вице-президента и долю в предприятии. А ты, жадный урод, все гребешь под себя. Что тебе стоило поделиться десятью процентами акций?

Ответить Колыванов не мог.

Сеанс гипноза закончился минуты через две после последнего вопроса. Бонсай успокоился, обессиленные листья мягко легли на ветви, Олег тряхнул головой, поморгал и недоуменно посмотрел на закурившего Володю.

— Ты что-то сказал?

— Нет. Ничего.

— Странно. — Олег потер лоб. — Мне показалось, что я вырубился на какое-то время.

— Не заметил, — тихо произнес Колыванов. — Ты пил кофе и молчал. Я не мешал. Было о чем подумать.

— Устал, наверное, — криво улыбнулся Олег. — Все эти перелеты, переговоры... вымотался. Володь, я, пожалуй, поеду домой.

— Да, так будет лучше. — Колыванов посмотрел на неподвижное деревце и повторил: — Так будет лучше.

* * *

Высказывать людям свое мнение и исправлять их ошибки очень важно. В этом проявляется сострадание, которое больше всего помогает в вопросах служения. Однако делать это очень трудно. Прежде чем выразить человеку свое мнение, подумай о том, в состоянии ли он его принять. Позаботься о том, чтобы он получил твой совет, как получает воду тот, кто изнывает от жажды, и тогда твое наставление поможет ему исправить ошибки.

* * *

Первую половину следующего дня Володя посвятил делам фирмы. Он связался с производителями и выбил из них дополнительную скидку на очередную поставку, пообещав увеличить объем закупок. Он созвонился с уральцами и убедил их выслушать еще одно предложение, специальное и очень выгодное, лично от него. Он приказал Олегу заняться подготовкой к следующему конкурсу, который должен был состояться через два месяца — не следовало сразу показывать конкурентам, что шпион раскрыт. И только к обеду, убедившись, что контракт с уральцами практически у него в кармане, Колыванов вернулся к главному вопросу.

Бонсай.

Гипноз, которому подвергся Олег, — случайность или нет? Действительно ли деревце способно влиять на людей, или ночное происшествие стало следствием уникального стечения обстоятельств? Мог ли уставший и голодный Олег потерять контроль над собой, «вырубиться» и разболтать тайну? Или все дело действительно в «Сердце Самурая»? Ответ следовало получить как можно быстрее, ведь деревце находится на видном месте, на него смотрит Ольга, на него смотрит маленький Мишка — не получится ли так, что бонсай навредит их здоровью? Колыванову требовался хороший консультант, и он подключил все свои связи, дабы выйти на нужного человека — у солидного человека всегда под рукой толстая записная книжка. С кем-то познакомился на светском приеме, с кем-то на премьере, на чьем-то дне рождения, на тренировке в спортивном зале или в ложе почетных гостей на финале Кубка. А друзья солидного человека всегда готовы помочь и подключить своих знакомых, а те — своих... в общем, всего через час Володя узнал телефон одного из совладельцев сети «Мир садовода», позвонил и договорился о встрече. Колыванов не стремился выйти именно на этого человека, его бы устроил любой квалифицированный специалист, но решил, что в сложившихся обстоятельствах лучшего варианта и быть не может — люди, продавшие Ольге «Сердце Самурая», должны знать о нем все.

Денис оказался подтянутым веселым мужиком примерно одного с Володей возраста. Не снобом, не педантом, без конца посматривающим на часы, нормальным мужиком — а потому они быстро перешли на «ты». К тому же, к легкому удивлению Колыванова, Денис вызвался сам ответить на вопрос.

— Я думал, ты эксперта какого-нибудь вызовешь.

— У меня два образования, Володя, экономическое, но это Гарвард... закончил три года назад. А первая любовь — биология. — Денис усмехнулся. — Я ведь доктор наук.

— Ты?

— Удивлен?

Огромный, отделанный натуральным дубом кабинет. Колоссальных размеров письменный стол, построенный первоклассными мебельщиками по специальному заказу, напоминал небольшой редут. Глубокие кресла, из-за стеклянных дверец книжных шкафов важно поблескивают позолоченные корешки.

— Я, между прочим, до сих пор свою старую лабораторию спонсирую. И принимаю участие в разработках.

Доктор наук? Почему нет? Колыванов улыбнулся:

— А я всего лишь кандидат.

— В чем?

— Математика.

— Наш человек. — Денис вопросительно поднял брови: — Коньячку? За знакомство.

— Охотно.

— Лена, будьте добры: два кофе и коньяк. — Хозяин кабинета отключил интерком и вновь посмотрел на гостя: — Сергей сказал, что у тебя какая-то растительная проблема?

— Купил странный бонсай.

— Что в нем странного?

— Никто не может сказать, что это за дерево.

— Бывает, — махнул рукой Денис. — Проблема-то в чем?

— Я хочу узнать.

— И все?

— И все.

Доктор наук хмыкнул, кивком поблагодарил вошедшую с подносом девушку, разлил, на правах хозяина дома, коньяк — «За знакомство!» — и, закусывая лимонной долькой, осведомился:

— Фотография есть?

— Конечно! — Колыванов передал Денису диск с файлами. Бонсай он снял утром, собираясь на работу, сделал с десяток фотографий с разных сторон и на разном расстоянии.

— Посмотрим, что за зверь вырос...

Денис жестом попросил Володю вновь наполнить бокалы, а сам открыл первый файл.

И замолчал.

— Узнал зверя? — поинтересовался Колыванов.

Денис оставил вопрос без ответа. Быстро просмотрел остальные фотографии, задерживаясь на крупных планах, после чего откинулся на спинку кресла, сцепил на животе руки и в упор посмотрел на Володю:

— Где ты его взял?

— Купил. Жена купила.

— Где?!

— В вашем... в одном из твоих магазинов.

— В моем магазине?!

— Да.

Денис крякнул. Денис взлохматил идеально причесанные волосы. Денис взял свой бокал и, не чокаясь, без тоста, опрокинул коньяк в рот. Денис вновь сцепил руки на животе и покачал головой:

— Уволю. Всех уволю к ... матери. Идиотизм! Разучились работать. Или никогда не умели?

Рано или поздно любого руководителя посещают подобные мысли, а посему Колыванов слушал речь доктора наук с пониманием.

— Володя, ты не поверишь: тупость повальная. Ботаники хреновы! МГУ заканчивают, Тимирязевку заканчивают, а ни черта не знают! Пять лет в клубах потусуются, потом приходят и хотят работать типа «по специальности». Ну как же! Ведь в ботанике разбираются! Еще зарплату требуют, гады! Черт! Смешно сказать: каждый знает, как обустроить Россию, готов часами обсуждать эту тему, а на своем собственном месте — полный профан! Ничтожество! Был у меня один специалист по концептам в рекламном отделе. Пень пнем, даром что волосы длинные. «Давай, говорит, будем спонсировать команду знатоков. Прославимся!» Я его взял, чтобы он людей в магазины привлекал, а он прожекты пишет.

— Выгнал?

— Выгнать-то выгнал, но с кем работать? Люди разучились любить свое дело, свою профессию! Ничем не интересуются, кроме денег! Зато каждый считает, что я ему не доплачиваю...

— Зубы мне не заговаривай, — попросил Колыванов. — Что за траву я купил?

Денис вновь разлил коньяк, но брать бокал не стал. Внимательно посмотрел на Володю. Оценивающе посмотрел, как на деловых переговорах.

Колыванов внутренне подобрался.

— Что это за бонсай?

— А почему интересуешься?

— Из врожденного любопытства.

— Ерунду не говори, — поморщился Денис. — Что у тебя случилось?

— Я расскажу, — медленно произнес Володя. Он понял, что дело принимает куда более серьезный оборот, чем можно было ожидать. — Но сначала я хочу узнать, что это за дерево.

— Может, решим вопрос по-другому? — Денис прищурился. — Просто скажи, сколько ты за него хочешь?

Мишка опять заворочался, сладко причмокнул, перевернулся на другой бок, и Ольга поняла, что сын скоро проснется. Пора возвращаться домой. Она положила книжку в карман коляски, поднялась со скамейки, посмотрела на часы и медленно направилась к выходу из парка.

Седло скрутило до рвоты. Он ополоснул желудочным соком кусты — не стал гадить возле дорожки, боясь, как бы гуляющие по парку люди, возмутившись, не вызвали милицию, — и вернулся на скамейку еще более взбешенным, чем обычно. Оно и понятно: столько времени без дозы! Шнырек пока держался, раскурился вчера, чуть отпустило, но он тоже понимал, что без ханки долго не протянет. Не будет дозы — к вечеру наизнанку вывернет, будешь выть больным волком, проклиная все на свете... А на ханку бабки нужны: банкиры Седло и Шнырька как облупленных знали, в долг давно не верили, деньги требовали или товар. А где их взять? Из дома все давно продано, квартира превратилась в комнату в коммуналке, работы нет. Дважды им с Седлом удавалось угнать машину — «жигуленки» потрепанные, не оснащенные толковой сигнализацией. Несколько раз воровали по квартирам — Шнырек мелкий, в любую форточку пролезет, еще на улицах грабили, но это опаснее, да и в кошельках, как правило, много денег не находили. А хотелось урвать побольше, чтобы на месяц хватило или на два. Вот Седло и предложил в парке потусоваться, мол, богатые сучки из окрестных домов детенышей выгуливают, надо только присмотреть курицу пожирнее да к ней в квартиру и вломиться. Ребенком припугнешь — любая стерва деньги отдаст. Идея понравилась, и весь вчерашний день приятели провели в парке, но обломались. Первая присмотренная деваха погрузилась в дорогую машину и уехала. Начали пасти следующую, так она, паскуда, встретила двух подружек и «зацепилась языком», передумав идти домой. А потом в парке появилась целая куча ментов, и приятели сочли за благо убраться.

Но время! Проклятое время уходило! Сегодня надо обязательно раздобыть деньги. Обязательно!

— Хреново мне, — прорычал Седло.

— А мне, думаешь, лучше?

— Ты молодой. Крепкий.

— А этой дряни по хрену, кого крутить, молодого или старого. Она в паспорт не смотрит, разрывает все...

— Заткнись! — Седло закашлялся и с ненавистью посмотрел на приятеля. — Щенок вонючий. И без тебя тошно!

Шнырек промолчал. Связываться с Седлом опасно — две ходки за плечами и повадки злые. А уж теперь, когда ломает, перечить и вовсе не следовало. Пусть оскорбляет, главное, чтобы драться не полез.

— Смотри, телка с коляской к домам пошла!

Седло мутными глазами посмотрел в указанном направлении:

— Берем!

И вскочил со скамейки. Шнырек тоже поднялся, нащупал в кармане нож, вздохнул, увидев выражение глаз приятеля, и попросил:

— Напугаем ее, да? Без крови.

— От...ь, — отрезал Седло. — Как получится. Или тебе бабки не нужны?

Деньги Шнырьку были очень нужны. Но смущали его глаза приятеля и то, с каким видом Седло поправил заткнутый за пояс газовый пистолет с расточенным стволом.

— У этого растения много имен. Древние греки называли его «Цветком Аида», хотя нет ни одного упоминания, что оно дает цветы. В Древнем Риме оно было известно под названием «Ветвь Плутона», а в средневековой Европе... — Денис повертел в руке бокал с коньяком. — В Европе это растение называли «Семенем Сатаны». И не любили даже больше, чем мандрагору.

— Скажешь, почему?

— Скажу, куда деваться. — Денис улыбнулся. — «Семя Сатаны»... Считалось, что оно произрастает прямо из ада. Привет с той стороны, так сказать. Люди верили, что через него дьявол направляет своих приспешников, а потому — безжалостно истребляли. Существовал целый ритуал правильного уничтожения: чтение молитв, святая вода, все как полагается. Если рядом не оказывалось священника, дозволялось просто сжечь куст, а пепел развеять по ветру. А на того, кого угораздило прикоснуться к растению голыми руками, непременно накладывали епитимью.

Доктор наук сделал маленький глоток коньяка. Заслушавшийся Колыванов не издал ни звука, и хозяин кабинета продолжил:

— Впрочем, было и другое мнение. В некоторых книгах писали, что растение хранит в себе души сильных людей, настоящих Личностей. Только так они способны вырваться из царства мертвых и вновь увидеть мир. — Денис помолчал. — Я думаю, ты уже знаешь, какое объяснение тебе ближе.

— Пока нет, — медленно ответил Володя. — Пока — нет.

— Уверен?

Колыванов потер подбородок:

— Но откуда пошло такое отношение? Откуда взялись легенды? Ведь должна быть причина.

— Она есть, — спокойно произнес Денис. — Видишь ли, Володя, «Семя Сатаны» появляется исключительно на могилах. Только на них. Это первое. И второе: его можно пересадить, но нельзя культивировать. С него нельзя взять черенок — отрубишь ветку, она умрет, не даст побегов. Оно не цветет, не дает семян. Оно просто растет. Само по себе.

— На могилах.

— Да, только там. — Денис допил коньяк. — «Семя Сатаны» считается уничтоженным. Я знаю, что энтузиасты специально объезжают кладбища, надеясь найти это растение, но не слышал ни об одной удаче. И я представить не могу, как получилось, что где-то в Японии из него сделали бонсай. Это просто невероятно. Старика Такаги хватит удар, когда я расскажу, ЧТО его подчиненные посадили в горшок и отправили в Москву, в обычный супермаркет. Не сомневаюсь, там будет проведено самое тщательное расследование.

— Здорово я вас растревожил, — улыбнулся Колыванов.

— Ты нас не растревожил, ты нас на уши поставил. — Денис стал предельно серьезным. — Володя, теперь ты понимаешь, владельцем какой редкости являешься. Но ты не фанат, не профессионал, ты просто счастливчик. И поэтому я прошу тебя проявить великодушие, понять, ЧТО значит для меня обладание этим растением, и продать его. — Он не задумался ни на мгновение. — Сто тысяч.

Володя не стал делать удивленное лицо и наивно переспрашивать: «Столько денег за бонсай?» Он прекрасно понимал сидящего перед ним человека и видел, насколько важно для Дениса стать владельцем уникального деревца. И еще он понимал, что такая услуга не забудется никогда и передача бонсая станет началом дружбы. И еще он понимал, что отказ ничего не изменит, что если на его кухне действительно растет единственный в мире экземпляр растения, то рано или поздно он его обязательно лишится. Какое-то время коллекционеры станут повышать цену, а потом элементарно украдут вожделенное деревце — слишком высоки ставки. Но...

Колыванов вдруг вспомнил свой бонсай. Не «Семя Сатаны», нет, а «Сердце Самурая». Не уникальный раритет, а молчаливого и надежного... друга. Да! Именно друга, который уже доказал свою преданность. Колыванов вспомнил и явственно увидел его перед собой. Крепкие ветви, узкие листья, и... и почувствовал напряжение. Воин еще не обнажил меч, но уже знал, что впереди тяжелая битва.

— Он зовет!

Колыванов вскочил на ноги. Удивленный Денис следом:

— Кто?

— «Самурай»! Он в беде! — Володя бросился к дверям. — Мне надо домой!!

Кошмар начался в тот самый миг, когда домофон загудел и Ольга открыла подъездную дверь. Грубый толчок в спину швырнул молодую женщину вперед, на коляску, заставил споткнуться, а когда Ольга машинально отпрянула назад, пытаясь удержать равновесие, сзади навалились и грубый голос приказал:

— Тихо! Убью! Молчи, тварь!

Ноги ослабели, пальцы судорожно сдавили ручку коляски.

— Вперед, сука! Вякнешь — щенка зарежу!

«Мишка!!» Мысль о сыне придала сил. Не думая об угрозе, о том, что она может вызвать недовольство бандита, Ольга выхватила из коляски ребенка и прижала его к груди. И сразу же последовал еще один толчок сзади и вбок — женщину направляли в подъезд.

— Иди к лифту, сука! К лифту! И молчи! Молчи, а то убью, тварь!

Второй бандит — Ольга только сейчас поняла, что нападавших двое, — потянул ее в холл.

— Молчи и делай вид, что все в порядке!

«Они боятся, что консьержка вызовет милицию! — догадалась женщина. — Что делать? Кричать?» Но на руках еще не проснувшийся Мишка, а у бандитов — она видела! — ножи. Закричишь — ударят и бегом на улицу. Кто поймает? Кто догонит? «Молчать! Идти спокойно! Консьержка хоть и старая, но не глупая, она поймет, что приключилась беда! Она поймет...»

Ольга сделала несколько шагов и едва не застонала: комната консьержки была пуста. Вышла? Господи, ну почему именно сейчас? Почему везет им, не ей?! Бандиты тоже поняли, что удача на их стороне, и, не стесняясь, поволокли женщину к лифту.

— Быстрее, сука, быстрее!

— Какой этаж?

— Говори, сука! Обманешь — убьем!

Нож оказался рядом с крохотным тельцем ребенка.

— Зарежем обоих!

«Мишка!»

— У меня ломка, тварь! Мне все по хрену! Какой этаж?!

«Господи, наркоманы!»

— Девятый...

Ее втащили в лифт, поставили лицом к стенке, нажали на кнопку, и дверцы закрылись. Захлопнулись, как за приговоренной. Оставалось надеяться, что соседка справа, добрейшей души старушка, зачем-нибудь выйдет из квартиры: соберется в магазин, понесет мусор — увидит, поймет...

Напрасно.

Площадка девятого этажа была пуста.

— Квартира! Какая квартира?

— Если обманешь — убьем! — повторил старший бандит.

— Сюда! — Ольга старалась говорить очень громко. — Пожалуйста, не трогайте меня!!

— Заткнись, тварь!

— Ключи! Дай ключи!

— Отключи сигнализацию!

— Я все отдам! Не трогайте меня! Не трогайте сына!!

— Заткнись!

Удар. Короткий. Жесткий. Из разбитой губы потекла кровь, но Ольга продолжала цепляться за соломинку, надеясь, что ее взволнованный голос привлечет внимание соседки. Женщина протянула бандиту ключи:

— Вот этот от нижнего замка, а этот от верхнего! Только сына не трогайте! Не убивайте! Я все отдам!!

— Я же сказал: молчать!

Ольгу втолкнули в прихожую.

— Золото где? Деньги? Деньги где?! Говори, сука! Убью!

— Я все отдам! Не трогайте! Ребенка не трогайте!!

Она продолжала кричать. Пусть дверь на площадку захлопнулась, но вдруг соседка услышит? Вдруг? «Господи, Валентина Дмитриевна, услышь! Услышь, пожалуйста...»

— Не ори, сука!

— Где деньги, тварь?!

— Где золото?!

— В спальне! Там сейф! Не трогайте сына!

Мишка проснулся, заплакал, голос резанул по сердцу, и Ольга еще сильнее прижала сына к себе. Из глаз потекли слезы.

— Заткни ублюдка!

— Заткни, зарежу!

— Я нашел сейф!

Это молодой, из спальни. Старший бандит потащил женщину по коридору, втолкнул в комнату, едва не сбил с ног.

— Шифр говори, сука! Шифр! Быстро!

— Семь...

— Громче, тварь!

— Быстрее!

— Ты будешь говорить, ...ь?!

Он попытался выхватить ребенка, но Ольга вцепилась в сына мертвой хваткой, и после непродолжительной борьбы Седло был вынужден отступить. И еще два раза ударил женщину по лицу. Схватил за волосы, притянул к себе.

— Шифр говори, сука!

— Не трогайте сына!

— Отдашь деньги — оставим в живых.

Но Шнырек понял — врет. Девка видела их лица, мусорам расскажет, а Седло всегда говорил, что в тюрягу больше не вернется. Ни за что не вернется. Так что конец девке.

Конец? На мгновение Шнырьку стало страшно, даже руки задрожали, но... лишь на мгновение. В тюрьму молодому тоже не хотелось.

— Шифр говори!

— Семь...

И замолчала.

На кухне что-то разбилось. Что-то тяжелое упало и разбилось.

— Кто в доме, тварь?!

— Никого!

— Врешь, паскуда! Кто в доме?! — Седло ударил Ольгу еще раз и толкнул к Шнырьку. — Держи суку, я посмотрю!

И вышел из комнаты. Руки у молодого вспотели, но женщину он держал крепко, за волосы. И нож приставил к ревущему младенцу, хотя не знал, сможет ли нанести удар... сможет ли убить?

Но нож приставил.

— Там никого нет, — как заведенная, повторяла Ольга. — Там никого нет, там никого нет...

— Тихо!

— Там никого нет, там никого не...

— Тихо! — Шнырек дернул женщину за волосы, поднял нож чуть повыше и уколол ее в шею. — Тихо!

На лезвии появилась красная капелька. Кровь и страх в глазах жертвы придали Шнырьку сил. Очень захотелось надавить сильнее, чтобы нож вошел в тело глубже, чтобы лезвие окрасилось красным, на всю длину...

— Господи, не убивайте!

— Тихо! — Шнырек настороженно прислушался. — Седло! Что у тебя?!

— Такой прикол!

Голос напарника был спокоен, даже весел, и Шнырек чуть расслабился.

— А что за грохот был?

— Горшок цветочный упал.

— Сам?

— А ты иди сюда, посмотри на эту хрень! И девку тащи!

Молодой бандит выволок Ольгу в коридор, остановился и удивленно выругался.

— Прикол, да? — рассмеялся Седло.

Прикол не прикол, но в первый момент Шнырьку показалось, что он спит.

По полу полз цветок.

Полз рывками, упирался ветвями, подтаскивал ствол и корни, падал, снова вытягивал вперед ветви, собираясь преодолеть еще пять-десять сантиметров. Иногда он проскальзывал на гладком паркете, и движения вперед не получалось, но цветок не сдавался: поднимался и вновь продолжал путь. Он полз к тихо плачущей Ольге, к кричащему на ее руках Мишке.

Цветок полз, его корни оставляли на полу грязный след, в полутьме коридора напоминающий кровавую полосу.

— Хрень такая! — заржал Седло, упирая в бока руки. — Он с кухни ползет, представляешь?

Молодой бандит промолчал.

— Слышь, дура, что это за мутант?

— Бонсай, — едва слышно прошептала Ольга.

— Чего?

— Может, он механический? — сглотнув, предположил Шнырек.

— А на ... его в горшок сажать?

— Для понта.

Молодому бандиту очень не нравилось происходящее. Не нравился цветок. Не нравилось, что затихла женщина. И ее взгляд, обращенный к странному растению, не нравился. Была в нем надежда. Робкая. Отчаянная.

— Сейчас посмотрим, что там за механика.

Седло ухмыльнулся, наклонился к цветку и с силой провел кончиком ножа по стволу, прижав растение к полу.

— Вроде не режется...

И пропустил удар. Откуда-то из глубины, из переплетения веток, из листьев, выскользнул длинный острый шип.

— Черт! — Седло отдернул руку.

— Что случилось?!

— Он меня ужалил!

— Что? — Молодой еще крепче взялся за волосы женщины. — Что?!

Но Седло, не отвечая напарнику, принялся яростно топтать ногами деревце.

— Гнида! Сука! Тварь! Убью! Шнырек, убей эту ...ь!

Ольга закричала. Следом — Мишка. Молодой бандит неловко дернулся, на шее женщины появилась глубокая царапина. Перепуганная, позабывшая обо всем на свете Ольга попыталась вырваться, Шнырек озверел, и вдруг...

— А-а...!

То ли прорычал, то ли простонал Седло.

И закачался.

— Ты чего?!

Ольга притихла.

— Седло, ты чего? — повторил Шнырек.

— Плывет, — простонал бандит. — Перед глазами плывет...

Под его ногами лежал растоптанный бонсай.

— Плывет... ничего не вижу...

Седло пошатнулся, попытался ухватиться за стену, но не удержался и с неестественной плавностью, словно в замедленной киносъемке, повалился на пол.

— Эй, — дрожащим голосом произнес Шнырек. — Эй, Седло, ты чего улегся? Седло?

Мишка вновь зашелся в крике. У обессиленной Ольги подкосились ноги, она грузно осела, продолжая прижимать к себе сына, но молодой бандит забыл о женщине.

Шнырьку стало очень-очень страшно.

— Седло, — неуверенно позвал он не подающего признаков жизни напарника. — Седло...

И в этот момент распахнулась входная дверь.

В углу скулил окровавленный Шнырек. Милиционеры были ни при чем — бил бандита ворвавшийся в квартиру Колыванов. Бил страшно, насмерть. Бил с такой яростью, что даже телохранители приехавшего вместе с Володей Дениса не сразу сумели его оттащить.

А едва оттащили — появилась оперативная группа: усилия Ольги не были напрасными, Валентина Дмитриевна услышала ее, все поняла и вызвала милицию. В квартире появились люди с автоматами, стало шумно. Ольге вкололи успокоительное, и она, сопровождаемая соседкой, отправилась в дальнюю комнату — кормить Мишку. Колыванову намекнули, что следовало бы держать себя в руках, но в протоколе записали, что при задержании Шнырек «оказал яростное сопротивление сотрудникам правоохранительных органов». Что засвидетельствовала Валентина Дмитриевна. Со вторым бандитом все оказалось еще проще.

— Сердечный приступ, — сообщил закончивший осмотр эксперт.

— Смеешься? — удивился оперативник.

— И в мыслях не было, — обиделся эксперт. — Я, между прочим, в протоколе расписываюсь и за свои слова отвечаю. Сердечко у подонка не выдержало.

— Чего только не бывает! — Милиционер удивленно покрутил головой.

— Седло о дерево укололся, — подал голос Шнырек. — Дерево в коридор приползло и Седло укусило. Я видел.

Денис и Володя переглянулись, заметивший это оперативник насторожился.

— Куда дерево приползло?

— В коридор, — ответил Шнырек. — Оно упало, Седло пошел смотреть, а оно ползет. Седло нагнулся, а потом заорал и стал его ногами топтать. А уже потом умер.

— Наркоманы, — буркнул Денис. — Поганые наркоманы...

И добавил несколько очень грубых слов. Колыванов понял, что ради спасения вожделенного «Семени Сатаны» доктор наук не задумываясь убил бы и Шнырька, и Седло, и кого угодно.

— Что это за растение? — Милиционер кивнул на деревце.

— Бонсай, — коротко ответил Володя.

— Шипы на нем есть?

— Никакого шипа нет, — произнес эксперт. — И на трупе никаких ран нет — я осмотрел очень внимательно. Седло ваш наркотой мотор посадил. Судя по венам — ширяется он давно, так что, если бы не сердце, скоро бы печень отказала или почки. Смертник он. — Эксперт перевел взгляд на Шнырька: — И ты тоже.

— Точно ран нет? — Но в голосе оперативника уже не было настороженности — вопрос был задан, как говорится, для очистки совести.

— Точно.

— Врете вы, — заныл Шнырек. — Врете! И я не смертник...

— Дайте пройти! — В коридор вышла Ольга.

— Почему ты не в спальне? — вскинулся Колыванов. Подошел к жене, приобнял, поддержал.

— Я хочу посмотреть, я должна...

Молодая женщина опустилась на колени рядом с растоптанным деревцем. Что-то прошептала. Провела пальцами по поникшим, на глазах усыхающим листьям, по длинной царапине, оставленной на стволе ножом.

— Надо вернуть его в горшок, — глухо произнес Денис. — У вас есть горшок?

Но по глазам было видно, что не верит. Не верит. Знает, что бесполезно.

— Он умер, — просто сказала Ольга. — Он сделал все, что мог, и умер.

* * *

Путь Самурая — это прежде всего понимание того, что ты не знаешь, что может случиться с тобой в следующий миг. Поэтому нужно днем и ночью обдумывать каждую непредвиденную возможность. Победа и поражение часто зависят от мимолетных обстоятельств. Но в любом случае избежать позора нетрудно — для этого достаточно умереть. Добиться цели нужно даже в том случае, если ты знаешь, что обречен на поражение. Подлинный самурай бесстрашно бросается навстречу неизбежной смерти.

Если ты поступишь так же, ты пробудишься ото сна[1].

---

[1] В рассказе использованы отрывки из книги Ямамото Цунэтомо «Сокрытое в листве».

ТАГАНСКИЙ ПЕРЕКРЕСТОК

— На сегодняшней пресс-конференции представители ГУВД Москвы вынуждены были признать, что расследование смерти Артура Чиряева зашло в тупик. У милиции нет подозреваемых в совершении этого преступления и нет стройной версии, позволяющей объяснить события, взбудоражившие столицу несколько недель назад. Напомним, что известный предприниматель и два его телохранителя были найдены мертвыми во дворе одного из домов по Люсиновской улице. Там же было обнаружено тело девушки, чья личность до сих пор не установлена. Следователи крайне неохотно рассказывают о деталях происшествия, однако наши источники в милиции утверждают, что при Артуре Чиряеве было обнаружено странное копье, которое позволило предположить, что предприниматель был членом неизвестной секты...

Борис Пивоваров протянул руку и крутанул ручку громкости. Теперь приемник едва шелестел, заглушаемый внятным голосом кондиционера. И история с уголовным душком стала далекой-далекой... Борис не любил криминальные новости. Не нравились ему ни героико-патетические сюжеты, рассказывающие о славных победах доблестной милиции, ни хроника происшествий, заканчивающаяся словами «ведется следствие».

Большая часть хроники — истории без продолжения.

«Включить музыку?»

«Нет, не надо. — Пивоваров потер пальцами виски. — Не надо музыки. Не надо шума».

Хотелось тишины. Пусть урчат лишь двигатель машины и кондиционер, они не так настойчиво вгрызаются в мозг, как слова диктора или попсовые песни.

В наши дни работающий двигатель не воспринимается в качестве источника шума. Мы научились его не слышать.

Мы многое научились не слышать.

* * *

— Это не радио!

— Нет.

— Ой, а вы не можете переключить на «Семь холмов»? Сейчас должны сообщить прогноз погоды.

Она сошла с тротуара и подняла руку в тот самый момент, когда Борис вырулил на Садовое с Академика Сахарова. И он, не задумываясь, надавил на тормоз.

Не задумываясь.

Хотя никогда в жизни не брал попутчиков и уж тем более не подрабатывал частным извозом.

— Далеко?

— На Марксистскую.

Почти по дороге.

— Садись, — кивнул Пивоваров.

Девушка была одета в синюю куртку и голубые джинсы. Стройная. Наверное, худенькая, из-за объ-

емной куртки непонятно, но судя по лицу — худень-
кая. Светлые волосы собраны в пучок на затылке.
Светло-серые глаза прячутся за стеклами очков.
Светлая улыбка — очаровательна.

Девушка красива. Но остановился Пивоваров не
поэтому.

Он вдруг понял, что устал кататься по Москве в
одиночестве.

«Пойти работать в такси?»

— ...северный, пять-семь метров в секунду.

— Спасибо, — поблагодарила девушка.

— Не за что. — Борис нажал на кнопку, заставляя
магнитолу вернуться к записи, помолчал и зачем-то
сообщил: — «King Crimson».

— Что?

— Группа, которую мы слушаем, — пояснил Пивоваров. — «King Crimson».

— А-а...

Девушка помедлила, размышляя, стоит ли под-
держивать разговор, после чего кивнула:

— Хорошая музыка для пробок.

— Пожалуй, — улыбнулся Пивоваров.

Очередной светофор. Их взгляды встретились.

— Борис.

— Даша.

— Очень приятно.

— Мне тоже.

«И что дальше?»

«И что дальше?»

В соседней машине — Даша ее не замечает, потому что смотрит на Бориса, — сидит крупная женщина с огромной копной черных как смоль волос. Она
скучающе поворачивает голову влево, и Пивоваров
видит ее большие зеленые глаза. Ленивые, томные и

хитрые, словно у кошки. Женщина прищуривается. А рядом с ней, на переднем сиденье, сидит маленькая, лет шести, девочка — рыжая и зеленоглазая.

Кошка с котенком.

Кошка, готовая выпустить когти.

Когти...

Что-то острое царапнуло спину. Пивоваров вздрогнул. Брюнетка расхохоталась. Даша удивленно посмотрела на Бориса.

— Вы кого-то увидели?

Зеленый, как глаза незнакомки, сигнал светофора. «Кошачий» джип резко стартовал и умчался далеко вперед.

— Нет, нет... — Пивоваров натужно улыбнулся. — Хотел спросить: едете на работу?

— Ага.

— Не рано? — всем своим видом Борис давал понять, что шутит.

Разумеется, шутит, ведь вторая половина дня.

— Я преподаю в музыкальном училище, — ответила Даша. — Сегодня у меня занятия во вторую смену.

— Вы учительница музыки?

— Вокала.

— Всегда завидовал тем, у кого есть слух.

— Напрасно, — ровно ответила Даша.

— Наверное, вы правы. Глядя на современную эстраду, понимаешь, что слух скорее мешающий фактор.

Девушка улыбнулась.

«И что дальше?»

«И что дальше?»

Судя по тому, что в голове не вертелось ни одной подходящей мысли, с которой можно было бы продолжить разговор, Даша Борису действительно понравилась.

Иногда эмоции делают нас слабее.

И в школе, и в институте Пивоваров не был обделен женским вниманием. Достаточно высокий, плечистый, лицом мужественный — не слащавый красавчик, но и не уродец, опять же — с мозгами. Уже на втором курсе Борис устроился на работу программистом и через пару месяцев стал неплохо зарабатывать, так что денег на ресторан для красивой девушки хватало. И Пивоваров не терялся: легко знакомился, охотно увлекался, мог и рассмешить, мог и умный разговор поддержать, коли попадалась интеллектуалка. Победы свои он не афишировал, но счет им давно потерял. Вот только когда девчонка Борису действительно нравилась, до замирания сердца, до прерывистого дыхания, происходило нечто странное: доведенные до автоматизма навыки дружно отказывали, и Пивоваров превращался в растерянного мямлю, неспособного связать двух слов.

Такая загадка природы.

Вот и получалось, что внешне все у Бориса было хорошо: приятели завидовали его успехам, девчонки постоянно вились вокруг, но те, кто был по-настоящему дорог, уходили. Нина Рубина вышла замуж за Герку, а с Пивоваровым даже в кино ни разу не сходила — не приглянулся. И Катю Зурину, в которую Борис был страстно влюблен на четвертом курсе, он упустил — дальше первого свидания дело не пошло.

«Черт, что она обо мне подумает?»

«Какой он забавный!»

— А почему вы не поете?

«Идиот! Вдруг у нее не получилось? Идиот!!»

«К чему этот вопрос?»

— Я пою, — спокойно ответила Даша. — Но не на эстраде — она меня не привлекает.

— А где?

— Там, где нужен живой звук и настоящий голос.

— По-другому не хотите?

— Я себя уважаю.

— Мне понравилось, как вы это сказали.

«Она гордая».

«Я глупая».

Даша замолчала, повисла пауза... ощущаемая как неловкая. Оба хотели говорить, но...

«О чем?»

«О чем?»

Но иногда молчание не золото, а глупость.

— Однажды мне предложили по-быстрому перелицевать программу и выдать ее за свою, — не понимая, зачем он это говорит, произнес Пивоваров. — Я отказался. Две недели мучился, но сделал свой продукт. Получилось лучше оригинала.

— Вы программист?

— Вроде того.

Борис никогда не начинал знакомство с рассказа о том, что созданная им фирма оценивается в несколько миллионов долларов.

— Кстати, вы проехали поворот.

— Черт!!

Пивоваров покраснел. Увлекшись разговором, он забыл перестроиться в нужный ряд, и теперь съезд на Марксистскую оказался далеко справа.

— Сейчас развернусь.

Даша улыбнулась.

— Извините, — пробормотал смущенный Борис.

— Ничего страшного. У меня еще есть время.

Песни на диске закончились, и магнитола автоматически перескочила на последнюю выбранную радиостанцию.

— ...ромный выбор комнатных растений и грандиозная коллекция деревьев бонсай! Вы будете любоваться живыми цветами всю зиму. «Мир садовода» — мечта садовода!

«Может, остановиться и купить ей охапку цветов?»

«Кажется, я все-таки опоздаю...»

На этот раз все вышло как надо. Борис уверенно вклинился в казавшийся сплошным поток автомобилей, въезжающих на Таганку с Больших Каменщиков, проехал несколько метров, лихорадочно размышляя, что лучше: попросить у Даши номер телефона или дождаться ее у училища... и едва успел среагировать на загоревшиеся у идущей впереди машины стоп-сигналы.

— Что случилось?

— Авария!

Две легковушки не поделили дорогу с троллейбусом, намертво перекрыв выезд на Марксистскую.

— Проклятие!

«Ну почему мне так не везет?»

«Угораздило же меня с ним связаться!»

— Борис, спасибо, дальше я попробую сама.

— Даша!

Пивоваров выскочил из машины вслед за девушкой.

— Я действительно опаздываю.

— Давайте проедем через Таганскую...

— Борис, мне некогда.

— Даша, подождите! Не уходите! Даша! Я хочу вам позвонить...

Синяя куртка растворилась в толпе, а за спиной загудели клаксоны — водители требовали от Пивоварова вернуться за руль.

* * *

Выбравшись из затора, Борис прорвался сквозь поток уходящих на Таганскую машин и вернулся на разворот.

«Ушла? Некогда? Ну и ладно! И черт с тобой! Нашла мальчика, блин!»

Выехать на Большие Каменщики, затем на Андропова и домой. Приехать в большую квартиру, обставленную дорогой мебелью, плеснуть в бокал немного коньяка и усесться перед телевизором.

«В конце концов, именно ради этого я и отменил назначенные на вечер деловые переговоры! Мне надо отдохнуть».

Он хотел вернуться домой.

Он не хотел возвращаться домой.

«Или все-таки купить цветы и отправиться к музыкальному училищу?»

И снова проехал мимо съезда на Большие Каменщики.

«Черт!!»

Пивоваров пристроился в хвост большому черному «Лендроверу» с иногородними номерами, аккуратно повернул следом на развороте, проехал еще несколько метров и вновь встал. Два ряда, уходящие на Большие Каменщики, несмотря на горящий зеленый, не двигались.

— Что за хреновина?!

Борис выскочил из салона.

— Когда поедем?

— Вернитесь в машину! — распорядился стоящий у обочины милиционер.

— А когда поедем? Опять авария, что ли?

Судя по всему, всклокоченный вид Пивоварова произвел на постового нужное впечатление: мужчина сильно торопится, мужчина нервничает. Взгляд милиционера чуть смягчился.

— Если спешите, езжайте по Таганской. Большие Каменщики перекрыты — ждем кортеж.

— Черт!

Милиционер сделал вид, что не услышал последовавшее далее ругательство. Усмехнулся и отвернулся.

Пивоваров вернулся за руль и торопливо выехал следом за черным джипом.

Опять светофор, опять по кругу... Марксистская все еще перекрыта. Хвост на Таганскую тянется от Больших Каменщиков, а улица узенькая, да и на пересечении с Абельмановской вечная пробка.

«Надо выехать на набережную!!»

«Лендровер» неожиданно остановился, замигал аварийными сигналами.

— Блин! Только этого не хватало!

Борис включил поворотник, посмотрел в правое зеркало, чуть повернул руль, дожидаясь момента, когда можно будет перестроиться. На противоположной стороне улицы висел указатель: «Круг Любителей Покушать» ресторация» и стрелка в сторону Воронцовской, но добраться до ресторана можно было только пешком — Воронцовка односторонняя.

«Может, пойти пообедать? — Борис вспомнил, что уехал из офиса, так и не поев. — Ладно, ближе к дому...»

— Слышь, мужик! — Водитель джипа постучал в окно. — Открой.

Борис опустил стекло:

— Что случилось?

— Мужик, ты чего за мной едешь? — поинтересовался джиповод.

Пивоваров опешил:

— Я не за тобой, я сам по себе.

— Волну не гони, мужик, ты уже двадцать минут на моем бампере сидишь как приклеенный.

«Двадцать минут?! — Борис перевел взгляд на часы. — Сколько времени было, когда вышла Даша? Кажется, половина... или меньше? И почти сразу же я оказался за «Лендровером»... Нет, не сразу...»

— Убедился?

Убедился Пивоваров лишь в том, что не может вспомнить, сколько времени он крутится по едва шевелящейся Таганке. Но спорить с угрюмым джиповодом Борис не стал. Вместо этого он тоже включил аварийку и вышел из машины.

Помолчал, после признался:

— Свернуть не могу.

— Да ну? — прищурился джиповод.

— Вот тебе и «да ну»!

Шоферы, вынужденные объезжать остановившиеся в левом ряду автомобили, бросали на Пивоварова и владельца «Лендровера» недобрые взгляды. Один, видимо, особо нервный, даже опустил стекло и поинтересовался:

— Чего встали?

— Не видишь — разбираемся, — отрезал джиповод.

«Вольво» и «Лендровер» почти соприкасались бамперами, и разобрать, действительно ли случилась

авария, не представлялось возможным. Нервный поехал дальше.

— Любопытный какой, — пробурчал Пивоваров
и достал сигареты.

— Дай закурить, — поколебавшись, попросил
джиповод.

— Бери.

— Спасибо.

— На здоровье.

Джиповод хмыкнул. Закурил. Пустил дым. Подумал и цветасто выругался.

— Силен, — одобрил Пивоваров.

— Станешь с вами, — проворчал джиповод. — От
одних ментов уже тошнит. Как увидят чужие номера на приличной машине, так сразу: стой! Достали,
блин!

— Ты чего злой такой? — поинтересовался Борис. — Бандит, что ли?

— Я?

— Ты.

Джиповод вдруг понял, что выбрал не самую лучшую линию поведения. Демонстрация плохого вос-
питания даже в каменном веке не считалась призна-
ком хорошего тона.

— Не, я нормальный, — вздохнул джиповод. —
Я по делам в Москву приехал, а заодно жену с детьми привез. Они сейчас в центре гуляют. Красная площадь, там, собор Блаженного, парк Александровский...

— Сад, — машинально поправил его Борис. —
Александровский сад.

— Один хрен, — буркнул джиповод. — Главное,
что они там меня ждут, а я здесь.

— Заблудился?

— Нет. — Мужик отвел глаза. — Я... я уже почти час по этой площади катаюсь. Мне на Садовое надо, а я выехать не могу.

Он помолчал, ожидая насмешливого возгласа или в крайнем случае кривой ухмылки. Не дождался. Пивоваров задумчиво курил.

— Чего молчишь?

— Думаю.

— О чем?

«Первый раз я проскочил поворот, потому что заболтался с Дашей. Затем случилась авария. Затем я снова задумался. Затем оказались перекрыты Большие Каменщики... Не слишком ли много совпадений?»

Привычка требовала рассуждать логически. Найти, где ошибка в алгоритме, и исправить ее. В крайнем случае — принудительная перезагрузка.

Вот только отчего-то не хотелось следовать логическим построениям.

Точнее, появилось чувство, что они не верны.

— Получается, я в твоем хвосте оказался, — медленно произнес Пивоваров.

— В каком еще хвосте? — не понял джиповод.

— Комету представляешь?

— Ну?

— Впереди ядро, за ним хвост. Понимаешь? Ядро и хвост — это одно целое, комета. Ты заблудился, а я поехал за тобой, угодил, так сказать, в хвост и тоже...

Пивоваров замолчал.

— Что «тоже»?

— Я понятия не имею, сколько уже верчусь по Таганке. Ты говоришь двадцать минут. А мне кажется, что больше.

— Врешь!

— Зачем?

Джиповод взмахнул руками:

— Во дела! Ты же местный!

— И что с того?

— Знать здесь все должен!

— Я знаю. Но повернуть на нужную улицу не могу. То одно мешает, то другое.

Мужчины закурили еще по одной.

— Пробка рассосалась, — рассеянно заметил джиповод.

Столкнувшиеся в начале Марксистской машины растащили. Проезд на Большие Каменщики открыли. Таганка зажила обычной жизнью, затормозившие было автомобили отправились по своим делам.

— Может, попробуем поехать?

— Ты веришь, что вырвемся?

Джиповод поразмыслил и покачал головой:

— Нет.

— Тогда не стоит пробовать.

— Но выбираться как-то надо.

— Согласен.

Джиповод раздавил каблуком окурок и предложил:

— Пошли в церковь.

— Куда?

— В церковь. — Джиповод мотнул головой в сторону стоящего у метро храма. — Сами не выберемся. Помощь нужна.

Пивоваров неуверенно почесал в затылке:

— Э-э...

— Ты со мной?

— Не знаю.

— Атеист, что ли? — осведомился джиповод.

— Да нет, крещеный.

— Тогда не сомневайся — пошли.

— А машины?

— А что им будет? Аварийки включенные оставим, и все. Кто сунется?

— А менты? Еще эвакуатор вызовут, черт бы их драл...

— Менты решат, что мы столкнулись и пошли их искать.

— Логично.

* * *

— Эй, подожди! Слышишь? — Борис вдруг с ужасом понял, что так и не узнал имени товарища по несчастью. — Не убегай!!

В какой момент они разошлись?

Наверное, на пешеходном переходе. Когда загорелся зеленый сигнал, джиповод уверенно двинул на ту сторону улицы, а Пивоваров замешкался, прислушиваясь к странному телефонному разговору, что вела стоящая слева женщина.

— Илья? Не может быть!

Лицо превратилось в застывшую маску ужаса и горя. Она пошатнулась, Борис даже дернулся, собравшись поддержать женщину, но она справилась. Прошептала:

— Как это случилось? — Но не дослушала ответ. — Подождите! Как? Как, вы сказали, его зовут? Илья Григорьевич? Нет, девушка, вы ошиблись, у меня есть знакомый по имени Илья, но он не Григорьевич и совсем не собирается умирать. Да. Я разговаривала с ним час назад. А когда умер ваш знакомый? Вчера? Вот видите. Вы просто ошиблись номером.

В голосе женщины отчетливо звучало облегчение: «Надо же, как все хорошо получилось. Сначала я подумала, что речь идет о моем Илье, а эта глупая курица просто ошиблась! Идиотка малолетняя! Кто ее учил с телефоном обращаться?»

— Очень жаль, что *ваш* Илья Григорьевич скончался. Примите мои соболезнования.

Она убрала телефон в сумочку и быстрым шагом направилась к метро.

Она улыбалась.

А стряхнувший с себя оцепенение Пивоваров увидел, что джиповод почему-то не стал его дожидаться и перешел улицу.

— Эй! Подожди! — Борис припустил следом. — Постой!

Широкая спина виднелась далеко впереди.

— Извините! Разрешите! — Пивоваров лавировал среди прохожих, отчаянно пытаясь догнать товарища по несчастью. — Позвольте...

Напрасно. Несмотря на то что Борис бежал, а джиповод шел размеренным широким шагом, расстояние между ними не сокращалось. Как было между ними пять-шесть метров, так и осталось.

«Но этого не может быть!»

Тем временем джиповод остановился у дверей церкви, перекрестился, поклонился и вошел в храм.

«Все, теперь он от меня никуда не денется! — Пивоваров позволил себе остановиться и перевести дух. — В церкви встретимся».

Борис прислонился к стене и принялся шарить по карманам в поисках сигарет.

— А Мишка Пантелеев приедет?

— Ты чего? Он из-за младенцев с тусовками пока завязал. Офис — дом, дом — офис. Мишка и раньше-то трудоголил, а теперь совсем припахался.

— У него разве есть дети?

— А ты не слышал? Елена прекрасная двойню принесла месяц назад. Мальчик и девочка. Знаешь, как герлу назвали? Лукерья!

Собеседники рассмеялись и уселись в припаркованный у тротуара «Мерседес».

«Смеются, — Пивоваров глубоко затянулся сигаретой. — Счастливчики... Они уехали, а я не могу. Я застрял на площади... Подождите! Как это застрял? На какой еще площади?»

Борис поднял глаза на табличку: «Верхняя Радищевская».

— Неужели вырвался?

Он бросил сигарету в урну и сделал несколько осторожных шагов прочь от Таганки. Ничего не происходило. Путь никто не преграждал, надписей «Ремонт дороги. Обход» не появлялось, не было ничего, что помешало бы Пивоварову уйти.

«Я свободен?»

Как просто оказалось решить проблему: брось машину и выбирайся на своих двоих. Дедовским способом, так сказать.

Настроение резко улучшилось.

«На лошади я, наверное, тоже бы вырвался. Лошадь живая, она такие места чует, она вынесет. А машина мертвая, холодная...»

Какие странные слова иногда приходят в голову: лошадь чует *такие* места... Какие *такие*? Такие. Непонятные.

В центре города?

А почему нет?

Борис посмотрел на церковь: «Позвать джиповода? Нет, он машину бросить не сможет, ему за семьей ехать надо. Надеюсь, у него получится».

Что делать дальше, Пивоваров представлял отчетливо: перейти на ту сторону улицы, пройти чуть дальше по Верхней Радищевской и поймать машину, идущую к Яузе.

«А там махнуть через Москву-реку и ехать домой кружным путем. Черт с ней, с Таганкой. И с машиной тоже — черт. Завтра разберемся!»

Борис ступил на мостовую, подождал, пропуская идущий от площади поток автомобилей, торопливо сделал еще несколько шагов, и...

И оказался перед закрытыми дверями церкви.

Которая должна была остаться за его спиной.

«Нет!»

Пивоваров испугался. До холода в животе. До шевелящихся волос. До липкого пота.

«Нет!!»

Несколько секунд он стоял и тупо разглядывал двери храма. Дрожал и тупо разглядывал двери храма. Не думал ни о чем, просто разглядывал закрытые двери.

Борису показалось, что он обречен.

Но потом паника отступила, и появилась отчетливая мысль: «Надо идти в церковь. Без этого не выбраться».

— Здравствуй, Никола Таганский!

— Никола на Болвановке, — поправила его какая-то женщина.

Борис резко обернулся. Рядом стояла невысокая высохшая старушка в черном плаще и черном платке.

— Никола на Болвановке, — повторила она. — Улица так называлась: Верхняя Болвановка. Здесь когда-то идол стоял, по-татарски — болван. Оттуда и пошло.

Старушка перекрестилась, повернулась к Пиво-

варову спиной и медленно пошла в сторону Таганки, катя за собой потрепанную хозяйственную тележку.

— Никола на Болвановке... — Борис так же перекрестился и решительно взялся за ручку двери.

«Посмотрим, сможешь ли ты мне помочь?»

— Не сможет!

Ошеломленный Пивоваров отступил на шаг назад. И сам не понял, что именно заставило его это
сделать: громкий хриплый голос или тот факт, что
двери в храм оказались заперты?

«Но ведь я видел, как джиповод входил в церковь!»

Храм на реставрации.

Прохожие с удивлением смотрели на человека,
дергающего запертые двери.

— Никто тебе не поможет, Боря, никто!

Сквозь застилающий глаза туман страха Пивоваров с трудом различил приплясывающего перед ним
мужчину. Лица не разобрать, все заросло густой бородой. Длинные волосы всклокочены. Одежда —
тряпье. И запах...

«Бомж?»

— Сам думай, Боря, сам! Ты ведь умный, Боря,
ты справишься!

И вдруг вцепился Пивоварову в плечи, резко
притянул к себе и крепко поцеловал в губы.

— Отстань!

Пивоваров оттолкнул сумасшедшего бродягу и,
спотыкаясь, побежал к площади.

— Сам, Боря, сам!!

На одежде застрял густой запах давно не мытого
тела, нечесаных волос и нестираной рубахи. Кислый
запах, противный.

Липкий.

А вокруг шепот:

— Его юродивый поцеловал!

— Его поцеловал юродивый!

— Юродивый его перед церковью поцеловал!

«Они завидуют? Чему?»

* * *

Теперь компанию брошенному «Вольво» составлял подмигивающий желтой «люстрой» грузовичок.

«Эвакуатор, — обреченно вздохнул Пивоваров. — Доигрался».

На его счастье, гроза автомобилистов только-только подкатил к его машине, и оставался шанс спасти «Вольво» от штрафстоянки. Борис уныло подошел к милиционеру:

— Здравствуйте, товарищ капитан.

— Ваша машина?

— Да.

— Предъявите, пожалуйста, документы.

Пивоваров протянул милиционеру права.

— За сигаретами ходили?

— Нет...

— А зачем?

— Мы с хозяином «Лендровера» вас искали. Мы... немного потерлись... чуть-чуть...

— Какого «Лендровера»?

— Вот здесь джип стоял. — Борис махнул рукой на то место, что ныне занял эвакуатор. — Черный «Лендровер» с... кажется, у него воронежские номера были.

— Здесь не было никакого джипа, — помолчав, произнес капитан.

— Как это не было?

— Вот так. Я прекрасно видел, как вы остановились, включили аварийные сигналы, вышли из машины и отправились к метро. Вы были один.

— Вы ошибаетесь.

— Сначала я подумал, что у вас поломка, но вы не стали никому звонить. Просто ушли. Вот я и спрашиваю: за сигаретами ходили?

Борис сдавил руками виски.

«Джипа не было. Джиповода не было. А церковь? А юродивый?»

А что вообще было?

— Мне стало плохо... — пробормотал Пивоваров.

Милиционер вздохнул:

— Вы пили?

— Нет.

Он подошел ближе, принюхался — перегар не чувствовался.

— Вы принимали наркотики?

— Нет.

— Тогда скажите, почему вы остановились?

— Я никак не мог повернуть на нужную улицу, — твердо ответил Борис, глядя прямо в глаза милиционеру. — Я нарезал пять кругов по площади и не смог повернуть. Я не знаю, что со мной произошло. Я просто не мог повернуть. И не мог оставаться за рулем. Я вышел отдохнуть.

Капитан молчал.

— Я не пил и не принимал наркотики. Я не вру. Но что со мной произошло, я не знаю.

Несколько секунд они смотрели друг на друга.

А затем подошел водитель эвакуатора и поинтересовался:

— Цепляем?

— Нет, — медленно ответил милиционер, — не цепляем.

И протянул Пивоварову документы. У Бориса не было сил его благодарить. Он просто кивнул.

— Счастливого пути, — произнес капитан.

* * *

Салон успел основательно остыть, и Пивоваров включил кондиционер на максимальную подачу тепла. А заодно и приемник.

— В ГУВД считают, что смерть Шамиля, последнего из оставшихся в живых родственников Ибрагима Казибекова, положит конец тянущейся с весны войне...

— Нет, только не это!

Борис выключил криминальные новости и медленно поехал вперед. Притормозил, пропуская идущую по пешеходному переходу группу: седой старик с тремя разновозрастными подростками.

И вновь надавил на газ.

«Пора выбираться отсюда!»

Он решил выскочить на Садовое. Все время прямо. Все время прямо. Опуститься под эстакаду, чуть постоять на светофор и подняться на мост через Яузу.

Прочь, прочь от Таганки!

Прочь от болвана!

Прочь!

И ему почти удалось.

Правое переднее колесо спустило в тот самый момент, когда «Вольво» уже наполовину покинул площадь.

Пивоваров понял, что сопротивляться бессмысленно.

Он дотянул до тротуара, выключил двигатель, откинулся на спинку кресла и закрыл глаза.

* * *

Борис не стал вызывать механиков или менять колесо самостоятельно. Зачем? Сменишь колесо, через мгновение заклинит двигатель. Поставишь «Вольво» на эвакуатор — поломается и тот. Таганка не отпускала, Таганка просила задержаться.

Таганка хотела, чтобы он что-то сделал...

Что?

Через двадцать минут и две сигареты Пивоваров понял — что.

Он отправился в ближайший магазин и купил книгу о Москве.

И долго читал ее, сидя в салоне машины.

А потом почти час бродил по площади, вглядываясь в старые камни и в лица прохожих, в дома, давным-давно построенные богатыми купцами, и в новостройки. Он пинал последние кучки желтых листьев, рассматривал проезжающие мимо автомобили и слушал истории, что шептал ему промозглый осенний ветер.

Московский ветер.

Он слушал голос города, в котором родился и вырос. Слушал голос города, о котором, как ему казалось, знал все.

Он знакомился с Москвой...

СОДЕРЖАНИЕ

Литературно-художественное издание

Панов Вадим Юрьевич

ТАГАНСКИЙ ПЕРЕКРЕСТОК

Ответственный редактор *Д. Малкин*
Художественный редактор *С. Киселева*
Технический редактор *Н. Носова*
Компьютерная верстка *А. Щербакова*
Корректор *М. Смирнова*

ООО «Издательство «Эксмо»
127299, Москва, ул. Клары Цеткин, д. 18/5. Тел.: 411-68-86, 956-39-21.
Home page: **www.eksmo.ru** E-mail: **info@eksmo.ru**

Оптовая торговля книгами «Эксмо» и товарами «Эксмо-канц»:
ООО «ТД «Эксмо». 142700, Московская обл., Ленинский р-н, г. Видное,
Белокаменное ш., д. 1, многоканальный тел. 411-50-74.
E-mail: **reception@eksmo-sale.ru**

Полный ассортимент книг издательства «Эксмо» для оптовых покупателей:
В Санкт-Петербурге: ООО СЗКО, пр-т Обуховской Обороны, д. 84Е.
Тел. отдела реализации (812) 265-44-80/81/82.
В Нижнем Новгороде: ООО ТД «Эксмо НН», ул. Маршала Воронова, д. 3.
Тел. (8312) 72-36-70.
В Казани: ООО «НКП Казань», ул. Фрезерная, д. 5. Тел. (8435) 70-40-45/46.
В Самаре: ООО «РДЦ-Самара», пр-т Кирова, д. 75/1, литера «Е». Тел. (846) 269-66-70.
В Екатеринбурге: ООО «РДЦ-Екатеринбург», ул. Прибалтийская, д. 24а.
Тел. (343) 378-49-45.
В Киеве: ООО ДЦ «Эксмо-Украина», ул. Луговая, д. 9. Тел./факс: (044) 537-35-52.
Во Львове: Торговое Представительство ООО ДЦ «Эксмо-Украина», ул. Бузкова, д. 2.
Тел./факс (032) 245-00-19.

Мелкооптовая торговля книгами «Эксмо» и товарами «Эксмо-канц»:
117192, Москва, Мичуринский пр-т, д. 12/1. Тел./факс: (495) 411-50-76.
127254, Москва, ул. Добролюбова, д. 2. Тел.: (495) 745-89-15, 780-58-34.
Информация по канцтоварам: **www.eksmo-kanc.ru** e-mail: **kanc@eksmo-sale.ru**

Полный ассортимент продукции издательства «Эксмо»:
В Москве в сети магазинов «Новый книжный»:
Центральный магазин — Москва, Сухаревская пл., 12 . Тел. 937-85-81.
Информация о магазинах «Новый книжный» по тел. 780-58-81.
В Санкт-Петербурге в сети магазинов «Буквоед»:
«Магазин на Невском», д. 13. Тел. (812) 310-22-44.

*По вопросам размещения рекламы в книгах издательства «Эксмо»
обращаться в рекламный отдел. Тел. 411-68-74.*

Подписано в печать 29.12.2005.
Формат 84x108 $^1/_{32}$. Гарнитура «Таймс». Печать офсетная.
Бумага тип. Усл. печ. л. 20,16.
Тираж 65 000 экз. Заказ № 4602024.

Отпечатано с готовых монтажей
на ФГУИПП «Нижполиграф».
603006, Нижний Новгород, ул. Варварская, 32.